Farabeuf
o la crónica de un instante

Letras Hispánicas

Salvador Elizondo

Farabeuf
o la crónica de un instante

Edición de Eduardo Becerra

CÁTEDRA

LETRAS HISPÁNICAS

Ilustración de cubierta: *Escritura roja III* (fragmento), Severo Sarduy

© Salvador Elizondo
© Ediciones Cátedra (Grupo Anaya, S. A.), 2000
Juan Ignacio Luca de Tena, 15. 28027 Madrid
Depósito legal: M. 40.144-2000
ISBN: 84-376-1860-6
Printed in Spain
Impreso en Anzos, S. L.
Fuenlabrada (Madrid)

Índice

Introducción

Sólo existe una forma real, concreta, del pensamiento: la escritura. La escritura es la única prueba de que pienso, ergo, de que soy. Si no fuera por la escritura yo podría pensar que el pensamiento mismo que concibe la realidad del mundo como una ilusión y como una mentira es, él mismo, una ilusión, una mentira.

Salvador Elizondo

Pero si, al contrario, estas experiencias pudieran permanecer en el lugar donde se encuentran, en su superficie sin profundidad, en el volumen indeciso desde donde nos llegan, vibrando alrededor de su núcleo inasignable, sobre su suelo que no es más que una ausencia de suelo; si el sueño, la locura y la noche no señalaran el emplazamiento de ningún umbral solemne, sino que trazaran y borraran sin cesar los límites que franquean la vigilia y el discurso en el mismo momento en que nos llegan a nosotros ya desdoblados, si lo ficticio fuera solamente no el más allá ni el último secreto de lo cotidiano, sino ese trayecto sagital que impresiona nuestra vista ofreciéndonos todo lo que aparece, entonces lo ficticio sería lo que nombra las cosas, las hace hablar y da, en el lenguaje, su ser partido por el soberano poder de las palabras.

Michel Foucault

Salvador Elizondo y la novela de la «escritura»

En 1964 Salvador Elizondo inicia su obra narrativa con el volumen de relatos *Narda o el verano;* en él hay un cuento, «La historia según Pao Cheng», donde empiezan a insinuarse algunos rasgos de su literatura que se convertirán en centrales a partir de la aparición, al año siguiente, de la que para muchos es su obra maestra: *Farabeuf o la crónica de un instante.* Esta novela ofrece ya, ampliamente desarrolladas, las claves en las que Elizondo irá indagando a lo largo de toda su obra y abre definitivamente el camino de una trayectoria tan compleja como fascinante, sin duda una de las más coherentes y sólidas de la narrativa mexicana e hispanoamericana de la segunda mitad del siglo XX. La obra de Salvador Elizondo aparece en una encrucijada cultural y literaria, la de los años 60, especialmente significativa para las letras de México e Hispanoamérica. Dentro de este periodo de esplendor y fama, Salvador Elizondo formaría parte de esa larga nómina de autores y autoras que, a pesar de su calidad, se movieron en la trastienda del ruidoso fenómeno del *boom.* Los mundos de ficción —a menudo herméticos, desasosegantes, pero al mismo tiempo llenos de formidables propuestas— que su literatura propone no son ajenos a ciertas líneas estéticas que confluyen y se revitalizan durante estos años, por lo que un breve repaso a esta significativa época puede servir de puerta de entrada a la laberíntica literatura del autor de *Farabeuf.*

Margo Glantz, con sus libros *Narrativa joven de México* (1969) y *Onda y escritura en México: jóvenes de 20 a 33* (1971), señaló con gran prontitud algunos de los procesos más novedo-

13

sos que estaban teniendo lugar en la prosa de ficción mexicana de los sesenta. En el estudio preliminar del segundo de los títulos comienza la autora destacando la coexistencia en esa época de diversas generaciones literarias. Iniciada la renovación en los cuarenta con José Revueltas y Agustín Yáñez y culminada en la década siguiente con la obra de Juan Rulfo y, en menor medida, con la de Juan José Arreola, Rosario Castellanos, Elena Garro, Augusto Monterroso y con la primera novela de Carlos Fuentes, *La región más transparente* (1958), entre muchos otros nombres, Glantz destaca dos cauces en la narrativa de las nuevas generaciones: el primero sería aquel englobado bajo la etiqueta de la «onda»; el segundo respondería al término más confuso y genérico de «escritura». Aunque ambas tendencias adoptan actitudes transgresoras, los resultados se enmarcan en líneas claramente diferentes según nos refiramos a una o a otra. La *onda* designa una corriente de temática juvenil y articulada en una nueva mitología cuyos iconos principales serían ciertos cantantes y grupos de *rock* —Bob Dylan, The Beatles, Rolling Stones, The Animals, The Doors...—, así como las estrellas del cine norteamericano. Al mismo tiempo, los personajes de estas novelas viven en un mundo donde la droga, los estereotipos *hippies,* el cómic y los amores pasajeros, definidos por una sexualidad desinhibida y liberada, constituyen algunos de sus pilares básicos. *Estar en la onda* —de ahí la etiqueta— exige una actitud, o una pose, siempre dispuesta al cambio constante en un mundo dominado por la fugacidad y la intrascendencia. El lenguaje constituye también un signo de pertenencia a ese ámbito; las jergas de la subcultura juvenil aparecen una y otra vez y la propia escritura novelesca acusará su incidencia: los relatos, desplegados a menudo desde la subjetividad de un yo omnipresente, se poblarán de expresiones más próximas a una oralidad que se mueve «en los desperdicios del habla cotidiana, la superficialidad, los juegos de palabras y el vocabulario secreto de diferentes colectividades»[1]. Gustavo Sainz,

---

[1] Margo Glantz, *Onda y escritura en México,* México, Siglo XXI, 1971, pág. 22.

José Agustín y Parménides García Saldaña fueron tres de los nombres más representativos de esta tendencia que, de algún modo, se hacía eco del espíritu liberador y transgresor que iba a caracterizar a la cultura occidental durante los sesenta: años de esplendor de la cultura *hippie* y de las nuevas formas de la sociedad de consumo, del mayo del 68, del *rock* y la canción protesta, de Vietnam y la Primavera de Praga; experiencia histórica que en México tendría en Tlatelolco un trágico broche.

Idéntico ánimo rupturista y liberador impulsó a la corriente que Glantz etiqueta con el término «escritura»; no obstante, las ficciones construidas bajo este prisma resultarían muy diferentes a las de la «onda». Glantz destaca que fue precisamente Salvador Elizondo quien más ayudó a popularizar tal denominación en el contexto de la novela mexicana e, indudablemente, el conjunto de sus trabajos reflejó un merodeo obsesivo alrededor de ese concepto ciertamente ambiguo. Más o menos por los mismos años, otros autores mexicanos como Carlos Fuentes, sobre todo en *Cambio de piel* (1967) y *Terra nostra* (1975); Vicente Leñero, con *El garabato* (1967); José Emilio Pacheco, con *Morirás lejos* (1967); Carlos Páramo, con *Los huecos* (1970); Jorge Aguilar Mora, en *Cadáver lleno de mundo* (1971) y *Si muero lejos de ti* (1979); Héctor Manjarrez, en *Lapsus* (1971); Tomás Segovia, en *Trizadero* (1974), e incluso Octavio Paz en *El Mono Gramático* (1974) mostraron la pujanza de esta tendencia. La definición precisa de sus características resulta complicada. Margo Glantz comienza su análisis destacando precisamente esa dificultad y reconociendo que, bajo la fórmula de la «escritura», se englobaron en su momento productos narrativos diversos. Para su caracterización subraya en primer lugar la preocupación preferente por el lenguaje y por la estructura de la ficción novelesca o, como afirma poco después, por su forma antes que por su contenido. Ambas afirmaciones, imprecisas y excesivamente generales, en nada ayudan a delimitar los elementos definitorios de esta novelística. Toda obra literaria refleja, sin excepciones, una preocupación por el lenguaje y la estructura; por otra parte, la preocupación preferente por la forma antes que por el contenido nos remite a una separación de niveles narrativos que no facilita sino que por el contrario complica cualquier tipo de análisis literario, tal vez más en el caso de esta vertiente novelesca, ya que la compleja elaboración formal de las novelas de la «escritura» viene a menudo dada precisamente, y *Farabeuf* constituye un ejemplo paradigmático de ello, por argumentos que exigen la ruptura de las estrategias discursivas tradicionales.

A pesar de estas salvedades, en el prólogo de Glantz encontramos otras observaciones que sí nos acercan a algunos de los aspectos más relevantes de este tipo de relatos. Afirma en otra ocasión que lo que se busca en ellos es el significado mismo del propio narrar. El lenguaje se erige en edificio y andamio, en definitiva, en materia misma de la ficción. La idea de escritura, por tanto, va más allá de la mera noción de estilo; se convierte en asunto novelesco, y de esta forma «dentro de la novela se inscribe la composición de la novela»[2]. He aquí el que probablemente sea el rasgo fundamental de la «escritura»; lo metaficcional no es aquí resultado de la construcción de una estructura narrativa reveladora de una ficción que remite a sí misma (pienso en los recursos distanciadores de los cuentos borgianos, en *Cien años de soledad* y los manuscritos de Melquíades o en la saga sanmariana de Juan Carlos Onetti, por poner sólo unos cuantos ejemplos del ámbito literario hispanoamericano) sino que de principio a fin estas narraciones se muestran en su mismo hacerse. Glantz acierta también al señalar que, bajo este juego literario que podría ser juzgado, erróneamente, como mero ejercicio de retórica barroca, se esconde un problema central: la imagen del ser humano como caligrafía, como ente verbal traspasado de punta a punta por el lenguaje. Tal asunto se enmarca en un orden mayor que constituye otro aspecto esencial de la problemática que encierra la novelística de la «escritura»: la reflexión acerca de las relaciones entre el lenguaje y la realidad —entre *Las palabras y las cosas* (1966), como indicara Michel Foucault en el título de su famosa obra. En este punto, esta narrativa conecta con esferas de saber fundamentales en la cultura contemporánea de Occidente que conviene repasar muy brevemente a la hora de

---

[2] *Ibíd.*, pág. 35.

profundizar en las significaciones de la obra de Salvador Elizondo.

La novela de la «escritura» se constituye como forma novelística en la que todo elemento de la ficción se vuelca hacia el propio acto de escribir; construye narraciones que no pueden ser pensadas en un plano diferente al de su propia fabricación y puesta en marcha. El discurso remite incesantemente a sí mismo, exhibe una y otra vez su mera condición verbal y subraya obsesivamente su imposibilidad de ir más allá de las palabras que lo tejen. Un texto del propio Elizondo, *El grafógrafo*, sirve para ilustrar nítidamente tal caracterización, pues no sin razón ha sido considerado como el paradigma de esta forma de narrar:

EL GRAFÓGRAFO

Escribo. Escribo que escribo. Mentalmente me veo escribir que escribo y también puedo verme ver que escribo. Me recuerdo escribiendo ya y también viéndome que escribía. Y me veo recordando que me veo escribir y me recuerdo viéndome recordar que escribía y escribo viéndome escribir que recuerdo haberme visto que me veía escribir que recordaba haberme visto escribir que escribía y que escribía que escribo que escribía. También puedo imaginarme escribiendo que ya había escrito que me imaginaría escribiendo que había escrito que me imaginaba escribiendo que me veo escribir que escribo[3].

Es fácil deducir a partir de este ejercicio narrativo cómo se consagra en este tipo de discursos una concepción del ser humano como figura encerrada de principio a fin dentro del ámbito del lenguaje en su relación con la realidad. Nos encontramos pues con una literatura que hace de su reflexividad, ahora llevada al extremo, su condición básica; y tal caracterización adquiere un significado relevante en una tesitura del saber desde la que se proclama la omnipresencia del lenguaje a la hora de mediar, mediatizándola, en cualquier experiencia humana de lo real.

---

[3] Salvador Elizondo, *El grafógrafo*, México, Joaquín Mortiz, 1972, pág. 9.

La entidad autorreferencial de la obra literaria supone una característica que ha aparecido en todas las épocas. Sin embargo, conviene señalar que esta condición se convertirá en definitoria a partir de la irrupción de la modernidad en las sociedades occidentales[4]. Con la llegada de la época moderna, la literatura y el arte, a partir del romanticismo, no sólo adoptan nuevas modalidades expresivas sino que tendrán que replantearse su estatus y su papel en el nuevo orden social. Este replanteamiento aboca a la escritura literaria a la pregunta acerca de sí misma, pregunta que recorrerá de punta a punta el callejón central de la literatura de los dos últimos siglos y que se incorporará a la tradición hispanoamericana con el modernismo. El discurso literario se convierte en su propio problema; se interroga a sí mismo buscando su valor y validez a la hora de dar respuestas a los conflictos, angustias e interrogantes que se abren frente al escritor de la modernidad. Al preguntarse por sí misma, la literatura ha de preguntarse por su lenguaje, para acabar, irremediablemente, interrogándose por *el* lenguaje. La pregunta adquiere entonces acentos ontológicos y metafísicos; la literatura se da la mano con otras áreas del saber a la hora de abordar lo que constituye uno de los temas centrales del pensamiento de la modernidad: las relaciones entre lenguaje y mundo y, ligado íntimamente a él, la imagen del ser humano que surge de este espacio enigmático que media entre las palabras y las cosas y en el que el hombre se ve a sí mismo encerrado. No es este el lugar para repasar exhaustivamente el inmenso proceso que dibujan la literatura y el pensamiento contemporáneos en relación con este problema. Señalado su origen, me interesa detenerme brevemente en el estado de la cuestión durante el periodo en el que sale a la luz la obra de Salvador Elizondo.

«El hombre es hombre gracias al lenguaje, gracias a la metáfora original que lo hizo ser otro y lo separó del mundo natural. El hombre es un ser que se ha creado a sí mismo al

---

[4] Un trabajo muy ilustrativo de las consecuencias que para la literatura de Occidente iba a tener la implantación de las sociedades modernas es *Los hijos del limo*, de Octavio Paz (Barcelona, Seix Barral, 1972). Remito al lector a este libro para un estudio más profundo y detallado del problema.

crear un lenguaje. Por la palabra, el hombre es una metáfora de sí mismo»[5]. Si asumimos esta afirmación de Octavio Paz —escritor cuya obra afronta a menudo problemas comunes a los de la literatura de Elizondo—, estamos obligados igualmente a concluir con él que «el lenguaje es la consecuencia (o la causa) de nuestro destierro del universo, significa la distancia entre las cosas y nosotros»[6]. Ambas afirmaciones pueden ayudarnos a centrar el complejo tema que nos ocupa y que podemos empezar a formular con una interrogante: ¿cómo llegar al mundo, cómo actuar en él a través de la literatura si son precisamente las palabras las que consagran nuestra separación de lo existente? Pero a esta pregunta hay que añadirle otra. ¿Existe alguna forma de saber que pueda prescindir del lenguaje? El pensamiento contemporáneo ha ido evidenciando cada vez con mayor énfasis la imposibilidad de pensar fuera del lenguaje, con lo que cualquier forma de conocimiento (incluido por supuesto el literario) queda colocado en una encrucijada difícil de resolver por su condición paradójica: para conocer lo que *es* hemos de sumirnos en el reino de aquello que nos exilia incesantemente de ese ámbito; estamos condenados a pensar el mundo y a pensarnos a nosotros mismos mediante lo que consagra nuestra lejanía respecto a tales territorios: el lenguaje. El territorio del pensamiento se despuebla así de verdades para llenarse de incertidumbres, al sumirse en la hendidura que se abre entre el verbo y la realidad. El conocimiento asume su imposibilidad de llegar al fondo, a las esencias de lo real, pues se ve a sí mismo atrapado y sin escapatoria en la tela de araña, siempre volátil y cambiante, de las palabras. Para el hombre, el universo se convierte en un tejido de representaciones y símbolos inestables. Pensar se convierte en una escritura, circulación de signos que construyen y destruyen para volver a construir incesantemente redes de sentido —siempre susceptibles de metamorfosearse de inmediato en nuevas significaciones—. En medio de este espacio a la intemperie, el mundo y el hombre adquieren una entidad

[5] Octavio Paz, *El arco y la lira*, México, FCE, 1986, pág. 34.
[6] Octavio Paz, *El Mono Gramático*, Barcelona, Seix Barral, 1988, pág. 114.

textual, pues el único territorio que les es dado habitar es el de las representaciones construidas a partir del lenguaje. El saber contemporáneo, en sus diversas disciplinas, ha venido insistiendo cada vez con mayor fuerza en estos planteamientos: la antropología de Lévi-Strauss, el psicoanálisis lacaniano, ciertas orientaciones de la semiología y sobre todo el núcleo de pensadores que, aglutinado alrededor de la revista francesa *Tel quel* —Derrida, Kristeva, Barthes, Foucault, Sollers, Baudry—, hicieron del concepto de *écriture* el eje de sus reflexiones en diversos campos del pensamiento constituyen excelentes ejemplos de esta nueva configuración epistemológica que en determinado momento se impone en el campo del saber occidental. Desde tal atalaya se establece que, si no es posible ir más allá del lenguaje, toda esencia, todo significado trascendental, toda verdad definitiva e inmutable resultan imposibles de alcanzar, pues no dejarán nunca de estar sometidos a la condición cambiante y huidiza de los signos con los que serán enunciados. El ser del hombre ya no está ubicado en una esencia remota y secreta; por el contrario, se manifiesta de forma incesante en las operaciones de su pensamiento, siempre inscritas en las redes del verbo. En definitiva, lo que se concluye en medio de este oscuro escenario es que somos en la medida en que no cesamos de escribirnos a nosotros mismos.

El concepto de «escritura» adquiere en este contexto una importancia fundamental. La escritura no es ya la acción cuyo producto es la obra; indica una idea mucho más poderosa puesto que define rotundamente los propios procesos del pensamiento; ahora pensar no es otra cosa que transitar por el lenguaje, desplegar signos; en definitiva: escribir. La reflexividad de la obra literaria, que señalábamos más arriba como elemento definitorio de la literatura de la modernidad, adquirió desde el comienzo del periodo moderno estatus epistemológico al mostrarse como una tentativa por profundizar en los misterios del mundo y de la existencia humana. Surgió como saber crítico respecto a otras formas del pensar —derivadas del racionalismo dominante—; pero un camino paralelo fue abriéndose en este proceso; fundada como tradición crítica de la propia modernidad, la literatura moderna acaba instaurando una crítica radical de sí misma[7] que desemboca en el reconocimiento de la impotencia de su verbo para dar cuenta de los laberintos secretos de lo real. Resulta fácil rastrear este proceso en las letras de Hispanoamérica desde el modernismo; si en los primeros tiempos fue en el campo de la poesía donde más notoriamente se aprecia tal problemática, la narrativa no tardaría en participar de ella: la obra de autores como Jorge Luis Borges, Juan Carlos Onetti, Julio Cortázar, José Lezama Lima, Gabriel García Márquez, Augusto Roa Bastos y muchos otros así lo manifestó. Todos ellos construyeron en algún momento de su trayectoria mundos de ficción cerrados en sí mismos que, al agotarse dentro de los límites del propio discurso novelesco, subrayaban y consagraban de algún modo la distancia ya referida entre esos mundos de palabras y la realidad.

La narrativa de la «escritura» constituye en gran medida la experiencia terminal de este proceso. Cuando el discurso autorreferente de la literatura se clausura en sí mismo, admite su incapacidad para trascenderse, para superar la barrera de sus propias palabras, acaba reconociéndose simple y exclusivamente como «escritura»; es decir, lenguaje en acción que en todo momento se exhibe como tal y que sólo a sí mismo refiere. Este tipo de narraciones culminan el largo recorrido de la modernidad literaria y entroncan directamente su discurso con corrientes de pensamiento que, como las mencionadas más arriba, desde sus esferas de saber comparten con ellas el reconocimiento de la omnipresencia del lenguaje en toda operación cognoscitiva —e imaginativa— llevada a cabo por el hombre. Dentro de la esfera concreta de la literatura, tal problemática surge muy pronto en toda su plenitud con *Golpe de dados* (1897) de Mallarmé —poema que versa sobre el propio acto poético y en el que el propio lenguaje y la escritura se ponen continuamente en juego—; igualmente se invoca a menudo la importancia de *Finnegan's Wake* (1939), de James Joyce, como referente ineludible de esta tendencia narra-

---

[7] Para un análisis más exhaustivo de este proceso, pueden consultarse las reflexiones que desarrolla Octavio Paz en el capítulo de *Los hijos del limo* «La revuelta del futuro», págs. 39-62.

tiva, y se ha insistido también en las conexiones entre esta forma de novelar y el movimiento casi contemporáneo del *nouveau roman* francés de autores como Allan Robbe Grillet, Michel Butor y Nathalie Sarraute. Sin negar tales conexiones, me interesa más subrayar lo que tiene la novela de la «escritura» de radicalización de tendencias que venían de lejos en el contexto de la novela y el cuento hispanoamericanos desde bastantes décadas atrás.

A partir de la ruptura vanguardista, que, aunque menos conocida, también tuvo un destacado papel en el desarrollo de la prosa de ficción hispanoamericana gracias a la obra de, entre otros autores, Jaime Torres Bodet, Arqueles Vela, Gilberto Owen, Juan Emar, Vicente Huidobro, Pablo Palacio, Macedonio Fernández y Alberto Vanasco, la narrativa hace del riesgo y de la transgresión de las fórmulas tradicionales dos de sus motores básicos. Siguiendo esta estela surgen los nombres capitales de la novela y el cuento del siglo xx —Asturias, Borges, Carpentier, Onetti, Sábato, Rulfo, Fuentes, Cortázar, García Márquez, Vargas Llosa, Donoso...— y también a ella se incorporan, radicalizando su discurso, aquellos narradores que harán de la «escritura» el problema central de sus relatos. La novela de la «escritura» se enmarca entonces en un proceso de enorme amplitud dentro de la tradición hispanoamericana reciente; de ahí que constituya una orientación de alcance continental y en absoluto circunscrita exclusivamente a México —si bien es cierto que en este país se mostró especialmente prolífica. Los cubanos Severo Sarduy, sobre todo con *Gestos* (1963), *De donde son los cantantes* (1967), *Cobra* (1972) y *Maitreya* (1973), y Guillermo Cabrera Infante, en *Tres tristes tigres* (1967); los argentinos Osvaldo Lamborghini, autor de *Sebregondi retrocede* (1973) y *Sebregondi se excede* (1988), y Humberto Constantini, en *Háblenme de Funes* (1970), y otros autores como el chileno Enrique Lihn y el uruguayo Mauricio Wácquez demuestran, junto a los novelistas mexicanos antes mencionados, la amplitud de esta tendencia. Incluso algunos de los elementos más caracterizadores de este discurso se revitalizarán posteriormente en los relatos de algunas de las narradoras más significativas del panorama hispanoamericano de las últimas décadas, como sería el caso, entre otros, de la chilena Diamela Eltit, la colombiana Alba Lucía Ángel, la uruguaya Cristina Peri Rossi, la brasileña Clarice Lispector y las argentinas Reina Roffé, Silvia Molloy y Luisa Valenzuela. Dentro de este poblado escenario, la figura de Salvador Elizondo surge como una de las más relevantes. Autor de dos novelas: *Farabeuf* (1965) y *El hipogeo secreto* (1968), y de la novela corta *Elsinore* (1988); del libro de cuentos *Narda o el verano* (1964), y de los ejercicios narrativos reunidos en los volúmenes *Retrato de Zoe y otras mentiras* (1969), *El grafógrafo* (1972) y *Camera lucida* (1983), su trayectoria destaca tanto por la calidad de sus obras como por su fidelidad a una temática compleja y nada complaciente, dedicada casi en exclusiva a mostrar los oscuros y desconcertantes mecanismos sobre los que se sustenta la imaginación humana y a revelar obsesivamente la condición inestable y precaria de la realidad que nos rodea. No exagero si afirmo que es precisamente *Farabeuf o la crónica de un instante* la obra que mejores resultados ofrece dentro de tales búsquedas.

«FARABEUF O LA CRÓNICA DE UN INSTANTE»

En el relato de Jorge Luis Borges «El Aleph», cuando el narrador ha de enfrentarse a la descripción de ese objeto alucinante que encierra de forma total y rotunda el universo, nos dice: «Lo que vieron mis ojos fue simultáneo: lo que transcribiré, sucesivo, porque el lenguaje lo es. Algo, sin embargo, recogeré»[8]. Un temor parecido al del personaje borgiano surge inevitablemente al tratar de describir el argumento de *Farabeuf*. Su trama discurre por varios planos narrativos —alejados en el tiempo y en el espacio unos de otros— que se intercomunican incesantemente. Esta heterogeneidad se resuelve, no obstante, en una estructura y un discurso que, desde la ruptura de la linealidad, intentan mostrar como un todo simultáneo los mundos diversos que los personajes de *Farabeuf* habi-

---

[8] Jorge Luis Borges, «El Aleph», *Obras completas,* Buenos Aires, Emecé, 1974, vol. I, pág. 625.

tan. Como su subtítulo indica, la novela de Elizondo es *la crónica de un instante;* su análisis debe partir por tanto de la asun-
ción, con todas sus consecuencias, del *oxímoron* que se anuncia desde el título: si la crónica es la historia o relato que se
basa en el orden lineal y sucesivo de lo temporal, escribir la
crónica de un instante se revela como una labor imposible
por paradójica. Contar el instante impide relatar lo que fue según el orden cronológico de los acontecimientos sucedidos y
obliga a presentar (y ya no a representar) lo que está siendo en
el espacio novelesco. Sólo hay, pues, una manera de llevar a
cabo la crónica de un instante, hacer que una y otro vayan sucediendo simultáneamente, que los sucesos y la escritura dis-
curran a un tiempo. El propio Elizondo también advirtió en
otra de sus obras de cómo «el carácter sucesivo de la escritura
se aviene mal al discurso casi siempre instantáneo o simultáneo de la vida»[9]; por lo tanto, ese intento de captar la vida en
toda su inmediatez que constituye el empeño narrativo de *Farabeuf* arrastra en todo momento consigo las limitaciones e
impotencias inherentes al verbo que inevitablemente lo sostiene.

El marco histórico

La novela de Elizondo utiliza, como punto de partida de la
ficción, un trasfondo histórico que resulta básico para seguir
el rastro del juego novelesco emprendido. El personaje real
más importante es, obviamente, Louis Hubert Farabeuf
(1841-1910), cirujano y anatomista francés y profesor de Anatomía en la Facultad de Medicina de París a partir de 1897.
Considerado como uno de los principales representantes de
la escuela quirúrgica francesa, su obra más conocida fue su
Manual de técnica quirúrgica (1898) —precisamente la sección
de este libro dedicada a las amputaciones constituye, como se
verá más adelante, una de las referencias más presentes en la

---

[9] Salvador Elizondo, «El desencarnado», en *Retrato de Zoe y otras mentiras*,
México, Joaquín Mortiz, 1969, págs. 149-180 (pág. 149).

novela—. Aunque el argumento está repleto de alusiones a sus actividades médicas, su papel sobrepasará ampliamente ese ámbito, puesto que su figura se someterá a un proceso de ficcionalización constante que ocupará cada vez mayores parcelas del argumento[10].

La cada vez mayor entidad ficticia del personaje tiene mucho que ver con otro de los escenarios históricos de la novela: la China de finales del siglo XIX y comienzos del XX que sirvió de marco a la que fue conocida como la rebelión de los bóxers. Elizondo convierte a Farabeuf en médico integrante de las fuerzas expedicionarias que entre 1900 y 1901 iban a restablecer el dominio extranjero en el país oriental. Al mismo tiempo, lleva a cabo, bajo el nombre supuesto de Paul Belcour, una incierta misión de espionaje cuyo objetivo —la creación de una Iglesia Católica China con el fin de romper el poderío de la dinastía manchú reinante— posee un claro trasfondo religioso y político. Pero la importancia fundamental que la presencia de Farabeuf en China tiene para el argumento se encuentra en otro suceso que sin duda constituye el eje narrativo de la trama: la fotografía del suplicio de un magnicida.

El 10 de abril de 1905, en la plaza Ta-Tché-Ko de Pekín, era torturado hasta la muerte por el procedimiento del *leng-tch'é* —o de los cien pedazos— Fu Tchu Ki, asesino del príncipe mongol Ao Jan Wan que vengaba así el que éste le hubiera quitado la esposa. Elizondo convierte a Farabeuf en el autor de la fotografía que plasma la agonía del supliciado, quien en la novela es un bóxer que decide acabar con la vida del príncipe por su colaboracionismo con las fuerzas de ocupación.

---

[10] Lillian Manzor-Coats, en su artículo «Problemas en *Farabeuf* mayormente intertextuales», *Bulletin Hispanique,* 1986, núm. 88:3-4, págs. 465-476, afirma que el proceso de ficcionalización de la figura del cirujano se muestra explícitamente cuando, casi al comienzo de la obra, aparece el nombre del personaje con el orden de sus iniciales cambiado: H. L. Farabeuf. Sin embargo, sospecho que este aspecto concreto responde más bien a un simple lapsus del autor y no a una estrategia novelesca consciente. Me baso para esta hipótesis en un fragmento de su autobiografía, *Salvador Elizondo,* México, Empresas Editoriales, 1966, en el que al citar su conocimiento y lectura del *Précis de Manuel Opératoire,* señala como autor del mismo al doctor H. L. Farabeuf (pág. 44).

Para hacer verosímil estos cambios de situación —pues en 1905 la rebelión de los bóxers ya había sido sofocada— en la novela la ejecución tiene lugar cuatro años antes, concretamente el 29 de enero de 1901[11]. La fotografía constituirá sin lugar a dudas el corazón de la trama. A partir de esta terrible imagen van a ir desarrollándose las diversas líneas argumentales, estableciéndose un constante juego de analogías que resultará clave para tomar conciencia de los significados ocultos del relato. Para seguir este rastro laberíntico conviene completar el repaso a los restantes escenarios, éstos ya colocados en el terreno exclusivo de la ficción.

Otros planos narrativos

En las primeras páginas de la novela, el doctor Farabeuf llega a una casa situada en el número 3 de la rue de l'Odéon, en París, donde esperan dos mujeres y un hombre. En ese lugar se desarrollará una breve escena donde los aparentemente nimios acontecimientos que tienen lugar irán insinuando progresivamente sentidos ocultos y enigmáticos. Justo antes de llegar el protagonista, suena un tintineo que, sin que se aclare nunca del todo, surge bien del lanzamiento de las tres monedas del *I ching* —método chino de adivinación mediante hexagramas simbólicos— bien del deslizamiento de la tablilla indicadora de la ouija —también método adivinatorio pero esta vez perteneciente a la tradición de Occidente—. Un momento antes de la llegada de Farabeuf, una de las mujeres ha dibujado sobre el vaho del cristal de la ventana un signo incomprensible. Cuando entra el doctor, esa misma mujer se dirige hacia la ventana y en su

---

[11] Las fotografías de la agonía de Fu Tchu Ki fueron recogidas por Louis Carpeux en su libro *Pékin qui s'en va* (1913), pero la instantánea del *leng-tch'é* que se recoge en *Farabeuf* es una de las que George Dumas incluye en la segunda edición de su *Traité du psychologie* (1932). Estas placas plasman la imagen de un suplicio ocurrido varios años antes que el de Fu Tchu Ki. La identidad errónea del supliciado en la novela arranca del libro de George Bataille *Las lágrimas de Eros* (1961), que recoge las fotos de Dumas y afirma que son las mismas que las aparecidas en el libro de Carpeux.

camino toca con su pie la base de hierro de una mesilla y roza con su mano la mano del hombre. La otra mujer —la Enfermera, amante de Farabeuf desde los tiempos de China y su ayudante en las clases prácticas de la Escuela de Medicina de París— espera al fondo del pasillo la llegada del médico mientras practica el *I ching* o la ouija y en determinado momento observa a la otra pareja a través de un espejo. Este espejo irá dotando de irrealidad a los seres y los acontecimientos que ocurren en el cuarto; al mismo tiempo, ofrecerá una imagen invertida de la reproducción del cuadro de Tiziano *Amor sagrado y amor profano* colgado de una de las paredes de la habitación. Por último, en el tocadiscos un disco rayado repite incesantemente el estribillo de una canción que en ningún momento se identifica. El doctor Farabeuf ha llegado a la casa para emprender un inquietante ritual con el cuerpo de una de las mujeres como protagonista. La ceremonia tendrá lugar en un cuarto situado al final de un pasillo donde se encuentran las señales de otros ritos idénticos ya ejecutados anteriormente. La mujer que dibujó el signo en el cristal mirará continuamente hacia allá en medio de una gran ansiedad y fascinación.

Casi al inicio también se menciona la existencia de un libro abandonado en la casa donde se encontraban dos cartas: una de ellas «describía un incidente totalmente banal ocurrido en la playa de un balneario lujoso» (pág. 112). Este suceso nos abre las puertas del escenario que falta. En él transcurre el paseo por la playa de un hombre y una de las mujeres de la casa de París; repentinamente ella echa a correr y se aleja de su compañero; al detenerse, descubre entre las piedras una estrella de mar, la coge entre sus manos y siente una extraña mezcla de asco y ansiedad. Al volver a casa, encuentran un sobre amarillo sobre un mueble, la mujer lo abre y descubre en él la fotografía del suplicio del *leng-tch'é* tomada por Farabeuf muchos años antes; el cuerpo surcado de regueros de sangre y la expresión extática de la víctima la excitan sexualmente, por lo que se abandona al abrazo del hombre para de inmediato hacer el amor con él.

El discurso novelesco de *Farabeuf* se sostendrá en la reescritura incesante de estas escenas para intentar desvelar el

27

sentido que guardan. Según avanza el relato se irán descubriendo extraños vínculos entre los diferentes cauces argumentales; y así, la aparente heterogeneidad de la narración se irá resolviendo en un espacio común que remite a una experiencia extrema, a un instante en el que se oculta un significado secreto. El relato en espiral de la trama volverá una y otra vez, reuniéndolos, a los mismos asuntos y escenarios —la escena de la casa, la secuencia de la playa, la aventura de Farabeuf en China, el momento en que toma la instantánea del supliciado...

La estructura novelesca

En *Farabeuf* la acción narrativa apunta a un lugar que se muestra inabordable; todo en ella es incierto, cambiante. La heterogeneidad temporal, de los escenarios y de los acontecimientos parece compartir, no obstante, un centro común a la par que enigmático. A partir de tal caracterización, dos de sus componentes narrativos, de gran presencia a lo largo del relato, surgen como espejos de su estructura. La tortura del *lengtch'é*, o de los cien pedazos, constituye el primero de ellos. Como en el suplicio, donde un cuerpo es sometido a un progresivo despedazamiento, la narración surge una y otra vez desmembrada en situaciones, espacios y tiempos diversos. El argumento narra la crónica de la restitución de esa figura deshecha, la tentativa por darle otra vez cuerpo pero ahora en otro cuerpo, el de la mujer, tratando de recobrar al mismo tiempo el sentido de ese cuerpo aniquilado: expresado en el gesto extático que dibuja el instante fugaz de su muerte. En un proceso paralelo, la novela será discurso que, en medio de su dispersión, busca darse a sí mismo una forma acabada, una estructura que lo clausure y lo resuelva en la consecución de un significado definitivo. El texto de *Farabeuf* se articulará así no sobre la construcción de un sentido sino sobre su búsqueda; se sustentará en el merodeo por una zona opaca que lo promete sin revelarlo nunca; y ese lugar será precisamente el eje sobre el que giren sus múltiples y diversas instancias narrativas.

La novela entonces dibuja en su desarrollo un movimiento en espiral, pues traza diferentes círculos —correspondientes a los diversos escenarios y situaciones— que giran alrededor de un mismo punto. Este funcionamiento de la trama se identifica totalmente con los procedimientos del clatro, instrumento de esferas giratorias y concéntricas que aparece en determinados momentos de la obra. En uno de ellos, tras el repaso de los acontecimientos realizado por Farabeuf, leemos: «No se puede negar que tiene usted el don de la recapitulación de los hechos. La claridad de su pensamiento es asombrosa. Los hechos, según la relación que de ellos ha hecho usted, encajan perfectamente unos dentro de otros, como las partes de una máquina, como el puñal en la herida digamos o como las esferas que componen el clatro» (pág. 149). El clatro se muestra desde dentro de la narración como imagen explícita de la estructura novelesca; incluso, en el penúltimo capítulo este objeto aparece como método adivinatorio, similar al *I ching*, capaz de descifrar el enigma que atraviesa de principio a fin la historia. Este enigma es ese centro que, como en el clatro, también en la novela traspasa todos los círculos que abarca el argumento; pero lo significativo es que, tanto en uno como en otro caso, ese punto central es un orificio, un hueco vacío que ni las palabras ni los actos pueden colmar ni dotar de sentido. Aquí se encuentra el rasgo más significativo de la identificación del clatro con la escritura novelesca y con la estructura que de ella emana.

Los vasos comunicantes

Como se lee en una de sus primeras páginas, en la novela se nos narran los sucesos que se mueven en torno a «una cita concertada a través de las edades» (pág. 105). Para lograr esta desconcertante reunión, una serie de elementos irán estableciendo secretas vías de comunicación entre los distintos espacios y personajes. Por encima de todos ellos, la fotografía del suplicio funciona como principal factor aglutinante. Aparece en todos los escenarios de la acción: si en la China de 1901 es donde Farabeuf, ayudado por Mélanie Dessaignes, la Enfermera, toma la instantánea; ésta, encontrada en un sobre amarillo de la casa de la playa, provocará el deseo sexual de la mujer. También en la casa de París estará presente reproducida en uno de los periódicos esparcidos por el suelo para recoger las manchas de barro de los zapatos del doctor y los rastros de sangre y excrecencias producto de sus intervenciones quirúrgico-eróticas en la casa.

El coito o acto sexual emparentará también los diferentes planos narrativos. La mujer y el hombre en la playa y Farabeuf y Mélanie Dessaignes en China lo llevarán a cabo. Es curioso observar que el doctor y la Enfermera hacen el amor durante su misión de espionaje disfrazados de religiosos. Farabeuf, bajo el nombre de Paul Belcour, y la mujer, que responde al de Hermana Paula del Santo Espíritu, se entregan a la carne con sus disfraces eclesiásticos, acontecimiento que establece una curiosa analogía con la copia del cuadro de Tiziano *Amor sagrado y amor profano* que cuelga de una de las paredes de la casa parisina. Otros sucesos refuerzan los vínculos entre los diferentes niveles de la trama. Cuando Farabeuf va a entrar en la casa de la rue l'Odeón recuerda el suplicio del magnicida, rito que guarda inquietantes reminiscencias con la ceremonia que, dirigida por el médico, tendrá lugar en la casa. Las gaviotas de la playa y las palomas de la plaza pequinesa donde transcurre la tortura insinúan con frecuencia también extrañas simpatías. Otro acontecimiento de parecidas consecuencias tiene lugar durante la escena de la playa; allí el hombre toma una foto a la mujer y al revelarla se produce un hecho insólito: «Yo te tomé una fotografía. Estabas reclinada contra las rocas desgastadas por la furia de las olas. Se trataba, simplemente, de un paisaje marino, banal por cierto, en cuyo primer término tu rostro tenía la expresión de estar haciendo una pregunta sin importancia. ¿Por qué entonces, cuando la película fue impresa, aparecías de pie frente a la ventana de este salón?» (pág. 119).

Pero será de nuevo la fotografía del *leng-tch'é* la que se encuentre en el origen del más importante de los paralelismos entre las líneas argumentales de *Farabeuf*. Como se nos recuerda casi al final, la postura de la víctima y la disposición de los verdugos guardará estrechas semejanzas con la forma de la estrella de mar que la mujer recoge en la playa y que le produce, antes de lanzarla a las aguas, una sensación mezcla de asco y ansiedad; la forma de ambas, la estrella y la postura del torturado, se asemejará extraordinariamente a la disposición de las líneas del garabato indescifrable que la mujer traza sobre el cristal de la casa de París. Más adelante habrá ocasión de analizar con más detalle esta oscura analogía que esconde uno de los conflictos principales de la novela.

Las voces narrativas

Farabeuf o la crónica de un instante dibuja un espacio novelesco desbordante de incertidumbres. La utilización de las voces narrativas constituirá otro de los factores que más insistentemente subrayarán tal caracterización. Las dos parejas protagonistas: Farabeuf y la Enfermera, por un lado, y el hombre y la mujer sin nombres, por el otro, se convierten simultáneamente en actores y narradores de los acontecimientos. Además de ellos, un anónimo interlocutor que se dirige siempre a Farabeuf y, por último, un narrador omnisciente que aparece en escasas ocasiones completarán la nómina de voces narrativas[12].

En *Farabeuf* este juego de perspectivas no se produce con el fin de multiplicar las significaciones de lo relatado. Los distintos puntos de vista no sirven para sumar versiones sino que subrayarán aún más la estructura repetitiva de la obra: se describirán prácticamente los mismos acontecimientos sin apenas aportar variaciones destacables. No importa tanto el relato de lo sucedido como las preguntas acerca de su significado. De ahí que los personajes sean a un tiempo actores, en la medida en que son agentes de las acciones narrativas, y narradores, debido a que no cesan en ningún momento de preguntar-

---

[12] A todo ello hay que añadir fragmentos de textos de diversa procedencia: cartas, informes, recortes de periódico, edictos imperiales y, por último, un fragmento del *Manual de técnica quirúrgica* del propio Farabeuf.

se por el sentido de los actos que ejecutan. Los distintas voces se interpelan unas a otras acerca de los mismos sucesos; estableciendo un diálogo incesante donde lo que prevalece es la abundancia de preguntas y la ausencia total de respuestas definitivas. Es la búsqueda de un significado la que atraviesa de principio a fin la historia: el significado de un instante. El merodeo alrededor de ese núcleo de significación será el acontecimiento central de *Farabeuf*. El texto se abre y cierra con la misma pregunta: «¿Recuerdas?» En las casi ciento cincuenta páginas que median entre una pregunta y otra se abrirá ese espacio congelado y vacío del instante indescifrable, y el argumento no será sino el intento de enunciar una respuesta imposible a tal interrogante.

Las identidades cambiantes

Ante la falta de certezas, el argumento de *Farabeuf* se llena de irrealidad. Al no haber respuestas, todo se pone en duda, y esta inestabilidad omnipresente alcanza incluso a los propios personajes. Si éstos sostienen su actuación sobre todo en la emisión de interrogantes acerca de sus propios actos; es decir, si son sólo en relación con el sentido de sus actuaciones, llegan a adquirir una entidad preferentemente ideográfica; se convierten en grafías, trazos o representaciones que aluden a un sentido —su propio sentido— que nunca llegan a desvelar. Aparecen así como signos errados —pues no alcanzan nunca a otorgarse una significación definitiva— y errantes —al desplazarse sin cesar hacia nuevas significaciones posibles.

Esto explicaría las identidades cambiantes y huidizas que soportan los protagonistas. Dentro de un territorio donde resulta imposible encontrar una sola certidumbre, cualquier entidad personal se muestra inestable y continuamente puesta en duda. Las alusiones a posibles intercambios de identidad entre la Enfermera y la mujer serán constantes, e incluso se insinúa en determinados momentos la posibilidad de que ambas no sean sino la misma persona. Yendo más allá, se llega a postular la hipótesis de que la mujer y la Enfermera sean en realidad el supliciado. El magnicida, por su parte, será alternativamente hombre y mujer, e incluso se le llegará a atribuir la condición sagrada de Cristo, un Cristo oriental que serviría desde tal condición a los intereses de la misión de espionaje que, bajo el mando de la Iglesia católica, emprende el doctor en la China de comienzos del siglo XX. Por último, casi al final de la novela se plantea también un probable cambio de identidades entre el hombre y Farabeuf.

En este confuso territorio no puede sorprender que de forma constante los personajes proclamen la sospecha acerca de su irrealidad, de su posible condición de meros entes de ficción, simples integrantes de un juego novelesco:

Habéis hecho una pregunta: «¿Es que somos acaso una mentira?», decís. Esta posibilidad os turba, pero es preciso que os avengáis a pertenecer a cualquiera de las partes de un esquema irrealizado. Podríais ser, por ejemplo, los personajes de un relato literario del género fantástico que de pronto han cobrado vida autónoma. Podríamos, por otra parte, ser la conjunción de sueños que están siendo soñados por seres diversos en diferentes lugares del mundo. Somos el sueño de otro. ¿Por qué no? O una mentira. O somos la concreción, en términos humanos, de una partida de ajedrez cerrada en tablas. Somos una película cinematográfica, una película cinematográfica que dura apenas un instante. O la imagen de otros, que no somos nosotros, en un espejo. Somos el pensamiento de un demente. Alguno de nosotros es real y los demás somos su alucinación. Esto también es posible. Somos una errata que ha pasado inadvertida y que hace confuso un texto por lo demás muy claro: el trastocamiento de las líneas de un texto que nos hace cobrar vida de esta manera prodigiosa; o un texto que por estar reflejado en un espejo cobra un sentido totalmente diferente del que en realidad tiene. Somos una premonición; la imagen que se forma en la mente de alguien mucho antes de que los acontecimientos mediante los cuales nosotros participamos en su vida tengan lugar: un hecho fortuito que aún no se realiza, que apenas se está gestando en los resquicios del tiempo; un hecho futuro que aún no acontece. Somos un signo incomprensible trazado sobre un vidrio empañado en una tarde de lluvia. Somos el recuerdo, casi perdido, de un hecho remoto. Somos seres y cosas invocados mediante una fórmula de nigromancia. Somos algo que ha sido olvidado. Somos una acumulación de palabras; un hecho consignado median-

te una escritura ilegible; un testimonio que nadie escucha. Somos parte de un espectáculo de magia recreativa. Una cuenta
errada. Somos la imagen fugaz e involuntaria que cruza la
mente de los amantes cuando se encuentran, en el instante en
que se gozan, en el momento en que mueren. Somos un pensamiento secreto... (págs. 176-177).

Esta larga cita recoge las múltiples hipótesis que a lo largo de
la narración expresan los personajes acerca del carácter incierto
del universo que habitan. El mundo conjetural desplegado nos
impele a que no olvidemos en ningún momento su verdadera
índole: el de un espacio sólo sustentado en su escritura. En *Farabeuf* se nos recuerda sin cesar que, si todos los elementos novelescos —incluidos los personajes— son signos que esconden
sentidos indescifrables, detrás de las palabras no hay nada y por
tanto el discurso transita exclusivamente en un devenir de grafías que construyen y destruyen, en continuas metamorfosis,
significados siempre mudables. No hay posibilidad de alcanzar
un más allá ubicado fuera del texto; las continuas alusiones a
un taumaturgo o incluso a un explícito novelista que mueve
los hilos de la acción nos llevan a tomar conciencia de que la
pregunta última de *Farabeuf* es la pregunta de la escritura por
ella misma. Es en este punto donde la omnipresencia de lo metaficcional se carga de significados trascendentes, ya que la radical incertidumbre del mundo de ficción de la novela de algún
modo nos implica a nosotros, los lectores; nos introduce en un
ámbito igualmente enigmático e incierto al invitarnos a formular las mismas preguntas que el texto enuncia, pero ahora refe-
ridas a nosotros mismos.

La temporalidad

«El tiempo —afirma Elizondo— es la cifra de nuestro
destino, el lugar a donde vamos»[13], lo que le lleva a concluir que «si el tiempo no es la substancia de una literatura,

---

[13] Salvador Elizondo, *Contextos*, México, Sep-Setentas, 1973, pág. 189.

sí es la más aguda de sus obsesiones»[14]. Estas inquietudes se revelan de inmediato en *Farabeuf*, al mostrarse ya en toda su complejidad desde la cita de Cioran que precede a la novela:

> Toda nostalgia es un rebasamiento del presente. Incluso bajo la forma de la pesadumbre, ella adquiere un carácter dinámico: se pretende forzar el pasado, actuar retroactivamente, protestar contra lo irreversible. La vida sólo tiene contenido en la violación del tiempo. La obsesión por lo lejano es la imposibilidad del instante; y esta imposibilidad es la nostalgia misma.

En estas palabras del filósofo francés encontramos perfectamente perfilado uno de los temas centrales de *Farabeuf*: la tentativa imposible por fijar el instante presente. En buena medida, la novela de Elizondo constituye un intento de anular el devenir temporal precisamente mediante su cumplimiento en su forma extrema: la apoteosis del presente. No hay temporalidad más absoluta y esquiva. En él es donde transcurre la vida en su plenitud, sólo en el presente la existencia sucede sin ningún tipo de mediación: ni la del recuerdo, que lo proyectaría hacia un pasado que ya no está; ni la del deseo, que lo alejaría hacia el porvenir de lo que aún no es. Ambos, recuerdo y deseo, nos abocan a la representación y, como afirma el propio Elizondo, «estar representados significa estar ausentes ahí donde estamos siendo representados»[15]. Toda representación supone así una suplantación y por tanto una ausencia. La novela se abre con una pregunta —«¿recuerdas?»— que convierte el problema del tiempo en un asunto trágico. La nostalgia, en el sentido que señala Cioran, aparece desde la primera línea de *Farabeuf* como el motor de la trama porque la respuesta a esa pregunta va más allá de la mera evocación del pasado. Recordar no supone en *Farabeuf* la simple rememoración de un suceso sino que, mediante esa violación del tiempo señalada por Cioran, surge como un intento extremo

---

[14] *Ibíd.*, pág. 157.
[15] *Ibíd.*, pág. 16.

de traer al presente (de presentar y ya no de representar) ese evento lejano encarnado en el cuerpo de un supliciado. El presente para ser exige la presencia; entonces, sólo el cuerpo, por la materialidad de su carne, y ya no las palabras —que al representar sólo señalan lo ausente—, surge como el ámbito donde lograr el reencuentro con un tiempo pretérito ubicado en otro cuerpo; además, sólo en el instante fugaz podrá darse en toda su plenitud ese presente. El cuerpo de la mujer será así el territorio donde recuperar la vivencia extática y absoluta de ese instante, instante que se revelará imposible pues tal vivencia exigirá simultáneamente el sacrificio: «Será preciso entonces morir para poder recordarlo» (pág. 172).

Es aquí donde surge ese componente trágico de la nostalgia que se desprende de la cita de Cioran: imposibilidad del instante que es la nostalgia misma, pues la nostalgia se convierte en nostalgia de la muerte y por tanto sólo el olvido podría esquivarla. *Farabeuf* comienza en el momento en que, al llegar el doctor a la casa, el ritual que llevará a la mujer a la vivencia del instante parece inminente; en las últimas páginas la ceremonia está a punto de comenzar, la novela acaba con la misma pregunta —«¿recuerdas?»—; pregunta que queda intacta puesto que, una vez comenzado el ritual, ya no queda sino un espacio donde reinan el silencio y la muerte, el único lugar donde el presente se vuelve eterno; pero a ese territorio las palabras ya no llegan.

La fotografía como metáfora de la escritura

Si *Farabeuf* supone un intento por aprehender de forma rotunda y plena la fugacidad del momento presente, no resulta extraño que el mundo de la fotografía tenga una importancia fundamental en su argumento. No hay arte que se acerque más a esa meta de retener en su integridad máxima el instante, eternizándolo en su misma fijeza. Por ello, la importancia de esta expresión artística en *Farabeuf* va mucho más allá del hecho de que la trama gire en torno a una placa fotográfica que recoge la agonía de un supliciado chino. La fotografía se convierte en metáfora de la propia escritura novelesca, del tipo de discurso al que su autor se ve abocado para construir el complejo universo narrativo de la novela. El recuerdo de la imagen de la tortura será el que ponga en marcha la acción; a partir de ese momento el argumento se desarrollará en el intento de la mujer por revivir, con ayuda del cirujano protagonista, el instante absoluto que esa imagen invoca, el momento de un «suplicio voluptuoso que inunda el mundo como un misterio exquisito y terrible» (pág. 131).

«Toda mi obra (casi) es la obsesión de conseguir apresar algún momento invisible mediante la fotografía»[16], *Farabeuf o la crónica de un instante* constituye la mejor ilustración de esta tentativa. Ricardo Cano Gaviria, en su reseña «Salvador Elizondo o el suplicio como escritura», señala que en la novela «el secreto de la foto se expresa como paradoja temporal, en la inquietud de un futuro que aún no se ha cumplido en ella, aunque sí en el propio presente de quien la mira. La disconformidad de ambos niveles, su equivalencia en lo imposible es el móvil real de la nostalgia»[17]. En efecto, si la nostalgia busca revivir el pasado y no simplemente rememorarlo, el instante presente, y ya no el pasado, será, paradójicamente, el punto de llegada de la memoria. Todo el discurso de *Farabeuf* se vuelca hacia la consecución de esa «equivalencia» imposible de los tiempos; labor que se torna aún más inabordable si pensamos en los mecanismos de expresión en que se basan la fotografía, por un lado, y la escritura literaria, por otro. El discurso novelesco busca en *Farabeuf* resolverse en una experiencia de idéntica rotundidad e inmediatez a la que posee la imagen fotográfica. «Me obsesiona el espejo —afirma Elizondo—. El único símbolo tangible, la única invención pura, la única máquina (aparte de la cámara fotográfica) que es una máquina absolutamente pura y esencial. Me obsesiona la fotografía. Creo que de las formas del arte es la que más me obsesiona. En todo lo que he escrito ocupa un lugar fundamental, como si fuera el otro polo de ese eje obsesivo en torno al

---

[16] José A. Arcocha y Fernando Palenzuela, «Salvador Elizondo», *Consenso*, núm. 1:2, 1977, págs. 37-42 (pág. 39).

[17] Ricardo Cano Gaviria, «Salvador Elizondo o el suplicio como escritura», en *Quimera*, enero de 1982, núm. 15, págs. 50-52 (pág. 52).

que gira la escritura. El polo de la atención y de la memoria»[18]. *Farabeuf* supondrá una tentativa radical por fundir ambos polos extremos: la instantaneidad rotunda e inconmovible de la fotografía mediante la sucesividad inquieta y cambiante de la escritura[19]. Como señala el propio autor, en la novela «hay una búsqueda de un reflejo de instantaneidad, no de la instantaneidad misma porque eso es imposible. Ya que la escritura es cursiva y sucesiva, resulta difícil obtener la instantaneidad misma en la escritura: solamente se obtiene un reflejo de esa instantaneidad, ya de segunda potencia, en un nivel en la que se fijaría no la instantaneidad temporal sino la instantaneidad de la sensación que produce la lectura»[20].

La propia estructura de la novela, que, como ya hemos visto, se desplaza en espiral e incluye la propia construcción de la ficción como parte sustancial del argumento, facilita en efecto esa sensación de instantaneidad en la lectura, pues la trama es siempre detectada en el momento presente de su propia fabricación. Sin embargo, el objetivo último vendría dado por una búsqueda más extrema: la de un espacio siempre esquivo: ese centro vacío e inalcanzable por el que el relato continuamente merodea. «Hay un aspecto —continúa Elizondo— que casi siempre se ha pasado por alto respecto a esa cosa de la instantaneidad, y es un aspecto que para mí resulta fundamental no sólo en *Farabeuf* sino en casi todos mis libros, relatos y otras cosas que he escrito: eso es, más que el orden de la instantaneidad, el orden de la fijeza, que se caracterizaría tangiblemente en la narración por la aparición inevitable de la fotografía»[21]. Es por tanto la búsqueda de una fijeza imposible lo que se encuentra en el horizonte de la narración. Ésta se cierra con la inminencia del acto que podrá lograrla, sólo el silencio la insinúa porque sólo en él, en un espacio sin

---

[18] José A. Arcocha y Fernando Palenzuela, art. cit., pág. 42.
[19] Las referencias de la novela a Marey y Muybridge y a sus experimentos sobre la captación fotográfica del movimiento expresarían esa intención.
[20] Jorge Rufinelli, «Salvador Elizondo», *Hispamerica*, 1977, núm. 16, págs. 33-47 (pág. 34).
[21] *Ibíd.*

palabras, es posible. «La fotografía —dijo Farabeuf— es una forma estática de la inmortalidad» (pág. 116); y unas líneas después leemos: «Sólo la quietud no admite dudas» (pág. 116). Quietud, inmortalidad estática, fijeza, instante que de fugaz pasa a ser eterno; y en torno a todo ello una escritura en cuyo horizonte solamente la muerte —junto a sus emblemas más significados: la violencia y el sexo, que, como nos recuerda Blas Matamoro, también son instantáneos[22]— parece encarnar el espacio propicio para su cumplimiento, el único posible.

El discurso analógico

Octavio Paz, en *Los hijos del limo* (1972), llevó a cabo un lúcido repaso de la evolución de la poesía occidental desde el nacimiento de la modernidad. En el centro del panorama trazado colocaba un concepto que según él constituiría la columna vertebral que atravesaba los principales movimientos poéticos de Occidente a partir de la irrupción del romanticismo: el concepto de analogía. La analogía, para Paz, supone la visión del cosmos como un sistema que, bajo su aparente multiplicidad, se rige por correspondencias secretas. El mundo surge así como una constelación de signos, y ya no de cosas, que aluden a una armonía interior; en este espacio, el poema se vuelve un doble del universo, pues a través de sus recursos expresivos trata de recrear los ritmos ocultos y las simpatías secretas que laten en los reductos primordiales de lo real.

La incidencia de la cosmovisión analógica en la poesía moderna de Occidente no tuvo su parangón inmediato en el campo narrativo. La revolución emprendida por la lírica a lo largo del siglo XIX tardaría en llegar a la prosa. La analogía supuso, tal y como establece Paz, una crítica a la visión racionalista instaurada por el saber de la modernidad; en este contexto, el texto poético, por la propia condición de su discurso, se mostró en seguida como un territorio más apto para recorrer

---

[22] Blas Matamoro, «El apócrifo Salvador Elizondo», *Cuadernos Hispanoamericanos*, octubre de 1995, núm. 544; págs. 137-139 (pág. 139).

ese mundo enigmático custodiado por la analogía. Si en él reinan las correspondencias misteriosas y los ecos de extrañas equivalencias, nada mejor que las metáforas y símiles —que tienden hilos entre lo distinto— y las rimas y aliteraciones —que reúnen en un ritmo común las palabras dispersas del poema— para expresar tales vínculos; el poema surge entonces como «doble del universo: una escritura secreta, un espacio cubierto de jeroglíficos»[23]. El lenguaje narrativo, más proclive a articularse en las relaciones causa-efecto que corresponderían al carácter lineal de su discurso, tardaría más en asimilar los cambios traídos a la literatura por la poesía. El predominio del realismo en la novela durante la misma época de la revolución poética moderna ejemplificaría esta situación. Es a partir del siglo XX cuando la narrativa emprende la superación de los modos realistas para, en compañía de la poesía, adquirir un estatus epistemológico que le permitiría, superada la fase del objetivismo realista, adentrarse en los rincones secretos de la realidad. Las consecuencias fueron, por un lado, la ruptura con esa linealidad discursiva y temporal definitorias de sus textos, de la que resultaría la fragmentación narrativa, y, por otro, la construcción de mundos inciertos —bien misteriosos, bien explícitamente fantásticos— que subrayaban la condición inestable del ser humano y del universo que lo rodea.

Es dentro de este marco donde se aprecia la experiencia radical que ofrece una novela como *Farabeuf*. Puede decirse que asistimos en ella a una disolución casi absoluta de lo narrativo, pues su discurso se articula, como ya ha sido destacado, en un proceso que establece desconcertantes correspondencias entre los elementos novelescos: antes que una narración, nos enfrentamos bien a la construcción de un jeroglífico bien a una sesión adivinatoria —a un mundo por lo tanto siempre hipotético y conjetural. Así, será precisamente la analogía la fuerza que impulse la acción en un intento por superar y disolver la dualidad antagónica del mundo que, al comienzo del relato, se destaca al hablar de los métodos adivinatorios

---

[23] Octavio Paz, *Los hijos del limo*, págs. 108-109.

del *I ching* y la ouija. En el mundo de *Farabeuf*, como en el cosmos que entrevieron los poetas románticos y simbolistas, también todo alude secretamente a otras realidades de sentidos aparentemente extraños, y en este ámbito los objetos, los actos y los seres son, antes que nada, signos o representaciones de entidades distintas con las que oscuramente se emparentan en la búsqueda de un significado siempre escurridizo. El relato se irá asentando sobre una serie de antítesis sólo aparentes, pues el desarrollo de la historia irá mostrando vínculos cada vez más estrechos entre esos elementos en apariencia antagónicos.

La trama de *Farabeuf* se despliega como una red de oposiciones que buscan resolverse en una síntesis armónica que comprenda todas las instancias narrativas. Tales oposiciones se desarrollan en diferentes planos. En un nivel global la novela formula una especie de ecuación cultural entre el mundo oriental y el de Occidente presente ya en los escenarios principales: París y la China de comienzos del siglo XX. El *I ching* y la ouija, por su parte, constituyen métodos adivinatorios pertenecientes a la tradición cultural oriental y occidental respectivamente; no obstante, ambos reflejan la misma tentativa por superar la dualidad antitética del mundo, representada en el primero por los principios del *yin* y el *yang*, y en el segundo por el *sí* y el *no* que aparecen en los extremos de la tabla de la ouija. La cirugía y la tortura será la otra pareja de opuestos de importancia capital en el relato y cuyas correspondencias habrá que estudiar con más detalle. No sería descabellado señalar incluso que la confrontación de la escritura china con la escritura occidental constituye un tema que subyace a la trama novelesca. Al comienzo del capítulo VII leemos: «Asistes a la dramatización de un ideograma; aquí se representa un signo...» (pág. 211); y según avance la historia se irá evidenciando con mayor claridad cómo la escritura de *Farabeuf* se despliega principalmente en su intento de volverse ideográfica, de convertirse en pictografía; en definitiva, en una escritura que rompa por completo con la linealidad cronológica y la mediatización distanciadora respecto a la realidad a las que su lenguaje las condena para resolverse en una imagen o signo gráfico capaz de congelar el presente significándolo en toda su plenitud; en definitiva, la escritura busca en *Farabeuf* utilizar «la caligrafía —en palabras del propio Elizondo— como expresión sensible de un estado de ánimo pictórico o poético *instantáneo*»[24]. Más adelante habrá ocasión de analizar con mayor detenimiento la solución novelesca que se da en la novela a esta compleja coyuntura.

Otro elemento del relato que nos habla de fuerzas opuestas es el cuadro de Tiziano *Amor sagrado y amor profano*. Sin embargo, los dos polos extremos del amor que alegóricamente, en forma de mujeres —representaciones simbólicas al mismo tiempo de la mujer y la Enfermera[25]—, se muestran en la tela de nuevo son sometidos a un proceso que trastoca sus posiciones; el cuadro aparecerá casi siempre con sus imágenes invertidas al reflejarse en un espejo y, además, una escena del altorrelieve sobre el que se apoya una de las mujeres muestra a un fauno azotando a una ninfa, dos figuras que representan valores contrarios —la lujuria y la pureza— pero que se entremezclan en el ritual de la «flagelación erótica» emprendida por el sátiro contra la náyade. Estos juegos novelescos neutralizan en la novela la distinción entre amor carnal y amor espiritual; incluso, tal neutralización se dará también paródicamente en la historia de espionaje protagonizada por Paul Belcour y la Hermana Paula del Santo Espíritu. Bajo su identidad religiosa se entregarán a la carne y el encuentro erótico entre ambos será descrito con toda crudeza en la novela mediante expresiones latinas que nos recuerdan a las de los libros religiosos.

Precisamente será en torno al amor y al erotismo donde se sitúen algunas de las analogías más significativas de la novela: los vínculos entre el dolor y el placer, entre la tortura y el coito y entre la muerte y el orgasmo ocuparán una parte fundamental del argumento. Antes de repasarlos, es necesario detenerse en una de las parejas de conceptos ya mencionadas y de gran importancia dentro del relato: la integrada por las nociones de cirugía y tortura.

---

[24] *Salvador Elizondo*, pág. 47.
[25] Consúltese a este respecto el artículo de Lillian Manzor-Coats, sobre todo las páginas 475-476.

Cirugía y tortura

Salvador Elizondo, en su autobiografía, ofreció pistas muy ilustrativas de lo que fue la génesis de *Farabeuf o la crónica de un instante*:

> Una experiencia singular vino a poner un acento todavía más desconcertante en mi vida; un hecho que en resumidas cuentas fue el origen de una obra que emprendí algunos meses después y que se vería publicada con el título de *Farabeuf o la crónica de un instante*. Este acontecimiento fue mi conocimiento, a través de *Les larmes d'Eros* de Bataille, de una fotografía realizada a principios de este siglo y que representaba la ejecución de un suplicio chino [...]. Esa imagen se fijó en mi mente a partir del primer momento que la vi, con tanta fuerza y con tanta angustia, que a la vez que el solo mirarla me iba dando la pauta casi automática para tramar en torno a su representación una historia, turbiamente concebida, sobre las relaciones amorosas de un hombre y una mujer, me remitía a un mundo que en realidad no he desentrañado totalmente: el que está involucrado en ciertos aspectos de la cultura y el pensamiento de China.
> Simultáneamente se me presentó la oportunidad de realizar una película experimental gracias al patrocinio de un productor aventurado [...]. La realización de esta película hizo que llegara a mis manos el célebre *Précis de Manuel Opératoire* del Dr. H. L. Farabeuf *[sic]*, cuyas maravillosas ilustraciones de técnicas amputatorias tenían un papel importante en mi película. Estos grabados, de una pulcritud incisiva sorprendente, complementaron gráficamente las imágenes que se habían formado en mi mente a partir de la fotografía de la tortura china y me sirvieron en la escritura de *Farabeuf* para establecer ciertas dimensiones de atmósfera y de contrapunto de imágenes que dieron a la novela cierto carácter y cierto estilo inusitados en las corrientes más tradicionales de la narración castellana[26].

Estas palabras muestran la importancia de la tortura y de la cirugía y de sus inquietantes relaciones para el desentraña-

---

[26] *Salvador Elizondo*, págs. 43-44.

miento de algunas de las claves de la novela. Al mismo tiempo, explican la influencia de los libros de George Bataille y del propio Louis Hubert Farabeuf en su concepción[27]. La distancia entre las nociones de tortura y cirugía se manifiesta de inmediato en los fines de ambas actividades: si el objetivo de la primera es el sufrimiento, el de la segunda lo constituye la cura, situándose así en el polo opuesto respecto a la primera. Sin embargo, Elizondo lleva a cabo un inteligente juego novelesco que va aproximando, hasta casi fundirlos, ambos métodos. El procedimiento utilizado consistirá en explotar las evidentes similitudes y analogías entre el suplicio y la intervención quirúrgica y asignarles una finalidad en principio ajena a ambos: el placer.

Las equivalencias comienzan a mostrarse en el hecho de que, si la tortura que ilustra la foto es la del *leng-tch'é*, o de los cien pedazos, consistente en el descuartizamiento de la víctima, la parte del *Précis de Manuel Opératoire* que glosa el autor en la novela será la de la sección dedicada a las amputaciones. Una y otra, entonces, ofrecen el mismo procedimiento: la desmembración del cuerpo humano. El texto irá profundizando en estos paralelismos. Hay que destacar, además, que Elizondo no necesita introducir variantes sustanciales respecto al lenguaje del libro de Louis Hubert Farabeuf para reflejar esas analogías. Si se descontextualizan mínimamente de sus contenidos, un rápido vistazo al manual médico sirve para apreciar que el detallismo minucioso e impávido en las descripciones de los actos quirúrgicos nos transmiten su perfil doloroso, atenuándose su trasfondo terapéutico. A ello ayudará también la crudeza de sus ilustraciones, que constituyen uno de sus elementos fundamentales —y que son fruto del trabajo del propio Farabeuf—; en ellas, los pacientes que aparecen en los grabados se transmutan con facilidad en la imaginación del lector en

---

[27] Incluso en el propio texto de *Farabeuf* hay probablemente una alusión explícita al libro de Bataille: «¡Cuantas veces, al pasar las páginas de ese libro que describe la mutilación del cuerpo en términos de una disciplina metafísica, habrás pensado que yo soy Farabeuf!» (pág. 241).

víctimas de dolorosos suplicios. No extraña, por tanto, que en la novela el instrumental quirúrgico se asimile a los útiles de tortura:

> Las hirientes cuchillas, las tenacillas, los canalizadores, los espejos vaginales relucían en aquella penumbra dorada, surcada apenas por los últimos rayos del sol. Todas aquellas filosísimas navajas y aquellos artilugios, investidos de una crueldad necesaria a la función a la que estaban destinados, adquirían una belleza dorada, como orfebrerías barrocas brillando en un ámbito de terciopelo negro, fastuosos como los joyeles de un príncipe oriental que se sirviera de ellos para provocar sensaciones voluptuosas en los cuerpos de sus concubinas, o para provocar torturas inefables en la carne anónima y tensa de un supliciado cuya existencia estaría determinada por el olvido tenaz, a lo largo de un milenio, de quienes un día habrían de contemplar, súbitamente, en un momento único, su imagen desvaída, estática y extática, congelada para siempre en una apariencia borrosa, en una fotografía manchada por el tiempo (pág. 165).

De igual modo, las descripciones de ambas actividades a lo largo del relato, al realizarse con el mismo lenguaje aséptico, refuerzan sus correspondencias recíprocas:

> Mire usted, ponga atención, meta la punta de la cuchilla sobre la parte central del labio derecho de la incisión longitudinal y, a partir de allí, incida usted hacia abajo y hacia la derecha haciendo al mismo tiempo una incisión cutánea oblicua que se curve convexamente para hacerse transversal al nivel mismo de la extremidad inferior de la incisión longitudinal y que se termine en la parte posterior del brazo. Esta incisión oblicua convexa hecha en su derecha no debe interesar más que la piel, no solamente si ha cruzado los vasos axilares en el caso del brazo derecho, sino también en el caso de que no haya hecho usted más que descubrir el deltoides en el caso del brazo izquierdo. En el caso de la segunda incisión será exactamente lo mismo y deberá hacerla absolutamente simétrica a la primera, después de haber traído la cuchilla por encima del miembro y haber llegado a la parte terminal reteniendo con su mano izquierda los tegumentos que van quedando sueltos... ¿ha comprendido usted el procedimiento hasta aquí? (pág. 143).

Esta cita casi literal del *Manual de técnica quirúrgica* que se introduce en el texto de la novela describe con frialdad y gran detalle la amputación de un brazo. Parecidas sensaciones nos traslada esta descripción de algunos aspectos del suplicio chino:

> Se trata en esencia, en el *leng-tch'é,* de un procedimiento de amputación por descoyuntamiento de los miembros en las articulaciones y viceversa; ¿por qué, entonces, esos tajos por encima de las tetillas? Esas incisiones sólo se explican por el hecho de que en el lugar en que se encuentran existieran volúmenes o masas musculares suficientemente prominentes como para ser consideradas como miembros, extremidades o protuberancias del cuerpo, lo cual según la tradición y el pensamiento chino relativo a la descripción del cuerpo humano, o sea la anatomía, sería bastante factible ya que la concepción china de la anatomía se funda en el concepto de espacio, mientras que la nuestra se funda en el de tiempo (pág. 226).

Elizondo insistirá en estas equivalencias mediante la semblanza novelesca del doctor Farabeuf. Cirujano en la Facultad de Medicina de París, en la novela aparecerá también como autor de una obra apócrifa titulada precisamente *Aspects Medicaux de la Torture Chinoise,* volumen que, como se nos dice en la obra, va acompañado de planchas y fotografías fuera de texto —y no es descabellado suponer que tal material gráfico podría estar compuesto tanto por las instantáneas del suplicio, que no hay que olvidar que en la ficción son tomadas por el propio Farabeuf[28], como por las ilustraciones de su *Manual de Técnica Quirúrgica.* Este libro dentro del libro culmina la asimilación de ambas experiencias e introduce la lectura en el territorio que constituye la parcela central de la novela: el cuerpo. En efecto, si se piensa en cuál puede ser el factor de ma-

---

[28] El médico protagonista se convierte así en el autor de toda la iconografía a la que se alude en la novela, pues, como nos recuerda Lillian Manzor-Coats en el artículo ya citado (pág. 469), el propio Louis Hubert Farabeuf, en el prólogo a su manual quirúrgico, afirma ser el responsable de los diseños gráficos del libro.

yor identificación entre la cirugía y el suplicio, difícilmente podrá encontrarse otro que no sea el de su intervención sobre el cuerpo humano. Ambas experiencias exigen ese mismo escenario para su actividad. Desde tal evidencia, el relato va a desplegar sus líneas narrativas esenciales mediante nuevas oposiciones que tendrán al cuerpo como absoluto protagonista. El análisis de tales antagonismos completará ese mapa de las analogías que la trama argumental de *Farabeuf* traza en su desarrollo. Es inevitable comenzar el repaso con otra noción que, como la cirugía y la tortura, hace también del cuerpo su escenario inexcusable: el acto sexual o coito, que se une a las otras dos esparciendo nuevas e inquietantes correspondencias.

Cirugía, tortura, coito

Como se ha mencionado, el argumento de *Farabeuf* relata el intento de una mujer, fascinada por la expresión extática del supliciado durante el *leng-tch'é*, por revivir las sensaciones que se esconden tras el gesto de la víctima, recreación que se hará mediante un ceremonial ahora quirúrgico. Los deseos de la mujer soportarán en todo momento una fuerte carga erótica, estableciéndose así estrechos paralelismos entre el erotismo, por un lado, y la tortura y la cirugía, por otro. A este respecto, hay que recordar que, cuando la mujer ve por primera vez la foto, describe su entrega al hombre en términos muy reveladores: «Cuando cerré los ojos la fascinación de aquella carne maldita e inmensamente bella se había apoderado de mí [...]. Y entonces me abandoné a su abrazo y le abrí mi cuerpo para que él penetrara en mí como el puñal penetra en la herida» (pág. 142). Al mismo tiempo, la incisión en la piel del filo del útil quirúrgico —«No faltarán sino unos minutos para que tu cuerpo se recubra de esas estrías lentas que la sangre traza, por gravedad, en las comisuras del cuerpo después de que el bisturí recorre la piel como una caricia apenas perceptible, pero inequívoca en el florecimiento de las vísceras que brotan a través de las incisiones como los retoños de una primavera tenebrosa» (pág. 231)— así como la acción de las

47

afiladas maderas empleadas en el suplicio —«Aspiras a un éxtasis semejante y quisieras verte desnuda, atada a una estaca.
Quisieras sentir el filo de esas cuchillas, la punta de esas afiladísimas astillas de bambú, penetrando lentamente en tu carne. Quisieras sentir en tus muslos el deslizamiento tibio de
esos riachuelos de sangre, ¿verdad?...» (págs. 127-128)— dejan
asomar en todo momento claras connotaciones sexuales.

No serán los únicos paralelismos que se establezcan entre
estas tres nociones. Una mesa de operaciones, por ejemplo,
acoge los encuentros sexuales entre Farabeuf y la Enfermera.
Pero más interesante es el proceso de asimilación de estas experiencias que construye Elizondo mediante una curiosa serie
de equivalencias temporales. En la página final del primer capítulo, una voz interroga a Farabeuf: «¿La reconocería usted
[a Mélanie Dessaignes o la Enfermera], maestro, en el momento preciso en que la gran cuchilla convexa de Larrey trazara, guiada por su mano, una incisión de sangre lentísima,
casi coagulada a lo largo del pliegue inguinal para practicar
una experiencia *supra cadaver* tendiente a batir su propia marca en la amputación de la cadera: 1 minuto 8 segundos?»
(pág. 125). Este breve segmento temporal aparecerá repetida-
mente en la novela, pero no sólo relacionado con actuaciones
quirúrgicas. Cuando Farabeuf lleva a cabo, en el tercer capítulo, un recuento de los acontecimientos narrados anteriormente, comenta el final de la escena de la playa con estas palabras:
«Uno de los primeros y otra de las segundas han realizado o
sugerido la realización del acto llamado carnal o *coito* [...].
Uno de los dos, muy probablemente el hombre, había dejado olvidada, cuando menos por lo que se refiere a su propia
memoria y durante el tiempo que pudo haber durado el acto
anteriormente nombrado —canónicamente un minuto nueve segundos de acuerdo con el precepto *ab intromissio membri
viri ad emissio seminis inter vaginam,* un minuto ocho segundos
para los movimientos propiciatorios y preparatorios; un segundo para la *emissio* propiamente dicha» (págs. 145-146). Siguiendo esta estela, al final de este mismo capítulo se describe la entrada de la Enfermera al cuarto donde Farabeuf realiza sus rituales quirúrgicos, y asimismo donde lleva a cabo sus
encuentros eróticos con ella, pasa un corto tiempo: un minu-

to y nueve segundos, se oye un grito pero en ningún momento sabremos si fue el dolor de la tortura o el placer sexual su causa. Por fin, en determinado momento se asimilan explícitamente ambas actividades cuando uno de los narradores se refiere a «esa intervención quirúrgica que el hombre realiza en el cuerpo de la mujer y que llaman acto carnal o *coito*» (pág. 176).

Las analogías entre el suplicio, la cirugía y el acto sexual acaban delimitando un territorio donde el cuerpo será definitivamente el espacio que cobije la solución al enigma que el relato plantea. «El cuerpo —señala Elizondo— es el ámbito en el que lo antagónico se vuelve idéntico»[29]; surge así en *Farabeuf* como el garante de las analogías y acoge, reuniéndolos en una misma búsqueda, todos los elementos novelescos; alude a una zona de sentido a la que las palabras del texto tratan incesantemente de entrar. En ese espacio de conciliación se asiste finalmente a la identificación de los acontecimientos extremos que en él tienen lugar: el dolor y el placer por un lado, el orgasmo y la muerte, por otro.

Dolor y placer; orgasmo y muerte

En diálogo con Margo Glantz, Elizondo comentó en cierta ocasión respecto a *Farabeuf* que, en esta narración «el expediente novelístico propiamente es el empleo del cuerpo como personaje central de la novela. Pero no todo el cuerpo; sólo esa zona en la que las sensaciones dan cuenta de la existencia del mundo. El escenario de *Farabeuf* es la epidermis del cuerpo. Todo lo que pasa allí, pasa en un nivel sensible»[30]. En parecida dirección, postuló en otras páginas la posibilidad de «una nueva teoría del conocimiento que determinará el valor gnoseológico de la relación entre dos experiencias que consti-

[29] Salvador Elizondo, *Cuaderno de escritura*, Guanajuato, Universidad de Guanajuato, 1969, pág. 139.

[30] Margo Glantz, «Entrevista con Salvador Elizondo y Edgar Allan Poe», *Ensayos sobre literatura mexicana;* Xalapa, Universidad Veracruzana, 1973, págs. 27-33 (pág. 28).

tuyen los polos de la sensación: el orgasmo y el suplicio»[31]. Estos planteamientos acerca del cuerpo demuestran que la inmersión de la trama en los mundos oscuros e inquietantes del erotismo se inscribe en los mismos parámetros que se señalaban en otros apartados de este estudio. Ya se ha destacado cómo la historia central de *Farabeuf* se articula sobre la incesante búsqueda de un sentido definitivo —un sentido capaz de revelar incluso la propia identidad de los seres que habitan la novela: «Te abandonas a la muerte que reflejan los ojos de este hombre desnudo cuya fotografía amas contemplar todas las tardes en un empeño desesperado por descubrir lo que tú misma significas» (pág. 138)— y cómo el cuerpo aparece definitivamente como el lugar de la revelación; actuar sobre él, sobre su piel y su carne, supondrá entonces poner en marcha los mecanismos que podrían descifrar el enigma. Las intervenciones sobre la carne, llámense tortura, cirugía o coito, adquieren rango epistemológico: «El coito —sostiene Elizondo— es el mayor atentado contra la razón que ha sido concebido»[32]. Octavio Paz ha insistido en el hecho de que, en la literatura de Elizondo, «la crítica de la realidad y del lenguaje no parte de la razón o de la justicia sino de una evidencia inmediata, directa y agresiva: el placer [...]. Pero la naturaleza del placer es doble o triple: es la satisfacción imaginaria del instinto animal y la respuesta física a una necesidad psíquica, la irrupción brutal del cuerpo y sus humores en el convivio filosófico y el paulatino desvanecimiento del falo y la grupa en el lecho del libertino. El placer es riguroso, como los ejercicios del ascetismo; y es penetrante, como el pensamiento. Elizondo asume esa exigencia; sus obras son el relato de una incursión (una penetración) en esa región que es, por definición, el dominio de lo ininteligible: la 'noche oscura del alma' y la noche, no menos oscura, del cuerpo»[33].

Farabeuf supone entonces un intento de aprehensión sensible del mundo que, debido a su carácter extremo, se sustenta

---

[31] *Cuaderno de escritura*, pág. 138.
[32] *Ibíd.*, pág. 131.
[33] Octavio Paz, «El signo y el garabato», *El signo y el garabato*, México, Joaquín Mortiz, 1986, págs. 200-206 (pág. 200).

sobre las expresiones radicales de lo corporal, moviéndose en esa zona donde el dolor y el placer, llevados a su intensidad extrema —es decir, al borde de la muerte y del orgasmo—, acaban confundiéndose: «Y ella se queda quieta, congelada en ese quicio figurado en la superficie del espejo suntuoso y manchado en el que se refleja una puerta tras la cual él y ella ocultan un secreto pulsátil de sangre, de vísceras que si no fuera por esa puerta y por ese espejo que la contienen, su mirada todo lo invadiría con una sensación de amor extremo, con el paroxismo de un dolor que está colocado justo en el punto en que la tortura se vuelve un placer exquisito y en que la muerte no es sino una figuración precaria del orgasmo» (pág. 132). Las equivalencias entre el erotismo —y en concreto el orgasmo— y la muerte recorrerán de lado a lado la novela de Elizondo, girando siempre alrededor de la foto del supliciado y del deseo de la mujer. Los ejemplos son numerosos: «'Mira...', le dije mostrándole ese cuerpo desgarrado, tratando de vencer su cuerpo con aquella visión sanguinaria, hasta que sentí que se rompía como una muñeca de barro, hasta que sentí que su cuerpo se abandonaba a mí en aquel océano de sangre que latía afuera, más allá de la ventana abierta, fuera de sus ojos cerrados que no veían otra cosa que ese cuerpo surcado de riachuelos de sangre, esa carne que tanto hubiera amado en su delirio» (pág. 142). O bien: «Trataban de retener esa imagen terrible dentro de un meollo de sensualidad, una imagen para ser evocada en el momento del orgasmo» (pág. 190); y por último: «Una aterradora persistencia de esa imagen, como la fotografía de un hombre en el momento de la muerte y el orgasmo, se grabó en su retina ávida del color de la sangre» (pág. 191).

El tema del erotismo y sus relaciones con la muerte ha ocupado una parte importante de las reflexiones de algunos de los nombres más relevantes de la cultura de nuestro tiempo. Dos de ellos constituyen una referencia muy presente para la literatura de Elizondo; me refiero a George Bataille y Octavio Paz. El primero, en *Las lágrimas de Eros* (1961), afirma que el sentido de este libro es precisamente el de mostrar la identidad entre las nociones del orgasmo y de la muerte, viendo en tal identificación uno de los rasgos atávicos de la condición humana. Paz, por su parte, hizo del tema erótico una de sus máximas preocupaciones. En su ensayo «El más allá erótico» (1961) destaca del erotismo su carácter de representación; representación del deseo humano en su anhelo por regresar a su estado natural. En este proceso el cuerpo aparece como lo que requiere ser traspasado para llevar hasta el límite esta experiencia: «El deseo, la imaginación erótica, la *videncia* erótica, atraviesa los cuerpos, los vuelve transparentes. O los aniquila. Más allá de ti, más allá de mí, por el cuerpo, en el cuerpo, más allá del cuerpo, queremos ver *algo*. Ese algo es la fascinación erótica, lo que me saca de mí y lleva a ti: lo que me hace ir más allá de ti. No sabemos a ciencia cierta lo que es, excepto que es algo *más*. Más que la historia, más que el sexo, más que la vida, más que la muerte»[34]. En *Farabeuf,* el cuerpo, lugar que guarda el secreto central de la trama —«'¿Por qué?', dijiste sin pensar que esa pregunta revelaba el misterio de nuestra existencia, dominada ya para siempre por la imagen de un criminal supliciado, cuya carne sangrienta y desgarrada era para nosotros el símbolo de una profanación exquisita» (pág. 191)—, insinúa en su despliegue erótico la inminencia de la solución: «Sí, hubiera querido regalárteme muerta. Con ello hubiera podido conocer la respuesta a aquella pregunta» (pág. 174). Como se aprecia en esta cita, el orgasmo y la muerte se hermanan; ambos suponen en el ser humano la pérdida de la conciencia de sí; en su suceder se despliega un instante donde el cuerpo queda traspasado, aniquilado —tal y como observaba Paz. La existencia se abre a una experiencia inefable: si en el orgasmo la vida se sumerge en un tiempo instantáneo, su anhelo de permanencia ha de desembocar irremediablemente en la muerte: «Ese abandono que va más allá de la vida, en ese solo instante en que, como en el coito, la desnudez y la muerte se confunden» (pág. 125). En el cuerpo se proyecta entonces esa búsqueda de una temporalidad imposible que señalábamos más arriba como uno de los principales elementos argumentales. Se indaga en la manera

---

[34] Octavio Paz, «El más allá erótico», *Los signos en rotación y otros ensayos,* Madrid, Alianza Editorial, 1986, págs. 183-205 (pág. 189).

de traspasar el instante extático congelándolo en su plenitud; la fotografía representa a un tiempo ese paroxismo y su continuidad, señala el fugaz parpadeo de la coincidencia entre ambas instancias —orgasmo y muerte—, pues la imagen capta el momento exacto en que el hombre está muriendo: «Fotografiad a un moribundo —dijo Farabeuf—, y ved lo que pasa. Pero tened en cuenta que un moribundo es un hombre en el acto de morir y que el acto de morir es un acto que dura un instante —dijo Farabeuf—, y que por lo tanto, para fotografiar a un moribundo es preciso que el obturador del aparato fotográfico accione precisamente en el único instante en el que el hombre es un moribundo, es decir, en el instante mismo en que el hombre muere» (pág. 117); pero si se quiere pasar de la representación a la vivencia eternizada de esa sensación extrema se abren las puertas de la aniquilación, del morir se pasa indefectiblemente a la muerte. El instante extático congelado, convertido en fijeza, aparece como una tarea inhumana, ya que, como ha afirmado el propio Elizondo, «el orgasmo es la medida de nuestras limitaciones temporales. Nada expresa tan rigurosamente el carácter efímero de las sensaciones y de la vida corporal»[35].

«¿Podría aparecer en un solo instante —se pregunta Bataille en *Las lágrimas de Eros*— el sentido de un momento preciso? Es inútil insistir; sólo la sucesión de los momentos se esclarece. Un momento sólo tiene sentido con relación a la totalidad de los momentos. No somos más que fragmentos sin sentido si no los relacionamos con otros fragmentos. ¿Cómo podríamos reflejar el momento acabado?»[36]. Pienso que en esta pregunta se encierra la quimera que sustenta la novela de Elizondo; en esta interrogación sobre un instante posible donde el ser y el sentido plenarios se abran a un tiempo se articula el conflicto fundamental de la trama. Pero sólo en aquellos instantes donde todo ocurre absolutamente sin que nada signifique en absoluto nos podemos aproximar a esa vivencia señalada por Bataille; sólo en aquello cuyo significado está en su propio suceder. El

[35] *Cuaderno de escritura*, pág. 138.
[36] George Bataille, *Las lágrimas de Eros*, Barcelona, Tusquets, 1997, pág. 210.

orgasmo y la muerte —tanto en el libro de Bataille como en la obra de Elizondo— apuntan a tal experiencia, pues en uno y otra se da con rotundidad la pérdida total del sentido, incluso del sentido de nosotros mismos. Por ello Bataille, como Elizondo, utiliza las fotografías del *leng-tch'é* para ilustrar esa fractura que, marcada por la muerte, se abre entre el suceder absoluto del instante y su toma de conciencia inmediata y plena.

«Quisiste conocer todos los significados de tu vida sin darte cuenta que el único significado, el significado en el que estaban contenidos todos los enigmas, la realidad que hubiera permitido conocer nuestra existencia en su grado absoluto, no era sino una gota de sangre, la gota que rezuma cada milenio y cae sobre tu pecho marcando con su caída el transcurso de un instante infinito» (pág. 241); en *Farabeuf* la reflexividad omnipresente de la escritura se muestra también en el escenario erótico. La escritura ve en el erotismo y el cuerpo el dibujo de su propio misterio y el cauce de su discurrir, pues ambos miran hacia un mismo lugar innombrable y tratan de pervivir en ese «transcurso de un instante infinito». El discurso de *Farabeuf* trata de remedar esa escritura trazada con sangre de la cita anterior que marca sobre el cuerpo sus señales. Si en la novela la escritura supone una tentativa por ir más allá de las palabras, también el cuerpo señala un punto que quiere ser superado para descubrir lo que promete más allá de él mismo; lenguaje y cuerpo viven el mismo drama, asimilándose hasta fundirse. El cuerpo se transforma así en el actor principal de la escenificación que la escritura construye; acaba siendo, simultáneamente, superficie susceptible de ser escrita y caligrafía que remite a un sentido que lo desborda.

Escribir en el cuerpo

«*Farabeuf* —ha apuntado su autor— es una novela que acontece sobre la epidermis produciendo, desde afuera, sensaciones»[37]. En efecto, tal y como se le indica a la mujer sin

---

[37] Jorge Rufinelli, art. cit., pág. 35.

nombre, el relato se mantiene incesantemente «a la expectativa de un hecho prodigioso que inevitablemente hubiera de realizarse silenciosamente sobre la extensión inmutable de tu cuerpo» (pág. 198). Si el cuerpo es el guardián del sentido final y la cirugía, la tortura y el coito aparecen como aquellas operaciones capaces de descifrar ese significado oculto, un nuevo haz de analogías aparece para subrayar las constantes temáticas que se vienen repasando. La «extensión corporal», la epidermis, constituye la superficie, página en blanco, por donde ha de circular la escritura a la hora de explorar el enigma que el cuerpo encarna; consecuentemente, la cirugía, la tortura y el coito se erigen en metáforas de una escritura que imprime sus marcas en la piel en la tentativa por descifrar ese enigma.

La crítica ha insistido mucho en este aspecto clave de las correspondencias de la cirugía, el suplicio y el erotismo con la escritura en la primera novela de Elizondo. Lilian Manzor-Coats destaca cómo en el *Manual de técnica quirúrgica*, de Louis Hubert Farabeuf, éste aconseja que, a la hora de operar, la mano del cirujano ha de sujetar el bisturí «como lo hace con una pluma para escribir»[38]. Precisamente, la imagen de la mano sujetando el bisturí utilizada por Farabeuf para ilustrar en su manual médico esta correcta utilización del instrumento quirúrgico será incluida por Elizondo como un elemento más de la novela, con lo que se subrayan estas afinidades en el interior de la ficción. Rolando J. Romero, por su parte, ha señalado la frecuente asimilación del escalpelo y la pluma en la obra de Elizondo[39]. Para él, este paralelismo constituye un aspecto concreto de la equivalencia más general que se da en la obra entre la intervención quirúrgica —y más en concreto la autopsia— y la escritura. Tanto en una como en otra, según Romero, se produce la disección de un cuerpo, su división en partes para su análisis pormenorizado. Si en la cirugía la disección tiene como fin el análisis de las causas de la muerte; en

---

[38] Lillian Manzor-Coats, art. cit., pág. 471.
[39] Rolando J. Romero, «Ficción e historia en *Farabeuf*», *Revista Iberoamericana*, núm. 151, 1990, págs. 403-418 (págs. 408-410). Romero cita ejemplos de *El hipogeo secreto*, de *El grafógrafo* y de *Camera lucida*.

Farabeuf la disección de su propio discurso que la escritura lleva a cabo responde al intento por desvelar el sentido de su propio discurrir, que aquí también constituye su causa primera. La solución en uno y otro caso se anuncia en las astillas de bambú penetrando el cuerpo del supliciado, también en el lento recorrido de las cuchillas sobre la piel; en definitiva, en una escritura hecha de sangre y violencia que, al plasmarse directamente sobre la superficie corporal, va más allá de todo lenguaje, lo supera mediante su aniquilación, pues su único significado está sin más en las propias marcas que deja sobre la epidermis, en las sensaciones —y ya no los significados— que el mismo trazo de esas señales provoca; en definitiva, en la materialidad estrictamente física de los signos que la tortura, la cirugía y el acto sexual estampan en la carne: «Así sangran los cadáveres: por gravedad, con esa lentitud se va deletreando la palabra que la tortura escribió sobre el rostro que has imaginado ser el tuyo en el momento de tu muerte» (pág. 213). En esa palabra espera la respuesta definitiva, quizás es ya la respuesta última; pero los signos del lenguaje común —abstractos e incorpóreos— a los que la escritura está condenada resultan insuficientes para encarnarla, sólo el cuerpo parece capaz de inscribir sus trazos.

El cuerpo que escribe

Farabeuf o la crónica de un instante construye un mundo novelesco regido de principio a fin por el deseo; en él todos los elementos de la narración se van transformando en los signos que lo expresan. Si el deseo en la novela es sobre todo deseo erótico, no hay mejor vehículo de expresión que el cuerpo, pues es a un tiempo lugar de origen y de llegada. No sólo constituye, como hemos visto, el lugar donde el deseo deja sus señales sino que también es, él mismo, su fuente, el emisor de los signos con los que el deseo se escribe a sí mismo. En *Farabeuf* el cuerpo no se limita a ser escrito, también es él mismo una escritura: «El suplicio es una forma de escritura. Asistes a la dramatización de un ideograma» (pág. 211). Ese signo que la tortura traza no es otro que el propio supliciado.

Según avanza la narración, su figura va adquiriendo una calidad meramente gráfica, su cuerpo se transmuta en caligrafía: «No va quedando más que esa forma, concretándose lentamente contra la estaca» (pág. 213). Forma en la que «yace oculta la clave que nos libra de la condenación eterna. Es preciso estudiar ese diagrama, ese dodecaedro cuyas cúspides son las manos y las axilas de todos los hombres que se afanan en torno al condenado» (págs. 221-222).

Si el punto de partida del sentido en la novela se encuentra en el cuerpo del supliciado, el punto de llegada será el cuerpo de la mujer, anhelante por sentir sobre su propia piel las sensaciones experimentadas por el magnicida. Al igual que el de la víctima, el cuerpo de la mujer se ofrece al ritual quirúrgico en un intento extremo por saber —un saber que ahora ya no es inteligible sino exclusivamente sensible— lo que la imagen del supliciado promete, y a lo largo de este proceso va trazando la caligrafía de su propio deseo: «Buscas en vano. Tu cuerpo será tal vez una pregunta sin respuesta» (pág. 236). Se va convirtiendo así en una entidad puramente gráfica: «Ahora ya eres mía. Yaces sobre la plancha y todo mi placer se anega en tu mirada sorda. Ya no eres sino una palabra» (pág. 238). Su desnudez será signo de su propia disolución y su cuerpo, una adivinanza sin posibilidad de desciframiento: «Tu cuerpo, en un estremecimiento de horror ante la posibilidad de ciertas experiencias, huyó ante mí hasta convertirse en un garabato informe, un signo incomprensible trazado con la punta del dedo sobre el vaho de la vidriera» (pág. 240). El cuerpo de la mujer y el signo trazado por ella en la ventana dibujan el mismo ideograma; también lo hará el cuerpo del supliciado y la estrella de mar que la mujer había recogido en la playa:

> La disposición de los verdugos es la de un hexágono que se desarrolla en el espacio en torno a un eje que es el supliciado. Es también la representación equívoca de un ideograma chino, un carácter que alguien ha dibujado sobre el vaho de los vidrios de la ventana, de eso no cabe duda. Puede ser cualquiera de las dos cosas: un ideograma o bien un símbolo geométrico. La ambigüedad de la escritura china es maravillosa y de esa forma que se concreta allí, en la imagen del suplicio, podemos deducir

todo el pensamiento que es capaz de convertir esta tortura en un acto inolvidable. Si aprendes a decir ese nombre comprenderás el significado final del suplicio. Mira este signo:

Es el número seis y se pronuncia *liú*. La disposición de los trazos que lo forman recuerda la actitud del supliciado y también la forma de una estrella de mar, ¿verdad? (págs. 226-227).

Nuevamente se refuerza la visión del cuerpo en *Farabeuf* como el lugar del sentido; es él el signo que promete descifrarlo pero que finalmente acaba cifrándolo de nuevo. Es grafía incapaz de ir más allá de ella misma, porque el significado que atesora resulta inefable. El cuerpo, que comienza en caligrafía, acaba convertido en jeroglífico y la trama se despliega en el intento de saber lo que dice.

«Farabeuf», novela-jeroglífico

En las primeras líneas de la novela, cuando Farabeuf está llegando a la casa, se oye un ruido sobre el que se conjetura si pertenece al tintineo de las monedas del *I ching* al caer sobre la superficie de una mesa o bien al deslizamiento de la tablilla indicadora de la ouija sobre la tabla mayor. Este acontecimiento inicial ofrece una pista reveladora sobre una nueva caracterización del relato: su condición de acertijo o jeroglífico; así se declara explícitamente en la página 145: «Para poder resolver el complicado *rebus* que plantea el caso, es preciso, ante todo, ordenar los hechos...» Como ya se ha subrayado, la narración se abre con una pregunta —«¿Recuerdas?»— e inmediatamente vemos cómo la respuesta necesita ser adivinada mediante el desciframiento de una serie de claves que se inscriben una y otra vez sobre la superficie del texto. De este modo, tanto el *I ching* como la ouija surgen también como metáforas de la escritura novelesca. Su carácter de métodos adivinatorios reproduce el devenir de la escritura en *Farabeuf*. La trama dibuja igualmente un proceso adivinatorio, pues se sustenta en la búsqueda de una respuesta, de una solución a un secreto intraducible. Dentro de este esquema, tanto la ouija como el *I ching* juegan un papel importante porque sus respectivas características se relacionan muy estrechamente con algunos de los contenidos más relevantes de la obra.

La ouija constituye un sistema de comunicación con el más allá; el procedimiento —se piensa una pregunta y la respuesta viene dada por las fuerzas del más allá que mueven el indicador sobre un tablero donde se disponen circularmente todas las letras más algunos números, y en algunos casos ciertos símbolos mágicos— es casi idéntico al que la novela desarrolla. En *Farabeuf* el argumento arranca asimismo con una pregunta y la respuesta parece inabordable al encontrarse en un territorio que asimismo está más allá de la propia escritura, al ubicarse, como en el caso de la ouija, incluso más allá de la vida. Este mismo proceso de la escritura será trazado por la ouija desde dentro de la narración. En un principio el indicador se limita a repetir el interrogante: «¿Quién, en la tarde lluviosa, nos llama mediante una operación mágica que consiste en hacer, por un impulso cuya explicación todos desconocen, que una tabla más pequeña se deslice sobre otra tabla más grande con un orden y un sentido, deletreando vacilantemente un nombre, una palabra que nada significa? ¿O es que acaso tú te hubieras llamado R...E...M...E...M...B...E...R?» (pág. 112) Poco a poco se va revelando el punto de llegada de ese camino de búsqueda de una respuesta: «Su interrogación era como un rito mortuorio. La lentitud con que se deslizaba la pequeña tabla sobre la ouija contribuía, sin duda, a crear esa impresión. Era un cadáver admirable en su quietud. Su inmovilidad era más que la inmovilidad de un cadáver. Era más bien como la fotografía de un cadáver, una fotografía como la que me mostraste...» (pág. 174). Otra vez la clave se aproxima a la fotografía del supliciado y, con ello, a la muerte, en ella espera la solución; y ese punto de llegada se va haciendo cada vez más evidente: «En la quietud de la estancia nosotros escuchábamos el chirrido de aquellas tablas que se movían, que se deslizaban unas a otras impulsadas por una inquietud que a toda costa quería conocer la identidad de algo o alguien a quien nosotros habíamos introducido en aquella casa, alguien o algo sangriento» (pág. 187). Y por fin: «Hubieras huido para siempre, sólo por el miedo de alterar el significado de un gesto en el que estaba contenida la esencia de un cuerpo. Hubieras huido porque *tú* nunca te hubieras atrevido a hundir *tan lentamente* esa cuchilla afiladísima en el cuerpo obeso de un príncipe magnífico; porque cada vez que tu rostro se refleja en ese espejo que siempre nos ha presentado temes la muerte, tu muerte que se esconde en esa calavera espléndida; tu muerte que es el rostro de Farabeuf, tu muerte que es la contestación a la pregunta que ella hace siempre a una tabla cubierta de letras y de números» (pág. 192). Tal y como se ha venido apreciando una y otra vez al analizar diferentes elementos de la novela, todo apunta a un mismo lugar: a un cuerpo despedazado, a la muerte que queda escrita en su pose; el uso que en la novela hace Elizondo del *I ching* tampoco será una excepción.

El *I ching* o *Libro del cambio* o *de las mutaciones* constituye una representación simbólica del orden cósmico, un sistema de interpretación del universo y un manual sobre el devenir humano en relación con los procesos de la naturaleza. Ofrece una visión dualista del mundo, dominada por las nociones del *yin* y del *yang*, cuya unión encarnaría la totalidad. Su fin último es la búsqueda de la ley que subyace al cambio y al movimiento constante del universo. Esta ley es el *tao* (la Vía, el Sentido) y su postulación es el *t'ai ki*, o principio original. Como en el caso de la ouija, a través del *I ching* Elizondo plasma un discurso simbólico que subyace al texto novelesco y con el que enfatiza sus contenidos fundamentales. Es necesario seguir su rastro para tomar plena conciencia de ello.

El discurso de *Farabeuf* también articula un proceso casi idéntico al del *I ching*. En la novela se busca revelar el sentido esencial de un mundo narrativo en perpetuo devenir. Éste es también el fin último de este sistema adivinatorio —no se olvide que recibe también el nombre de *Libro de las mutaciones*. Así, en el relato vamos asistiendo a la aparición de una serie de jugadas que trazan simbólicamente la trayectoria del propio argumento. La frecuente aparición del trigrama *k'un* (compuesto por tres *yin*), que representa la tierra y lo receptivo, y del trigrama *ch'ien* (compuesto por tres *yang*), cuyo significado simbólico es el cielo y lo creativo, subrayan el carácter esencial de ese universo atravesado por dualidades antagónicas que sirve de marco a la narración. Al mismo tiempo, aparecerán citados en el texto dictámenes —o sentidos simbólicos— de algunos hexagramas cuyos contenidos se emparentan directamente con la trama novelesca. Así, en la página 109 leemos: «La perseverancia trae consigo la buena fortuna», dictamen del hexagrama *k'un*, compuesto por dos trigramas del mismo nombre (tres *yin*), y que refleja la obcecada búsqueda que el libro plasma de principio a fin. Posteriormente, en otro momento del relato, un lanzamiento de las monedas da lugar al hexagrama *kuai* (hexagrama número 43 que significa *resolución*) con un nueve en el cuarto lugar, lo que representa a un hombre con los pies desollados; inmediatamente después el narrador señala: «Si lanzaras de nueva cuenta las tres monedas y cayeran tres *yin* en el sexto lugar, tal vez comprenderías el significado de esa imagen, la verdad de ese instante» (pág. 144). El hexagrama *kuai* con tres *yin* en el sexto lugar muestra al hombre absolutamente desamparado, sin nadie que lo pueda ayudar; y anuncia un final adverso para él. El *I ching*, como la ouija, nos dirige entonces en *Farabeuf* al mismo punto: a la imagen del supliciado, a la muerte. El momento de llegada a ese lugar nos es ofrecido por Elizondo mediante una sutil estrategia narrativa[40].

«El suplicio es una forma de escritura. Asistes a la dramatización de un ideograma; aquí se representa un signo y la muerte no es sino un conjunto de líneas que tú, en el olvido, trazaste sobre un vidrio empañado» (pág. 211) Ya se ha

---

[40] No son éstas las únicas combinaciones del *I ching* que aparecen en la obra. He destacado algunas de las que me parecían más significativas. Un excelente y más detallado análisis de los trigramas y hexagramas que se citan en *Farabeuf* y de los contenidos que aportan a la novela se encuentra en Bernard Fouques, «*Farabeuf*, entre l'anathème et l'anamorphose», *Bulletin Hispanique*, julio-diciembre de 1981, 83:3-4, págs. 399-431 (págs. 418-422). Remito al lector a este trabajo para una información más completa sobre este tema.

comentado cómo las líneas de este ideograma ubicado en el eje de la trama se corresponden, además de con las líneas del signo trazado en la ventana por la mujer y con la figura de la estrella de mar recogida por ella misma en la playa, con la pose del supliciado. Al mismo tiempo, el signo que todos estos elementos estampan es el ideograma *liú*, cuyo significado es seis, número de significativa carga simbólica en la cultura china y que remite, entre otros significados, a la unicidad y a los impulsos sexuales. Pero más importante resulta otro de los valores simbólicos de esta cifra. En otro momento de la obra leemos en referencia a la fotografía del *leng-tch'é*: «Es preciso estudiar la configuración de los verdugos... es importantísimo... forman un dodecaedro con seis cúspides visibles... son seis los verdugos que actúan sobre el cuerpo del supliciado, seis... como las líneas del hexagrama... *yin-yang*... como el *t'ai ki* también: la conjunción de dos seises» (págs. 224-225). El *t'ai ki* constituye, como vimos, el principio original, la fórmula primordial del *tao* (la Vía, el Sentido); en definitiva, el significado definitivo y absoluto de la totalidad. La cita nos sitúa el *t'ai ki* en la fotografía, pero en mi opinión la promesa de su consecución en el texto se lleva a cabo a un nivel más amplio. El *t'ai ki* representa la conjunción de dos seises y el cuerpo del supliciado traza el número seis; no es exagerado pensar que el otro seis se ubicaría en el cuerpo de la mujer en el instante preciso de la repetición de la experiencia de la víctima del *leng-tch'é*, con lo que su cuerpo trazaría la misma cifra lográndose así la conjunción de los dos seises: en ese momento exacto el Sentido (siempre en mayúsculas) se revelaría en toda su intensidad. El texto se mantiene en la inminencia del ritual, puesto que su cumplimiento abriría las puertas a un territorio insondable, mudo y secreto. Como en la ouija, aquí también la respuesta a la pregunta se sitúa más allá de la vida: en la carne inerte de dos cuerpos muertos. Por esta razón en el texto se nos dice que la solución al enigma no se encuentra en ninguno de los sesenta y cuatro hexagramas de los que se compone el *I ching* sino en un inexistente sexagésimo quinto ubicado en el ámbito de lo inefable, el hexagrama de la muerte: «Lanzarás las tres monedas entonces preguntando mentalmente si tu muerte bastaba para calmar mi deseo y un hexagrama único e inesperado, la sexagesimoquinta combinación de seis líneas quebradas o continuas se concretará para decirte que yo, igual que tú, no soy sino un cadáver sin nombre» (pág. 241). Nada espera al final; en *Farabeuf* todos los elementos novelescos —la tortura, la cirugía, el coito, el cuerpo, la ouija, el *I ching*— se encuentran condenados a perseverar en su propio discurrir, sin un horizonte que prometa la solución, la llegada. Con ello, se articula un discurso incapaz en ningún momento de ir más allá de él mismo, de construir un sentido en que cristalicen y se resuelvan sus propias incertidumbres. La escritura, discurso en devenir en busca de significado, acaba convirtiéndose en el acontecimiento central de la novela y en su omnipresente reflexividad asistimos sin cesar a su propia representación[41].

Escritura y teatralidad

En una interesante reflexión acerca de las relaciones entre literatura y saber, Roland Barthes destacaba, en su obra *El placer del texto* (1973), un aspecto muy significativo de cierto tipo de discurso literario: «En la medida en que pone en escena al lenguaje —en vez de, simplemente, utilizarlo—, engrana el saber en la rueda de la reflexividad infinita: a través de la escritura, el saber reflexiona sin cesar sobre el saber según un discurso que ya no es epistemológico sino dramático»[42]. Esta definición de la escritura como discurso dramático, sobre la base de su reflexividad omnipresente, encaja de forma muy precisa con el carácter de los procesos narrativos de *Farabeuf*. La propia novela, al definirse como «dramatización de un ideograma», asume desde dentro tal condición; y esa frase no

---

[41] El claro, instrumento compuesto de esferas giratorias y concéntricas, aparece también al final de la novela como método adivinatorio, concretamente en el capítulo VIII; no obstante, su sistema de interpretación, tal y como aparece en *Farabeuf*, se asemeja bastante al del *I ching*.

[42] Roland Barthes, *El placer del texto*, México, Siglo XXI, 1989, pág. 125.

es más que un detalle de un proceso global en el cual la escritura asume un carácter teatral omnipresente, al hacer en todo momento explícita la representación de sí misma dentro de la trama novelesca. Muy numerosos son los ejemplos de este procedimiento.

La escena de la casa sobre la que gira buena parte del argumento ofrece una serie de rasgos muy próximos a la teatralidad. La disposición casi inmóvil de los personajes y el desarrollo mínimo de los acontecimientos que tienen lugar allí se asemejan al croquis de una situación teatral nunca resuelta del todo y repetida continuamente a modo de ensayo hasta su representación definitiva. Ésta tiene mucho que ver con un acto, la entrega de la mujer a la ceremonia erótico-quirúrgica, cuyo carácter ritual refuerza aún más la dimensión dramática de la escena. El espejo ubicado en esa misma habitación se irá convirtiendo en una referencia frecuente de las diferentes voces narradoras, hasta convertirse en uno de los componentes más importantes de la escena. Las menciones a dicho objeto servirán, por un lado, para dotar de irrealidad a los seres, objetos y actos, y, por otro, el espejo duplicará esa escenografía subrayando, mediante ese desdoblamiento —*mise en abîme*—, la teatralidad de la situación, en un procedimiento muy semejante a los de la dramaturgia barroca: «Apoyado a un lado de la pequeña mesa con cubierta de mármol, podía ver su rostro reflejado en el enorme espejo que pendía de la pared opuesta y podía ver el reflejo de la figura de la mujer, de espaldas al espejo, en la misma forma en que esta representación hubiera surgido en la mente de alguien que pretendiera describir el momento de su llegada a aquella casa. Perdió entonces la noción de su identidad real. Creyó ser nada más la imagen figurada en el espejo y entonces bajó la vista tratando de olvidarlo todo» (pág. 110). Por último, el cuadro de Tiziano se definirá en varias ocasiones como una figuración alegórica de la acción narrativa, «alegoría incomprensible», tal y como se define en el texto, que sirve también para representar desde dentro de la narración, duplicándolo, el drama que ella misma desarrolla.

Pero hay un aspecto más, sin duda el más importante, que consagra de manera definitiva el carácter teatral de la novela. Al comienzo del capítulo III, en plena recapitulación de los hechos narrados previamente, leemos la siguiente descripción: «Tenemos una vaga constancia de la existencia de un número indeterminado de hombres y de un número impreciso de mujeres. Uno de los primeros y otra de las segundas han realizado o sugerido la realización del acto llamado carnal o *coito* en un recinto que bien puede estar situado en la casa que otrora sirviera para las representaciones del Teatro Instantáneo del Dr. Farabeuf o bien en una casa situada en las proximidades de una playa» (pág. 145). Se aprecia entonces que precisamente la casa que acoge la escena comentada parece ser el lugar donde Farabeuf ejecuta unas extrañas piezas teatrales. Posteriormente se nos describirá una de ellas: «En el curso de aquel espectáculo que los programas [...] señalaban como *Teatro Instantáneo del Maestro Farabeuf,* surgía en la pantalla intempestivamente la figura de una mujer desnuda que parecía ofrendar hacia la altura una pequeña ánfora dorada. La Enfermera entonces llamaba la atención del hombre de la bata china diciéndole: 'No debe usted distraerse con la imagen de esa mujer desnuda, doctor', y la imagen cambiaba rápidamente y volvíamos a ver, como si fuera desde otro punto de vista, la imagen de aquella escena escalofriante cuyos detalles se veían acentuados por una explicación técnica en la que se invocaban los procedimientos quirúrgicos aplicados al arte de la tortura» (págs. 206-207). El *Teatro Instantáneo* pone en escena de nuevo, y de nuevo en primer plano, a los dos figurantes principales del argumento novelesco: el cuerpo de la mujer sin nombre y el cuerpo del torturado. Así las cosas, en el último capítulo, cuando está a punto de comenzar el ritual que protagonizará la mujer, con el que trata de reproducir, recreando su figura y la experiencia extrema que refleja, la figura del supliciado, la narración describe la preparación de una representación teatral. Durante este episodio el narrador dicta a la mujer los movimientos que habrá de ejecutar, que son los mismos que han venido reflejándose a lo largo de la obra; posteriormente, le indica que su cuerpo será el centro absoluto de la ceremonia: «Concéntrate tan sólo en tu cuerpo. Es él, más que tu memoria, el que sufre esta prueba exquisita y cruenta. ¿Estás dispuesta? ¿Te arredra el posible dolor que te cause esta experiencia? Recuerda que sólo se trata de un instante y que la clave de tu vida se encuentra encerrada en esa fracción de segundo. Desvístete. La desnudez de tu cuerpo propiciará la curación definitiva de este mal» (págs. 248-249). La explicación prosigue y en ella se nos revela las condiciones que convierten al rito en un espectáculo total: «Ahora serás *tú* el espectáculo. Ese juego de espejos hábilmente dispuestos reflejará tu rostro surcado de aparatos y mascarillas que sirven para mantenerte inmóvil y abierta hacia la contemplación de esa imagen que tanto ansías contemplar» (pág. 251). La escenografía está dispuesta de modo que la mujer pueda ser a un tiempo protagonista y espectadora: «¿Con qué fin? Con el fin de encontrar una respuesta; con el fin de encontrar en tu imagen, en la imagen de tu cuerpo abierto mil veces reflejado en el espejo, la clave de este signo que nos turba» (pág. 251). Al poder mirar y vivir simultáneamente esa experiencia tan anhelada, la mujer será a la vez el signo de ese placer —en tanto es contemplado por ella misma— y el cuerpo que lo vive. Este espectáculo totalizante parece resolver esa fractura que se abre incesantemente en *Farabeuf* entre el cuerpo y la escritura. Pero el relato no puede escribir esa fusión; acaba cuando el ceremonial está a punto de dar comienzo y la mujer está evocando las imágenes recurrentes que han poblado la novela: «Un paseo a la orilla del mar. El rostro de un hombre que mira hacia la altura. Un niño que construye un castillo de arena. Tres monedas que caen. El roce de otra mano. Una estrella de mar...» (pág. 252). La última palabra del texto es la misma que abre la novela: «¿recuerdas?». La pregunta, gracias a ese espectáculo fugaz y total que está a punto de iniciarse, va a ser contestada; pero a partir de ese momento la escritura cesa debido a que el *Teatro Instantáneo* de Farabeuf se representa en un espacio y un tiempo en los que el lenguaje y el cuerpo —los dos principales elementos donde el ser humano puede reconocerse como tal— se disponen a asistir al drama de su propia aniquilación: el instante exacto, fatal y rotundo en que la muerte acontece. La teatralidad traspasa así de principio a fin la problemática planteada por *Farabeuf o la crónica de un instan-*

te. Supone un factor que contagia múltiples aspectos de la novela, pero sobre todo lleva hasta sus últimas consecuencias el conflicto de la propia escritura que la historia despliega, reforzando su condición de acontecimiento central de la trama narrativa.

La escritura como argumento final

Al comienzo de estas páginas se definía a la novela de la «escritura» como aquel tipo de relato que incluye, dentro de su argumento, su propia construcción. Se ha venido comprobando que casi todos los temas y componentes narrativos de *Farabeuf* funcionan de manera más o menos explícita como espejos o metáforas de la propia escritura novelesca. El clatro, la fotografía, la tortura, la cirugía, el coito, el cuerpo, la ouija, el *I ching*, el cuadro, el espejo y lo teatral sirven en la obra para plasmar su conflicto esencial: el de una escritura que busca el significado de su propio acontecer. En idéntica dirección, los personajes y los sucesos dejan asomar su condición preferente de signos que discurren por la trama en una perpetua búsqueda de significado, de su propio significado. De todo ello se deduce que, finalmente, la escritura se muestra como el suceso exclusivo de la acción narrativa; el discurso versa sobre su propio discurrir sin que ningún espacio ajeno a él pueda ser delimitado. Toda referencia acaba siendo entonces en *Farabeuf* pura textualidad; su texto deviene textura y ya no historia. No estamos frente a una narración que construye una imagen acabada de la realidad, interpretándola en uno u otro sentido; la realidad extratextual sólo existe en la novela en la medida en que sus elementos se transforman en lenguaje cuyos movimientos van ejecutando una escritura. Sólo la materialidad de los signos está presente, signos que generan nuevas señales, que trenzan una red simbólica que sólo a ella misma remite. Por ello, en *Farabeuf* todo opera en la superficie, creando un mundo intransitivo detectado en el momento preciso de su ocurrencia. En esta planicie textual, donde todo sucede en el tiempo presente de la enunciación —de la escritura—, lo que se busca es convocar la presencia de un cuerpo, volverlo presente en el texto trayéndolo al presente del relato, al instante en el que la materialidad de su carne se impone a cualquier tipo de saber de rango abstracto. La propia escritura evoca en su despliegue la materialidad de ese cuerpo al hacer circular el argumento por la epidermis de su discurso, por ese nivel donde el lenguaje discurre sin profundidad, sustentado solamente en la materialidad de sus signos. El texto de *Farabeuf* busca un cuerpo y, al buscarlo, cobra cuerpo al no ir nunca más allá de su textualidad, de su textura, de su calidad epidérmica; en esa piel discursiva —superficie de la página que la novela jamás trasciende— la escritura tatúa sus inscripciones. Se refuerzan así algunos de los paralelismos, ya analizados, entre cuerpo y escritura; no obstante, ahondar algo más en estas correspondencias puede servir para perfilar más nítidamente la compleja encrucijada que *Farabeuf* expresa.

Farabeuf o la crónica de un instante tantea, de forma radical, los límites del saber —o del decir— y del vivir humanos. De algún modo, plantea hasta qué punto el lenguaje, y más concretamente la literatura, es capaz de penetrar en un ámbito donde el conocimiento sea ya no simple intelección racional sino exclusivamente vivencia; es decir, hasta qué punto la escritura narrativa puede acercarnos a una experiencia vital límite en la que el sentido desaparezca en ese instante donde la vida fluye con una intensidad extrema y apoteósica. La tortura y el coito aparecen como ejemplo de tales experiencias; puesto que ambos provocan la pérdida de la conciencia de sí; en el instante del placer y del dolor extremos, el sentido —el sentido de nosotros mismos— desaparece porque el único sentido está en el propio suceder; tiempo instantáneo donde la vida llega a su límite y se coloca bajo la amenaza de la disolución. Exactamente lo mismo sucede en la escritura, pues nos muestra una experiencia extrema del lenguaje en la que éste se muestra en su simple suceder, situándolo en el tiempo instantáneo de su producción y sin posibilidad de resolverse en un sentido, ya que ello supondría igualmente la disolución de la escritura —clausurada por el significado en que sus signos acabarían cristalizando. ¿Puede la escritura, condenada a subsistir mediante signos abstractos e incorpóreos, significar ese instante en que, como en el suplicio y en el encuentro erótico, la vida humana precisamente pierde todo significado ante el paroxismo de las sensaciones que atraviesan el cuerpo? Sólo la inminencia de ese acontecimiento parece mostrarse abordable. La escritura se vuelve así, en *Farabeuf*, escritura del deseo, del deseo de encarnar, presentar, revivir (y ya no representar) ese momento de placer extático que la fotografía del supliciado estampa. Sin embargo, ya hemos visto cómo esa imagen se resuelve en un signo, en una pose que escribe el deseo; pero esa cifra no es el placer sino su marca; no lo encarna, tan sólo lo significa.

En cierta ocasión, Salvador Elizondo confesó la admiración que sentía por la obra de Octavio Paz *El Mono Gramático* (1974)[43]. Resultan muy evidentes las numerosas similitudes, tanto respecto a los temas como respecto a las estrategias narrativas, entre este relato y la literatura del autor de *Farabeuf*. Las relaciones entre el cuerpo y el lenguaje y entre la escritura y el erotismo constituyen también dos de los temas capitales del libro de Paz. En una de las páginas de *El Mono Gramático* encontramos una cita que puede ayudar a profundizar más en este oscuro problema; dice allí su autor: «Todo cuerpo es un lenguaje que, en el momento de su plenitud, se desvanece; todo lenguaje, al alcanzar el estado de incandescencia, se revela como un cuerpo ininteligible. La palabra es una desencarnación del mundo en busca de su sentido; y una encarnación: abolición del sentido, regreso al cuerpo. La poesía es corporal: reverso de los nombres»[44]. La cita refleja con precisión esa compleja encrucijada que forman el cuerpo y la escritura en *Farabeuf*. Paz describe con maestría ese drama insoluble de las palabras que, como en la primera novela de Elizondo, al buscar encarnar en el cuerpo están obligadas a abolir todo sentido. El significado del instante vendría dado así no por el sentido de ese cuerpo extático sino por su misma aparición, por su presencia. La escritura del deseo surge así en la

---

[43] Jorge Ruffinelli, art. cit., pág. 36.
[44] Octavio Paz, *El Mono Gramático*, págs. 123-124.

novela como deseo de autodestrucción; la escritura busca dejar de ser lenguaje como única posibilidad de llegar a ser cuerpo. «Podemos ahora restablecer sin esfuerzo —ha señalado Todorov— la relación profunda entre palabra y deseo. La una y el otro funcionan de una manera análoga. Las palabras implican la ausencia de las cosas, lo mismo que el deseo implica la ausencia de su objeto; y estas ausencias se imponen a pesar de la "necesidad" natural y el objeto del deseo. La una y el otro desafían la lógica tradicional que quiere concebir los objetos en sí mismos, independientemente de su relación con aquél por el cual existen. La una y el otro terminan en un callejón sin salida: el de la comunicación, el de la dicha. Las palabras son a las cosas lo que el deseo es al objeto del deseo»[45]. La escritura, como experiencia radical del lenguaje, señala en *Farabeuf* ese trance idéntico al del deseo, y en su anhelo por ir más allá de ella misma acaba irremediablemente en un callejón sin salida.

La imposibilidad del sentido: el garabato

Todo en *Farabeuf o la crónica de un instante*, como ya ha sido suficientemente destacado, acaba asumiendo una configuración profundamente gráfica. El espacio novelesco se llena de signos que apuntan a un significado que no acaba de mostrarse. Todo se encuentra a la espera de esa revelación y el texto transcurre detectado en el momento justo de la inminencia. En los diferentes elementos de la ficción se presiente la próxima aparición del sentido. Así ocurre con el lienzo de Tiziano: «Yo ante el cuadro incomprensible e irritante que sólo incidentalmente —un detalle mínimo dentro de la espléndida composición— representa una escena de flagelación erótica esculpida en el costado de un sepulcro clásico o de una fuente rectangular [...] de cuyo fondo un niño trata, indiferente a las dos magníficas figuras alegóricas, de extraer algo. Trata tal vez de sacar de esa fosa un objeto cuyo significado, en el orden de nuestra

---

[45] Tzvetan Todorov, *Literatura y significación*, Barcelona, Planeta, 1974, págs. 135-136.

vida, es la clave del enigma [...]. Nunca he logrado desentrañar ese misterio sin embargo...» (pág. 113). Como en la imagen del niño en el cuadro, el argumento se encuentra siempre paralizado en ese instante inmediatamente previo a su solución[46].

La narración adopta entonces un tono conjetural omnipresente porque se sustenta en las hipótesis e interrogantes que los narradores expresan acerca del contenido oculto tras los hechos. Todo es signo de algo, pero esos signos nos remiten a otros signos; significan nuevas significaciones pero sin detenerse nunca en un significado final. Son, en conclusión, garabatos, trazos de una escritura irregular e incomprensible que a nada alude. El garabato es el producto final de la escritura en *Farabeuf* y la metáfora definitiva del instante que la novela trata de descifrar: «¿Por qué te has detenido?, ¿por qué se ha congelado este momento?, ¿por qué lo has invocado mediante aquel garabato que tu mano trazó al azar sobre el vidrio empañado? Si hubieras llegado hasta donde ibas, si hubieras logrado borrarlo con la palma de tu mano, la vida, tal vez, hubiera proseguido y nada se hubiera detenido» (pág. 115). En la marca que la mujer dibuja sobre el cristal de la ventana se inscribe la clave postrera del enigma: «Miraba fijamente el fondo de aquel pasillo, adentrándose con el pensamiento en esa penumbra en la que su ansiedad había imaginado la existencia de un ser, el ser que ella hubiera querido ser, de las cosas que

---

[46] Este pasaje de *Farabeuf* guarda una reveladora relación con otro de *El Mono Gramático* en el que también se comenta un cuadro. En el caso de Paz la tela es *The fairy-feller's masterstroke*, pintada entre 1855 y 1864 por Richard Dadd durante su estancia en el manicomio de Broadmoor, y su reflexión sobre esta obra insiste en aspectos parecidos a los utilizados por Elizondo: «Ese espacio es el lugar de una inminente aparición. Y por esto mismo es nulo e imantado: no pasa nada salvo la espera [...]. La espera es *eterna*: anula al tiempo; la espera es *instantánea*, está al acecho de lo inminente, de aquello que va a ocurrir de un momento a otro: acelera al tiempo. Condenados a esperar el golpe del leñador, los duendes ven interminablemente un claro del bosque hecho del cruce de sus miradas y en donde no ocurre nada. Dadd ha pintado la visión de la visión, la mirada que mira un espacio donde se ha anulado el objeto mirado. El hacha que, al caer, romperá el hechizo que los paraliza, no caerá jamás. Es un hecho que siempre está a punto de suceder y que nunca ocurrirá. Entre el nunca y el siempre anida la angustia con sus mil patas y un ojo único» (*El Mono Gramático,* págs. 105-106).

ella hubiera querido saber y que algunos minutos antes alguien había tratado de concretar, trazando con el índice de la mano derecha un signo incomprensible sobre el vidrio empañado de una de las ventanas, la del lado derecho viendo hacia el exterior, un signo que ella hubiera deseado ser y comprender; porque en esa capacidad de comprender lo que ella hacía al azar y sin sentido, por un capricho, residía la concreción y el significado del ser que ella se imaginaba» (págs. 110-111). Este trazo dibuja también la forma de la estrella de mar y, sobre todo, la figura del supliciado; el signo —la escritura— y el cuerpo de nuevo se aproximan hasta casi fundirse en una señal «que tenía un significado capaz de trastocar nuestras vidas» (pág. 140). Comprenderlo supone, al mismo tiempo, descifrar la esencia de ambos, del cuerpo: «Hubieras huido para siempre, sólo por el miedo de alterar el significado de un gesto en el que estaba contenida la esencia de un cuerpo» (pág. 192); y del signo: «Tratas de comprender la esencia de ese símbolo» (pág. 229). No obstante, todo garabato supone un signo al que, como si de una operación quirúrgica o de un suplicio se tratara, se le ha extirpado su sentido. El universo novelesco de *Farabeuf* se vuelve así exclusivamente significante sin llegar nunca a ser significado. La trama estampa grafías sin profundidad que sólo perviven en la pregunta por lo que ellas mismas significan: «Se abre así un abismo: el acto de escribir, convertido en escritura *dentro* de la escritura, pierde de pronto todas sus referencias; la escritura no es lo que escribe el hombre, porque el hombre es ya escritura, ya es personaje también. La referencia no está ya del lado del hombre sino del otro lado: el lado de la escritura abierta hacia la no-significación [...]. La pregunta sobre el ideograma escritura-erotismo-muerte pasa ahora del nivel del significado al del significante. Al extirpar el significado, el signo se vuelve *garabato*. La crítica de la escritura por la escritura cierra la cadena placer-muerte»[47].

---

[47] Octavio Paz, «El signo y el garabato», págs. 205-206. Puede también consultarse a este respecto el artículo de Severo Sarduy, «Elizondo. *Yin/yang*», *Escrito sobre un cuerpo,* en *Ensayos generales sobre el barroco,* México, FCE, 1987, págs. 225-317 (págs. 245-247).

Farabeuf narra en sus páginas la progresiva muerte del significado[48], y la razón es muy simple: el significado muere porque lo que se trata de descifrar es el significado de la muerte: «¿Qué es lo que te ha hecho volcar el destino de tu vida anodina —tu vida de mujer— hacia ese cauce en el que el conocimiento es una cifra, un signo trazado indiferentemente pero cuyo significado encierra la clave de tu entrega, la definición absoluta de tu muerte?» (pág. 237). Ubicada en esta coyuntura insoluble, la escritura sólo puede pervivir en la reiteración interminable de la misma pregunta. La respuesta se encuentra en *Farabeuf* exclusivamente en el silencio que la muerte dicta[49]; la inminencia del sentido jamás se supera, pues «la muerte, como el cuerpo (son en cierto límite, lo mismo), es inefable y, en tanto límite de los límites, facilita el sentido al lenguaje. Más aún, es su definitivo sentido y pocas cosas se sienten más que un cuerpo mortal, situado entre los cuerpos dolorosos y los gloriosos. La muerte da sentido pero, cuidado, es inarticulada, carece de dicción. Por eso [...] convierte el signo en garabato. Al tornarlo plenitud, lo reduce al absurdo. Todos escribimos al filo de la muerte, muriéndonos (a veces de risa) pero no escribimos después de muertos. Allí no hay ni siquiera después»[50].

«Todos tenemos que soportar el peso de una ausencia —señalaba en cierta ocasión el propio Elizondo—: la ausencia del Yo, la ausencia de Dios, la ausencia de un amor, la ausencia de la realidad. Tratamos de colmar ese hueco con palabras y con pensamientos; también con acción. Lo único capaz de colmar esa ausencia es la muerte y, aunque nos percatamos de ello, aunque tenemos esa certidumbre, nuestro juicio funciona de tal manera que esta verdad le parece informulable, ina-

---

[48] Consúltese el artículo ya citado de Bernard Fouques, pág. 425.

[49] También en el clímax erótico —región fronteriza de la muerte—, ya que tal y como afirma George Bataille: «La convulsión de la carne, más allá del consentimiento, solicita el silencio, solicita la ausencia del espíritu. El movimiento carnal es singularmente extraño a la vida humana: se desencadena fuera de ella, con la condición de que se calle, con la condición de que se ausente» *(El erotismo,* Barcelona, Tusquets, 1988, pág. 147).

[50] Blas Matamoro, art. cit., pág. 137.

ceptable, falsa»[51]. Escribir es entonces tratar de subsanar las ausencias del mundo y, en el nivel extremo que propone *Farabeuf*, la escritura se abre al espacio de esa ausencia total que es la muerte. «Morir es un instante eterno, tal vez»[52], afirma Elizondo en las mismas páginas, y en la frase —que podría considerarse un lema perfecto del argumento de *Farabeuf*— ese *tal vez* desvela el territorio ignoto, sólo habitable por dudas y conjeturas, por el que la escritura de la novela se despliega.

EPÍLOGO. LA ESCRITURA DE LOS LÍMITES:
TRAYECTORIA NARRATIVA DE SALVADOR ELIZONDO

> *Atiende esto a la instauración —por así decirlo— de un género relativamente nuevo de la literatura, que es el del proyecto literario, el proyecto imposible como una forma de escritura.*
>
> Salvador Elizondo

Con su primera novela, Salvador Elizondo dibuja con nitidez los bordes que delimitan el espacio de lo indecible y con ello coloca su literatura desde el comienzo en un estado límite. Lo que convierte a la obra de Elizondo en una de las aventuras más fascinantes de la narrativa hispanoamericana de las últimas décadas es el modo en que sus escritos, a partir de *Farabeuf o la crónica de un instante,* se afirman, cada vez con mayor rotundidad, en ese asedio a lo narrativamente imposible. A pesar de que su novela inicial parece invitar a una vuelta atrás debido al agotamiento de sus posibilidades expresivas, Elizondo encuentra, dentro de una trayectoria que consagra la concepción de la obra narrativa como experiencia radical del lenguaje, un cauce insospechado con el que logra hacer aún más delgado el hilo que sustenta una escritura siempre ubicada en el umbral de su extinción.

El resultado será una literatura cada vez más ensimismada

---

[51] *Cuaderno de escritura*, págs. 129-130.
[52] *Ibíd.*, pág. 142.

donde los relatos, completamente vueltos hacia sí, van subrayando de manera más nítida su estricta condición verbal. Si en *Farabeuf* se asiste a un proceso en el que los diferentes planos de lo real van siendo absorbidos por la escritura; en su siguiente novela, *El hipogeo secreto*, la escritura ocupa todo el espacio novelesco ya desde el comienzo, en «un intento de salvar el abismo que media entre las concepciones de la mente y la posibilidad de ser concretadas real, visible y legiblemente mediante la escritura. *El hipogeo secreto* es un libro que trata de sí mismo»[53]. El mundo que aún se asomaba en *Farabeuf* se vuelve libro por los cuatro costados en *El hipogeo secreto*. «La narración —como señaló el propio Elizondo— se vuelve completamente autística»[54]. Todo se vuelve mental, pensamiento (escritura) que sólo sobre sí mismo versa; el producto es «un libro cifrado cuya clave se ha extraviado y cuyo desciframiento depende de datos equivocados, de investigaciones erráticas, de impresiones falaces»[55]. Escritura en su grado cero, su dicción dice explícita y exclusivamente su mero decir y la omnipresencia del verbo se da de principio a fin. La culminación de la trama se expresa en su última línea con un «¡ahora!» que parece dar a entender que es precisamente ahí, en el momento de su cierre, cuando la obra va a tener lugar realmente: inicio de un relato del que ya no se tendrá jamás noticia y que nunca será escrito. La narración no se clausura, se suspende, y se subraya con mayor insistencia el callejón sin salida de la escritura que ya se insinuaba en *Farabeuf*: «Miro a mi alrededor. Parece que fuera la exacta mitad de un desierto y nada, los libros, los accidentes de la luz, los callejones que la escritura va destrazando sobre la blancura del papel; nada tiene un significado tangible de palabras»[56].

Pero no se acaba aquí la aventura emprendida. «Antes —responde Elizondo a Jorge Ruffinelli— el instrumento esencial de la escritura era para mí el cuerpo. Luego, en *El hipogeo secre-*

[53] Jorge Ruffinelli, art. cit., pág. 35.
[54] *Ibíd.*, pág. 34.
[55] Salvador Elizondo, *El hipogeo secreto*, México, Joaquín Mortiz, 1968, pág. 11.
[56] *Ibíd.*, pág. 38.

to el cuerpo se convierte en el libro, y después de *El hipogeo secreto* el libro se convierte ya nada más en la punta de la pluma-fuente llevada por la mano»[57]. El resultado de este proceso es la publicación en 1972 de *El grafógrafo*. Precisamente en el texto que da título al volumen —y que se ha reproducido al comienzo de esta introducción— es donde más claramente se percibe cómo el mundo de ficción de Elizondo ya no habita en el libro, ahora se ubica en el punto exacto donde la punta de la pluma se apoya sobre el papel. Su universo literario se adelgaza hasta el límite mediante un proceso de autofagia radical. Ya no es el libro que remite al libro lo que sostiene la trama; ésta surge como lenguaje que sólo se ve a sí mismo posible en ese instante mínimo y carente de toda posible trascendencia y exterioridad: el de su escritura. No exagero si afirmo, a la luz de los planteamientos desde los que su obra se proyecta, que Salvador Elizondo es uno de los escritores que ha llevado más lejos esa concepción de la literatura que según Michel Foucault surge a partir de la época moderna, cuando «se convierte en pura y simple manifestación de un lenguaje que no tiene otra ley que afirmar —en contra de los otros discursos— su existencia escarpada; ahora no tiene otra cosa que hacer que recurvarse en un perpetuo regreso sobre sí misma, como si su discurso no pudiera tener otro contenido más que decir su propia forma: se dirige a sí misma como subjetividad escribiente donde trata de recoger, en el movimiento que la hace nacer, la esencia de toda literatura; y así todos sus hilos convergen hacia el extremo más fino —particular, instantáneo y, sin embargo, absolutamente universal—, hacia el propio acto de escribir. En el momento en que el lenguaje, como palabra esparcida, se convierte en objeto de conocimiento, he aquí que reaparece bajo una modalidad estrictamente opuesta: silenciosa, cauta deposición de la palabra sobre la blancura de un papel en el que no puede tener ni sonoridad ni interlocutor, donde no hay otra cosa que decir que no sea ella misma, no hay otra cosa que hacer que centellear en el fulgor de su ser»[58].

---

[57] Jorge Ruffinelli, art. cit., pág. 36.
[58] Michel Foucault, *Las palabras y las cosas,* México, Siglo XXI, 1988, págs. 293-294.

El logro máximo del autor de *Farabeuf* se encuentra en no desviarse ni un ápice —en prácticamente la totalidad de su obra— de esta experiencia límite de lo literario, en una travesía similar a la recorrida por muchos de los nombres fundamentales de la literatura de los dos últimos siglos.

En la entrevista de Jorge Ruffinelli que se viene citando, y que tiene lugar en 1977, cinco años después de la publicación de *El grafógrafo,* Salvador Elizondo calificaba este libro de obra terminal que cegaba toda posible continuidad al camino emprendido por sus textos. No obstante, insinuaba al mismo tiempo una posible salida:

> Entonces, marcha atrás o romper esa barrera que no sé, decididamente, cómo la voy a romper. Yo pensaba romperla por medio de un libro [...] que sería una escritura desprovista inclusive de la posibilidad de ser leída, y ése es mi libro sobre Robinson Crusoe. Sería una novela que no tiene destino, una novela sin un destino lecturial. Una escritura sin destino. Porque todo lo demás sí tiene un destino último o inmediato, que es el lector; cumplida la función del escritor, ya no queda nada más para hacer que leerlo. Entonces yo ahora quería quitar a lo que estoy haciendo la posibilidad de ser leído, tal vez con la pretensión de encontrar un grado aún más alto de pureza. Así como antes me interesaba mucho la sensación y los órdenes extra-escritoriales de la literatura, ahora me interesa más que nada la economía y la pureza en el orden de la consecución de un efecto, un efecto que no trasciende ya siquiera del papel en el que su causa se fragua o se realiza. Es decir, que estoy escribiendo, o estaba escribiendo, sin la finalidad de ser leído [...]. Sería prescindir del lector, pero también provocar un orden diferente de lectura, un orden correlativo a la escritura, es decir un orden tal de lectura por medio del cual el escrito se des-escribiera al ser leído. Una involución-evolución de estas dos operaciones correlativas que son la escritura y la lectura[59].

Aunque líneas después Elizondo dude de que llegue a llevar a cabo este proyecto, éste verá la luz unos años después. El resultado es «Log», relato que abre su libro *Camera lucida,* de 1983,

---

[59] Jorge Ruffinelli, art. cit., pág. 37.

y que logra una vuelta de tuerca insólita al proceso que se viene siguiendo. En este cuento, la figura de Robinson Crusoe, único habitante de la isla desierta, aparece como símbolo, hasta acabar fundiéndose con él, del escritor enfrentado en soledad y total aislamiento a la página en blanco: «El momento culminante de la obra hubiera sido aquel que transmitiera la emoción del primer encuentro, después de algunos años dedicados a las tareas que aseguraran vitaliciamente la existencia del personaje en la isla, con el cuaderno abierto sobre la mesilla, ante la página en blanco, sin otra tarea que la de dar no un testimonio, sino una imagen, por escrito, de esa figura de la vida, de esa forma especial de existencia aislada o insular; sin otra cosa que hacer, allí en la isla, que colmar esa página virgen»[60]. Autor y personaje perviven en el merodeo en torno a la hoja en blanco sin que ni siquiera la escritura, y ya no la obra como en el caso de *El hipogeo secreto*, dé comienzo: «La escritura se dirige hacia su propio centro y se reduce a la vez que se duplica en la tentativa de escribir una novela acerca de su autor. El hombre que da vueltas en torno a la mesilla con el cuaderno y la pluma-fuente se convierte poco a poco, a fuerzas de dar vueltas, en el hombre que camina contando sus pasos a lo largo del litoral de la isla. Allí sólo hay palabras, presente de indicativo, la posibilidad de una escritura que da cuenta de una tentativa: la de imaginar y escribir un texto de tal índole que se va creando a sí mismo»[61]. Pero, según llegamos al final, esa posibilidad se torna irrealizable. Aunque «el texto es una confusión que se agranda; abarca en un momento dado todas las conjeturas posibles»[62]; el relato acaba con un gesto radical que niega de manera rotunda y definitiva todo lo narrado: «¿Quién es ese hombre que, después de leerlas, va arrojando las cuartillas al fuego...?»[63]. Con esta pregunta, imagen de una lectura imposible como resultado de una escritura imposible, Elizondo aparta en «Log» la punta de la pluma sobre el papel y sólo nos deja la superficie intacta de la página en blanco.

[60] Salvador Elizondo, *Camera lucida*, México, Joaquín Mortiz, 1983, pág. 14.
[61] *Ibíd.*, pág. 17.
[62] *Ibíd.*, págs. 22-23.
[63] *Ibíd.*, pág. 23.

La literatura de Elizondo arranca, ya en *Farabeuf,* desde la conciencia de que nada que valga la pena puede decirse verdaderamente y se desarrolla no en un intento de rescatar lo decible sino en la insistencia obcecada en subrayar esa misma imposibilidad de partida. Su obra sigue, al pie de la letra, «el consejo de Propercio, que Pound glosó para nuestro tiempo, de que la literatura no se hace con la pluma-fuente sino con goma de borrar»[64], y se va construyendo, como en el caso del final de «Log», mediante un continuo echar al fuego las palabras, en mayor cantidad según transcurren los libros. La escritura de Elizondo no busca construir ficciones en las que el verbo sea capaz de alumbrar zonas oscuras de lo real; su narrativa trata, más bien, de consagrar la propia oscuridad, dejando intactos, aunque perfectamente delimitados, los territorios mudos y secretos por los que el lenguaje no puede circular. Discurso del despojamiento donde sólo quedan las palabras en un intento extremo por autoinmolarse, literatura que busca decir la nada pues en ella encuentra y revela su ser puro y esencial.

---

[64] *Contextos,* pág. 8.

Esta edición

La presente edición reproduce el texto de la segunda edición de *Farabeuf* publicada por Joaquín Mortiz en 1967. Se ha hablado mucho sobre la sintaxis afrancesada y la expresión abundante en galicismos de esta primera novela de Salvador Elizondo. No obstante, como el propio autor le ha señalado al que esto escribe, este rasgo estilístico obedece a una razón que ha de tenerse muy en cuenta a la hora de editar una obra como *Farabeuf o la crónica de un instante*: en gran medida, su discurso es parodia y paráfrasis del *Précis de Manuel Opératoire*, de Louis Hubert Farabeuf, y, por tanto, su estilo hace patente esa condición como uno de los elementos más importantes de la novela. En consecuencia, en ningún momento he llegado ni siquiera a plantearme cualquier tipo de corrección estilística del texto.

La edición de *Farabeuf* publicada por la editorial Montesinos en 1981 cambia de lugar la ubicación dentro del texto de la fotografía del *leng-tch'é*. Si en la primera edición ésta estaba colocada en el capítulo VII, la de Montesinos la incluye dentro del primer capítulo. He consultado con el autor este dato y me ha indicado su preferencia por colocar la instantánea en el lugar en que aparecía en la primera edición.

Soy consciente del gran número de notas utilizadas; sin embargo, considero —y espero que el lector también— que la diversidad de campos de referencia que maneja la novela, entre otros la medicina, el mundo oriental y su cultura, la fotografía y la pintura, han hecho necesaria esta proliferación de anotaciones aclaratorias a pie de página.

Sólo una cosa más: no siempre el editor de un texto tiene la suerte de poder contar con la colaboración del propio autor para la elaboración de un trabajo de este tipo; mucho más excepcional y afortunado es recibir la ayuda de una persona tan amable y paciente como Salvador Elizondo, quien desde el primer momento me ofreció su total apoyo para la realización de esta edición. Quede constancia, pues, de mi profundo agradecimiento hacia él.

Bibliografía[*]

BIBLIOGRAFÍA DE SALVADOR ELIZONDO

1. EDICIONES DE «FARABEUF O LA CRÓNICA DE UN INSTANTE»

Farabeuf o la crónica de un instante, México, Joaquín Mortiz, 1965.
Farabeuf o la crónica de un instante , Barcelona, Montesinos, 1981.
Farabeuf o la crónica de un instante. México, Secretaría de Educación
     Pública / Joaquín Mortiz, 1985.
Farabeuf o la crónica de un instante, Obras de Salvador Elizondo, (vol. 1),
     México, Vuelta, 1992.
Farabeuf o la crónica de un instante, en Salvador Elizondo, *Obras,* Méxi-
     co, El Colegio Nacional, 1994 (vol. 1, págs. 1-149).
Farabeuf o la crónica de un instante, Narrativa completa, México, Alfa-
     guara, 1999, págs. 83-206.

2. TRADUCCIONES DE «FARABEUF O LA CRÓNICA DE UN INSTANTE»

Farabeuf oder die Chronik eines Augenblicks, Múnich, Carl Hanser Ver-
     lag, 1969 (traducción al alemán a cargo de Ursula Pfisterer).
Farabeuf ou la chronique d'un instant, París, Gallimard, 1969 (traduc-
     ción al francés a cargo de René L.-F. Durand).

---

[*] La presente bibliografía no incluye las innumerables colaboraciones de
Salvador Elizondo en revistas y periódicos; al interesado en una información
exhaustiva de este tipo de textos y en general de la bibliografía de y sobre Salvador Elizondo le remito a la reciente y magnífica obra de Ross Larson, *Bibliografía crítica de Salvador Elizondo,* México, El Colegio Nacional, 1998.

Farabeuf o la cronaca di un instante, Milán, Feltrinelli, 1971 (traducción al italiano de Enrico Cicogna).

Farabeuf czyli Kronika jednej chwili, Cracovia, Wydawnictwo Literackie, 1976 (versión polaca de Rrzelozyla Zofia Chadzy-ska).

Farabeuf, Nueva York, Garland Publishing, 1992 (versión inglesa a cargo de John Incledon).

3. Otros libros de Salvador Elizondo (primeras ediciones)

Narrativa

Narda o el verano, México, Era, 1964.

El hipogeo secreto, México, Joaquín Mortiz, 1968.

Retrato de Zoe y otras mentiras, México, Joaquín Mortiz, 1969.

El grafógrafo, México, Joaquín Mortiz, 1972.

Camera Lucida, México, Joaquín Mortiz, 1983.

La luz que regresa, fábula crononáutica, México, Secretaría de Educación Pública, 1984.

Elsinore. Un cuaderno, México, Ediciones del Equilibrista, 1988.

Poesía

Poemas, México, 1960 (edición del autor).

Salvador Elizondo como proyecto de Torre Eiffel, México, 1978 (edición limitada).

Rajatabla o tablaraja, México, 1978 (edición limitada).

Teatro

Miscast o Ha llegado la señora marquesa..., México, Oasis, 1981.

Ensayo

Luchino Visconti, México, UNAM (Cuadernos de Cine), 1963.

Cuaderno de escritura, Guanajuato, Universidad de Guanajuato, 1969.

Contextos, México, Secretaría de Educación Pública, 1973.

84

Sofía Bassi, Los continentes del sueño, México, Artes de México, 1974.

Regreso a casa (discurso de ingreso a la Real Academia Mexicana de la Lengua), México, UNAM, 1982.

Teoría del infierno y otros ensayos, México, El Colegio Nacional / Ediciones del Equilibrista, 1992.

Estanquillo, en *Obras de Salvador Elizondo* (vol. XI), México, Vuelta, 1993.

Antologías y recopilaciones

Museo poético, antología didáctica de la poesía mexicana moderna, México, UNAM, 1974 (edición de Salvador Elizondo).

Antología personal, México, FCE, 1974.

La luz que regresa: antología 1985, México, FCE, 1985.

Salvador Elizondo, México, UNAM, 1988 (edición y notas de Juan Bruce-Novoa y Rolando Romero).

Obras de Salvador Elizondo, México, Vuelta, 1992 (XI vols.).

Obras, México, El Colegio Nacional, 1994 (III vols.) (prólogo de Adolfo Castañón).

Narrativa completa, México, Alfaguara, 1999 (prólogo de Juan Malpartida).

Neocosmos (antología de escritos), México, Aldus, 1999 (edición de Gabriel Bernal Granados).

Autobiografía

Salvador Elizondo, México, Empresas Editoriales, 1966.

Traducciones

Pragmatismo. El significado de la verdad (fragmentos), de William James, México, Editorial Roble, 1963.

Por el canal de Panamá, de Malcolm Lowry, México, Era, 1969.

El señor Teste, de Paul Valéry, México, UNAM, 1972.

Madame Edwarda, de George Bataille, México, Premià, 1977.

Poemas, de Stephane Mallarmé, México, UNAM, 1978.

Los caracteres de la escritura china como medio poético, de Ernest Fenello-
sa, México, Universidad Autónoma Metropolitana, 1980.

El naufragio del «Deutschland», de Gerard Manley Hopkins, México,
UNAM, 1981.

Obras escogidas, de Paul Valéry, México, SepSetentas / Secretaría de
Educación Pública, 1982 (II vols.).

La rebelión de los tártaros, de Thomas de Quincey, México, Vuelta, 1993.

BIBLIOGRAFÍA SOBRE SALVADOR ELIZONDO

1. BIBLIOGRAFÍAS

LARSON, Ross, *Bibliografía crítica de Salvador Elizondo,* México, El Colegio Nacional, 1998.

2. ESTUDIOS

AGÜERA,Victorio G., «El discurso grafocéntrico en *El grafógrafo* de
Salvador Elizondo», *Hispamerica,* agosto de 1981, núm. 10:29,
págs. 15-27.

AGUSTÍN, José, «Contemporary Latin American Fiction», en John
Kirk y Don Schmidt (eds.), *Three Lectures: Literature and Censorship
in Latin American Today: Dream within a Dream,* Denver, University of Denver, 1978, págs. 1-13.

ANDERSON, Danny J., «Una aproximación a la metaficción: tres casos distintos en la novela mexicana contemporánea», *Semiosis,* julio de 1981-junio de 1982, núms. 7-8, págs. 123-140.

ARCOCHA, José A., PALENZUELA, Fernando, «Salvador Elizondo»,
Consenso, 1977, núm. 1:2, págs. 37-42 .

BARRENECHEA, Ana María, «La crisis del contrato mimético en los
textos contemporáneos», *Revista Iberoamericana,* enero-junio de
1982, núms. 118-119; págs. 377-381.

BECERRA, Eduardo, «Borges y Elizondo: la literatura hacia el desen-
mascaramiento de la realidad», *Cuadernos para Investigación de la
Literatura Hispánica,* 1994, núm. 19, págs. 255-264.

— *Pensar el lenguaje; escribir la escritura. Experiencias de la narrativa hispanoamericana contemporánea,* Madrid, Universidad Autónoma de
Madrid, 1996.

— «Escribir (con) el cuerpo: en torno a Elizondo, Paz y Sarduy», *Guaraguao*, 1997, núm. 4, págs. 30-48.

BELL, Steven M., «Literatura crítica y crítica de la literatura: Teoría y práctica en la obra de Salvador Elizondo», *Chasqui,* noviembre de 1981, núm. 11:1, págs. 41-52.

— «Postmodern Fiction in Spanish America: The Examples of Salvador Elizondo and Néstor Sánchez», *Arizona Quarterly. A Journal of American Literature, Culture and Theory,* 1986, núm. 42:1, págs. 5-16.

— «Salvador Elizondo», en William Luis y Ann González (eds.), *Modern Latin-American Fiction Writers: Second Series,* Detroit, Gale Research, 1994, págs. 108-117.

BRUCE-NOVOA, John D., «Entrevista con Salvador Elizondo», *La Palabra y el Hombre,* 1975, núm. 16, págs. 51-58.

— «Writing and the Visual Arts in Mexico: The Generation of Juan García Ponce», *Review: Latin American Literature and Arts,* enero-junio de 1988, núm. 39, págs. 5-13.

— «Entre historia y crónica: un problema de definición», *Revista de la Universidad de México,* diciembre de 1995, núm. 539, págs. 27-34.

BRUSHWOOD, John S., *México en su novela,* México, FCE, 1973.

— «Periodos literarios en el México del siglo XX: la transformación de la realidad», en Aurora Ocampo (ed.), *La crítica de la novela mexicana contemporánea,* México, UNAM, 1981, págs. 157-173.

— *La novela hispanoamericana del siglo XX. Una vista panorámica,* México, FCE, 1984.

CABRERA, Vicente, «La crónica de Narda y un verano de Elizondo», *Cuadernos de Poética,* mayo-agosto de 1987, núm. 4:12, págs. 37-43.

— «El bucólico "Puente de piedra" de Elizondo», *Confluencia,* 1988, núm. 3:2, págs. 57-62.

— «Tortura en cámara lenta: Salvador Elizondo "En la playa" y otras historias», *Revista Interamericana de Bibliografía,* 1990, número 40:4, págs. 394-99.

CADENA, Agustín, «*Farabeuf:* el espacio como metáfora del tiempo», *Plural,* marzo de 1993, 22:6, págs. 50-56.

CAMPOS, Julieta, *El oficio de leer,* México, FCE, 1971.

— *Función de la novela,* México, Joaquín Mortiz, 1973.

CANO GAVIRIA, Ricardo, «Salvador Elizondo o el suplicio como escritura», *Quimera,* enero de 1982, núm. 15, págs. 50-52.

CASTAÑÓN, Adolfo, «La escritura como experiencia interior: Salvador Elizondo», *Mascarones,* julio-septiembre de 1985, núm. 5, págs. 3-9.

— «Visiones, especulaciones, máquinas, ensayos. Prólogo a una antología implausible de Salvador Elizondo», en A. Pavón (comp.), *Cuento de nunca acabar (la ficción en México),* Tlaxcala, Universidad Autónoma de Tlaxcala, 1991, págs. 79-89.

— Prólogo a Salvador Elizondo, *Obras,* México, El Colegio Nacional, 1994, págs. ix-xx (III vols.).

CIPOLLINI, Rafael, «Los chinos son inmortales. Sobre el Oriente en la obra de Salvador Elizondo», *Tokonoma,* 1997, núm. 5, págs. 173-186.

CLUFF, Russell M., «La omisión conspicua de Juan Rulfo y Salvador Elizondo», *La Palabra y el Hombre,* abril-junio de 1991, núm. 78, págs. 274-79.

— «El nuevo cuento mexicano (1950-1990): antecedentes, características y tendencias», en Federico Patán (ed.), *Perfiles: ensayos sobre literatura mexicana reciente,* Boulder, Society of Spanish and Spanish-American Studies, 1992, págs. 53-83.

CONTE, Rafael, «Salvador Elizondo o la investigación estructural», en *Lenguaje y violencia: introducción a la nueva novela hispanoamericana,* Madrid, Al-Borak, 1972, págs. 241-246.

CRESTA DE LEGUIZAMÓN, María Luisa, «Los caminos de la narrativa mexicana de hoy», *Revista de Humanidades,* junio de 1970, núms. 11-12, págs. 117-127.

CURLEY, Dermot, *En la isla desierta. Una lectura de la obra de Salvador Elizondo,* México, FCE, 1989.

D'AQUINO, Alfonso, «*Elsinore,* de Salvador Elizondo», *Vuelta,* diciembre de 1988, núm. 12:145, págs. 38-41.

D'LUGO, Carol Clark, «Otro escritor para los lectores cómplices», *Nueva narrativa hispanoamericana,* enero 1972, núm. 2:1, páginas 214-217.

— «Elizondo's *Farabeuf*: A Consideration of the Text as Text», *Symposium: A Quarterly Journal in Modern Literatures,* 1985, núms. 39:3, págs. 155-166.

DURÁN, Manuel, *Tríptico mexicano: Juan Rulfo, Carlos Fuentes, Salvador Elizondo,* México, Secretaría de Educación Pública, 1973.

FELL, Claude, «*Farabeuf* de Salvador Elizondo», en *Estudios de literatura hispanoamericana contemporánea,* México, SepSetentas, 1976, págs. 153-156.

FERNÁNDEZ, Teodosio, «El problema de la escritura y la narrativa hispanoamericana contemporánea», *Anales de Literatura Hispanoamericana*, núm. 14, 1985, págs. 167-173.

FILER, Malva E., «*El hipogeo secreto* de Salvador Elizondo: el texto y sus claves», en Merlin H. Foster y Julio Ortega (eds.), *De la crónica a la nueva narrativa mexicana: coloquio sobre literatura mexicana. Memoria del XX Congreso del Instituto Internacional de Literatura Iberoamericana*, México, Editorial Oasis, 1988, págs. 433-442.

— «Salvador Elizondo y Severo Sarduy: dos escritores borgianos», en Sebastian Neumeiste (ed.), *Actas del IX Congreso de la Asociación Internacional de Hispanistas*, (II vols.) Frankfurt, Vervuert, 1989, II, págs. 543-550.

FOUQUES, Bernard, «*Farabeuf:* Entre l'anathème et l'anamorphose», *Bulletin Hispanique*, julio-diciembre de 1981, núms. 83:3-4, págs. 399-431.

FRANCO, Jean, «From Modernization to Resistance: Latin American Literature 1959-1976», *Latin American Perspectives,* 1978, núm. 5:1, págs. 77-97.

GÁLVEZ, Marina, *La novela hispanoamericana contemporánea*, Madrid, Taurus, 1987.

GLANTZ, Margo, *Onda y escritura en México: jóvenes de 20 a 33,* México, Siglo XXI, 1971.

— «*Farabeuf,* escritura barroca y novela mexicana», en *Repeticiones. Ensayos sobre literatura mexicana,* Veracruz, Universidad Veracruzana, 1979, págs. 17-26.

— «Entrevista con Salvador Elizondo y Edgar Allan Poe», *Ensayos sobre literatura mexicana,* Veracruz, Universidad Veracruzana, 1979, págs. 27-33.

GRANIELA RODRÍGUEZ, Magda, «La experiencia lectural como rasgo unificador y divergente en "La escritura": José Emilio Pacheco y Salvador Elizondo», *Texto Crítico*, Xalapa, Veracruz, 1989, núms. 15:40-41, págs. 13-20.

— *El papel del lector en la novela mexicana contemporánea: José Emilio Pacheco y Salvador Elizondo*, Potomac, Scripta Humanistica, 1991.

GUTIÉRREZ DE VELASCO, Luz Elena, «El paso a la textualidad en *Camera lucida*», *Revista Iberoamericana*, núm. 150, 1990, páginas 235-242.

— «*Farabeuf:* The Fragmentation of Reality», en Kemy Oyarzun (ed.), *Bordering Difference: Culture and Ideology in 20th Century Mexico*, Riverside, University of California, 1991, págs. 142-152.

HOLAS VÉLIZ, Sergio, «Dramatización, lectura e identidad en *Farabeuf* de Salvador Elizondo», *Signos*, 1986, núm. 19:24, págs. 79-88.

HÖLZ, Karl, «Entrevista con Salvador Elizondo», *Iberoamericana* [Frankfurt], 1995, 2:3 [58-59], págs. 121-126.

INCLEDON, John, «Salvador Elizondo's *Farabeuf*: The Reader as a Victim», en Rose S. Minc (ed.), *Latin American Fiction Today*, Maryland, Hispamerica, 1979, págs. 71-74.

— «Salvador Elizondo's *Farabeuf*: Remembering the Future», *Latin American Literature and Arts*, mayo-agosto de 1981, núm. 29, págs. 64-68.

JARA, René, *«Farabeuf»: estrategias de la inscripción narrativa*, Universidad Veracruzana, Veracruz, 1982.

KWON TAE, Young, *La presencia del «I ching» en la obra de Octavio Paz, Salvador Elizondo y José Agustín*, Guadalajara, Jalisco, México, Universidad de Guadalajara, 1999.

LARSON, Ross, *Fantasy and Imagination in the Mexican Narrative*, Temple, Arizona State University, 1977.

LEAL, Luis, «Nuevos novelistas mexicanos», *El Urogallo*, septiembre-diciembre de 1975, núms. 35-36, págs. 89-94.

— «Octavio Paz y la novela mexicana», *Inter-American Review of Bibliografy*, 1979, núms. 29:3-4, págs. 305-313.

— «El héroe acosado», *Revista de la Universidad de México*, abril 1979, núm. 33:8, págs. 25-28.

LEÓN GONZÁLEZ, Ciro, *«Farabeuf*: los procedimientos metaoperativos en la manifestación del discurso», *Semiosis*, enero-junio de 1988, núm. 20, págs. 169-185.

LIBERTELLA, Héctor, *Nueva escritura en Latinoamérica*, Monte Ávila, Caracas, 1977.

— *Las sagradas escrituras*, Buenos Aires, Sudamericana, 1993.

MAC MURRAY, George R., «Salvador Elizondo, *Farabeuf*», *Hispania*, septiembre de 1967, núm. 3, págs. 596-601.

— *«El hipogeo secreto* and Wittgenstein's Philosophy», *Hispania*, mayo de 1970, núm. 2, págs. 330-334.

MADRID, Lourdes, y ROSAS, Patricia del Pilar, *Las torturas de la imaginación*, México, Premiá, 1982.

— *«Farabeuf o la crónica de un instante*: antinovela y novela de búsqueda existencial», *Tierra Adentro*, octubre-noviembre de 1987, número 12, págs. 8-11.

MANZOR-COATS, Lillian, «Problemas en *Farabeuf* mayormente intertextuales», *Bulletin Hispanique*, 1986, núm. 88:3-4, páginas 465-474.

MARTH, Hildegard, «Humanized "Death Experience" in Salvador Elizondo's Novel *Farabeuf*», *Acta Litteraria Academiae Scientiarum Hungaricae*, 1985, núm. 27:1-2, págs. 99-125.

— «Space-Time in Salvador Elizondo's *Farabeuf*», *Acta Litteraria Academiae Scientiarum Hungaricae*, 1989, núms. 31:1-2, páginas 103-114.

MARTÍNEZ, José Luis, «Nuevas letras, nueva sensibilidad», *Revista de la Universidad de México*, 1968, núm. 22:8, págs. 1-10.

MATA, Óscar, «Apuntes sobre la novela *El hipogeo secreto* de Salvador Elizondo», *La Cultura en México*, diciembre de 1990, I núm. 5, págs. 63-64 y II núm. 12, págs. 57-59.

MATAMORO, Blas, «El apócrifo Salvador Elizondo», *Cuadernos Hispanoamericanos*, octubre de 1995, núm. 544, págs. 137-139.

MERRELL, Floyd, «La cifra laberíntica: más allá del *boom* en México», *Revista Iberoamericana*, núm. 150, 1990, págs. 49-61.

MICHAËLIS, Pierre, «Estructura y realidad en *Farabeuf*», *Plural*, enero de 1975, núm. 40, págs. 63-68.

OCAMPO, Aurora (ed.), *La crítica de la novela mexicana contemporánea*, México, UNAM, 1981.

— «Salvador Elizondo», en Aurora M. Ocampo *et al.* (comp.), *Diccionario de escritores mexicanos: siglo XX: desde las generaciones del Ateneo y novelistas de la Revolución hasta nuestros días*, México, UNAM, 1992, II, págs. 104-111.

ODIO, Eunice, «Carta a Salvador Elizondo», *La Vida Literaria*, noviembre-diciembre de 1970, núms. 1-10, págs. 31-34.

PAREDES, Alberto, «Salvador Elizondo», en *Figuras de la letra*, México, UNAM, 1990, págs. 55-57.

PAZ, Octavio, «El signo y el garabato», en *El signo y el garabato*, México, Joaquín Mortiz, 1986, págs. 200-206.

PEÑA, Luis Humberto, *Escritura en escisión: aproximación al perfil narrativo de la literatura mexicana (1958-1969)*, Xalapa, Universidad Veracruzana, 1990.

PEREIRA, Teresinha Alves, «Salvador Elizondo, um mexicano magico», *Minas Gerais, Suplemento-Literario*, 27 de noviembre de 1971, págs. 8-9.

PONIATOWSKA, Elena, «Entrevista a Salvador Elizondo», *Plural*, junio 1975, núm. 4:9, págs. 28-35.

Pieyre de Mandriargues, André, «Miroir du roman», *Europe,* octubre de 1968, núm. 46:474, págs. 203-208.

Quemain, Miguel Ángel, «La búsqueda de la escritura: entrevista con Salvador Elizondo», «La Jornada Semanal», núm. 90, suplemento de *La Jornada,* marzo de 1991, núm. 3, págs. 14-20.

Rebetez, René, «Lo fantástico en la literatura mexicana contemporánea», *Espejo,* abril-junio de 1967, núm. 2, págs. 23-49.

Rees, Earl L., «Characterization through Objective Correlative in Salvador Elizondo's *Farabeuf*», *Proceedings of the Pacific Northwest Conference on Foreign Languages,* 1976, núm. 27:1, págs. 166-169.

— «El erotismo en Salvador Elizondo», *Papeles de la Frontera,* 1978, núm. 2, págs. 1-8.

Rivero Potter, Alicia, «El erotismo en "El desencarnado" de Salvador Elizondo», *Modern Language Studies,* 1982, núm. 12:1, págs. 54-67.

Romero, Rolando J., «La estética de Salvador Elizondo», en Fernando Alegría (ed.), *La crítica literaria en Latinoamérica, Actas del XXIV Congreso del Instituto Internacional de Literatura Iberoamericana,* Palo Alto, Stanford University, 1985, págs. 187-193.

— «Salvador Elizondo: escritura y ausencia del lector», *La Palabra y el Hombre,* julio-septiembre de 1989, núm. 71, págs. 117-130.

— «Ficción e historia en *Farabeuf*», *Revista Iberoamericana,* núm. 151, 1990, págs. 403-418.

Ruffinelli, Jorge, «Salvador Elizondo o la literatura suicida», *Eco,* marzo de 1977, núm. 30:5, págs. 264-280.

— «La explosión del realismo», en *El lugar de Rulfo y otros ensayos,* Xalapa, Universidad Veracruzana, 1980, págs. 121-132.

Sarduy, Severo, «Elizondo. *Yin/yang*», *Escrito sobre un cuerpo,* en *Ensayos generales sobre el barroco,* México, FCE, 1987, págs. 225-317 (págs. 245-247).

Schärer, Maya, «Salvador Elizondo o el imperio de la palabra», en José Manuel López de Abiada y Titus Heydenreich (eds.), *Iberoamérica: historia, sociedad, literatura: homenaje a Gustav Siebenmann,* Múnich, Wilhelm Fink Verlag, 1983 (II vols.), II, págs. 763-779.

Sefchovich, Sara, *México: país de ideas, país de novelas: una sociología de la literatura mexicana,* México, Grijalbo, 1987.

Shaw, Donald L., «Salvador Elizondo», en *Nueva narrativa hispanoamericana,* Madrid, Cátedra, 1983, págs. 170-173.

Sotomayor, Áurea M., «*El hipogeo secreto:* la escritura como palíndromo y cópula», *Revista Iberoamericana,* núm. 112-113, 1980, págs. 499-513.

TERESA, Adriana de, *«Farabeuf»: escritura e imagen,* México, UNAM, 1996.

TOLEDO, Alejandro, «Lecturas paralelas de Salvador Elizondo y Ramón Xirau en el descubrimiento de James Joyce», en *Los márgenes de la palabra: conversaciones con escritores,* México, UNAM, 1995, págs. 39-44.

— y GONZÁLEZ DUEÑAS, Daniel, «Un experimento en clave autobiográfica», en *Los márgenes de la palabra: conversaciones con escritores,* México, UNAM, 1995, págs. 56-67.

VARÓN, Policarpo, «La escritura vacía», *Eco,* octubre de 1968, núm. 102, págs. 741-743.

VELÁZQUEZ, Jaime, «Cuaderno de relectura», *Revista de la Universidad de México,* octubre de 1983, núm. 39:30, págs. 42-44.

VILLEGAS, Paloma, «Nueva narrativa mexicana», *La Cultura en México,* 30 de enero de 1974, núm 625, págs. 2-9.

WILLIAMS, Raymond Leslie, *The Posmodern Novel in Latin America: Politics, Culture and the Crisis of Truth,* Nueva York, St. Martin's Press, 1995.

XIRAU, Ramón, *«Farabeuf»,* *Diálogos,* mayo-junio de 1966, núm. 10, págs. 44-46.

Farabeuf
o la crónica de un instante

Toute nostalgie est un dépassement du présent. Même sous la forme du regret, elle prend un caractère dynamique: on veut forcer le passé, agir rétroactivement, protester contre l'irréversible. La vie n'a de contenu que dans la violation du temps. L'obsession de l'ailleurs, c'est l'impossibilité de l'instant; et cette impossibilité est la nostalgie même.

E. M. CIORAN, *Précis de Décomposition*[1]

---

[1] «Toda nostalgia es un rebasamiento del presente. Incluso bajo la forma de la pesadumbre, ella adquiere un carácter dinámico: se pretende forzar el pasado, actuar retroactivamente, protestar contra lo irreversible. La vida sólo tiene contenido en la violación del tiempo. La obsesión por lo lejano es la imposibilidad del instante: y esta imposibilidad es la nostalgia misma.» E. M. Cioran, *Manual de podredumbre* (1949). *Cioran:* Emile Michel Cioran (1911-1995), filósofo francés de origen rumano, se le considera el pensador por excelencia de la negatividad y del nihilismo. Desde tal actitud, consideró que toda reflexión teórica suponía un mecanismo en el que el pensamiento quedaba irremediablemente prisionero de sí mismo, con lo que todo pensar se convierte en farsa. La cita que precede a la novela constituye una muy sugerente vía de acceso a uno de los temas fundamentales de *Farabeuf*, novela que comienza y acaba con la misma palabra: «¿Recuerdas?» La memoria, o nostalgia, se erige en motor narrativo primordial y la escritura que pretende recuperarla, como el pensamiento según Cioran, también se mostrará aquí continuamente encerrada en sí misma.

Capítulo I

¿Recuerdas...? Es un hecho indudable que precisamente en el momento en que Farabeuf[2] cruzó el umbral de la puerta, ella, sentada al fondo del pasillo, agitó las tres monedas en el hueco de sus manos entrelazadas y luego las dejó caer sobre la mesa. Las monedas no tocaron la superficie de la mesa en el mismo momento y produjeron un leve tintineo, un pequeño ruido metálico, apenas perceptible, que pudo haberse prestado a muchas confusiones. De hecho, ni siquiera es posible precisar la naturaleza concreta de ese acto. Los pasos de Farabeuf subiendo la escalera, arrastrando lentamente los pies en los descansos o su respiración jadeante, llegando hasta donde tú estabas a través de las paredes empapeladas, desvirtúan por completo nuestras precisiones acerca de la índole exacta de ese juego que ella estaba jugando en la penumbra de aquel pasillo. Es posible, por lo tanto, conjeturar que se trata del método chino de adivinación mediante hexagramas simbólicos[3].

---

[2] *Farabeuf:* Louis Hubert Farabeuf (1841-1910), cirujano y anatomista francés, fue profesor de Anatomía en la Facultad de Medicina de París; es considerado uno de los principales representantes de la escuela quirúrgica francesa. Su obra más conocida es *Manual de técnica quirúrgica* (1898); la sección de este libro dedicada a las amputaciones constituye una de las referencias fundamentales de la novela.

[3] *método chino de adivinación por hexagramas simbólicos:* se refiere al *I ching*, o *Libro del cambio* o *de las mutaciones*. Libro de la sabiduría chino de, al menos, cinco mil años de antigüedad, constituye una representación simbólica del orden y del misterio cósmicos y también un sistema de interpretación del cosmos y un manual sobre la conducta humana en relación con los procesos de la naturaleza. Su

El ruido que hacían las tres monedas al caer sobre la mesilla lo hace suponer. Pero el otro ruido, el ruido quizá de pasos que se arrastran o de un objeto que se desliza encima de otro produciendo un sonido como el de pasos que se arrastran, escuchados a través de un muro, bien puede llevarnos a suponer que se trata del deslizamiento de la tablilla indicadora sobre otra tabla más grande, surcada de letras y de números: la ouija[4]. Este método adivinatorio, tradicionalmente considerado como parte del acervo mágico de la cultura de Occidente, contiene, sin embargo, un elemento de semejanza con el de los hexagramas: que en cada extremo de la tabla tiene grabada una palabra significativa: la palabra sí del lado derecho y la

---

estructura parte de las nociones antitéticas del *yin*, representada por una línea rota, principio femenino, lunar, pasivo, nocturno, frío, terrestre y receptivo; y el *yang*, representado por una línea continua, símbolo de lo masculino, solar, activo, diurno, caluroso, celeste y creativo. La unión de ambos principios encarnaría la totalidad y de las cuatro posibles uniones entre *yin* y *yang* surgen las estaciones. A partir de aquí, las diversas combinaciones de estos elementos dan lugar, en primer término, a los ocho trigramas —que representan, por un lado, las condiciones y procesos de la naturaleza y, por otro, simbolizan arquetípicamente a los miembros de la familia. Por último, las diferentes combinaciones de los trigramas dan lugar a los sesenta y cuatro hexagramas (véase lámina 1, pág. 253), cuyas significaciones revelan la forma en que los acontecimientos cósmicos afectan a los asuntos humanos. El *I ching* constituye un método adivinatorio y oracular cuyo fin último es la búsqueda de una solución al misterio que subyace al cambio y al movimiento constante del universo. Vivir armoniosamente en medio del cosmos cambiante es el *tao* (la Vía): meta trascendental para este tipo de sabiduría. Las referencias al *I ching* que Elizondo utiliza en la novela parecen provenir de la traducción alemana del libro realizada por Richard Wilhelm en 1923, en la que se comentan e interpretan uno por uno todos los hexagramas.

[4] *ouija*: sistema de comunicación con las fuerzas del más allá. Comprende un tablero (el tablero ouija) donde se encuentran impresas de forma circular todas las letras del alfabeto más algunos números, e incluso en ocasiones algunos símbolos mágicos (véase lámina, 2, pág. 254). El último componente de la ouija es el *máster* o indicador, objeto —comúnmente una copa o vaso de cristal o, como es el caso de esta obra, una tablilla de madera— que mediante sus movimientos por el tablero da respuesta a las preguntas de los integrantes de la sesión de ouija. Supuestamente los movimientos del máster serían impulsados por el espíritu que ha sido convocado; para el logro de esta presencia espiritual se requieren los poderes de un *médium*, persona privilegiada en la labor de intermediación entre el mundo físico real y el del más allá y por ello encargada de dirigir la sesión, preguntando en nombre de todo el colectivo, y que además deberá colocar un dedo sobre el máster para transmitirle la fuerza del espíritu convocado.

palabra NO del lado izquierdo. ¿No alude este hecho a la dualidad antagónica del mundo que expresan las líneas continuas y las líneas rotas, los *yang* y los *yin*[5] que se combinan de sesenta y cuatro modos diferentes para darnos el significado de un instante? Todo ello, desde luego no hace sino aumentar la confusión, pero tú tienes que hacer un esfuerzo y recordar ese momento en el que cabe, por así decirlo, el significado de toda tu vida. Alguien, tal vez ella, balbució o profirió unas palabras en una lengua incomprensible inmediatamente después que se produjo el tintineo de las monedas al caer en la mesa. El nombre de ese que está ahí en la fotografía[6], un

---

[5] *yang y yin:* véase nota 3.

[6] Esta primera mención a la fotografía nos introduce en el elemento narrativo central de *Farabeuf* (véase pág. 223). La instantánea reproduce el suplicio de *leng-tch'é o de los cien pedazos,* método de tortura chino que data de la época de gobierno de la dinastía manchú en China (1644-1911) y que consiste en el progresivo despedazamiento de la víctima tratando de retardar el momento de su muerte. Además de en esta novela, también en *Rayuela* (1963), de Julio Cortázar, y en *Cobra* (1972), de Severo Sarduy, encontramos referencias a esta fotografía de la tortura; incluso, ese mismo suplicio inspiró el cuadro de José Gutiérrez Solana *Suplicio chino.* Por su parte, las fotografías del suplicio aparecerán, antes que en *Farabeuf,* en la obra de Louis Carpeux *Pékin qui s'en va* (1913), en la segunda edición del *Traité de psychologie* (1932), de Georges Dumas, y en *Las lágrimas de Eros* (1961), de George Bataille. Este último, al describir la historia de las fotos del *leng-tch'é,* establece que la fotografía a la que se referirá una y otra vez el texto de la novela es, aparentemente, uno de los clichés fotográficos recogidos en el libro de Carpeux y que plasman la agonía de Fu Tchu Ki —magnicida del príncipe mogol Ao Jan Wan—, que tuvo lugar el 10 de abril de 1905. Bataille afirma que las fotos recogidas por Carpeux y Dumas pertenecen al mismo suplicio, y contradice la afirmación de Dumas de que el *leng-tch'é* ilustrado en su libro ocurrió alrededor de 1880. Sin embargo, según establece Rolando J. Romero en su artículo «Ficción e historia en *Farabeuf*» (*Revista Iberoamericana,* núm. 151, 190, págs. 403-418), las fotografías de uno y otro libro son distintas y la tortura que recogen las placas de Dumas no es la de Fu Tchu Ki contemplada y descrita por Carpeux. Romero señala asimismo que el autor de *Las lágrimas de Eros* incluye en el libro las instantáneas del libro de Dumas y, por lo tanto, resulta errónea la afirmación de Bataille de que todas ellas recogen la agonía del asesino de Ao Jan Wan —no es el único error de Bataille, pues sostiene también que las fotografías de Dumas aparecen en la primera edición de su libro, de 1923, cuando es la segunda edición de 1932 la que las incluye. Elizondo incluye en su novela una de las fotos de Dumas y, como Bataille, atribuye al supliciado la identidad de Fu Tchu Ki. Además, hace del doctor Farabeuf el autor de la fotografía y en ella convierte al supliciado en un bóxer que asesina al príncipe Ao Jan Wan por su complicidad con las fuerzas de ocupación extranjeras.

hombre desnudo, sangrante, rodeado de curiosos, cuyo rostro persiste en la memoria, pero cuya verdadera identidad se olvida... El nombre fue lo que ella dijo... tal vez...

—«Es usted una persona en extremo meticulosa, doctor Farabeuf. Esa meticulosidad ha contribuido, sin duda, a hacer de usted el más hábil cirujano del mundo. ¿Está usted seguro de no haber olvidado nada? Cualquier indicio de su presencia en esta casa puede tener consecuencias terribles e irremediables. Debe usted cerciorarse, con la meticulosidad que le caracteriza, de que no falte uno solo de los instrumentos. Repase usted en su mente la lista del instrumental. Para ello puede usted emplear diversos métodos. Puede usted, por ejemplo, repasar cada uno de los instrumentos en orden descendente de tamaños: desde el enorme fórceps de Chassaignac o el speculum vaginal núm. 16 de Collin hasta los pequeños catéteres y sondas oftálmicas o las tenacillas para la hemostasis capilar o las afiladísimas agujillas hipodérmicas o de sutura[7]. Puede usted cerciorarse, también, aplicando este método inversamente, es decir, por orden ascendente de tamaños. Es preciso, sobre todo, que no deje usted nada olvidado aquí.

---

[7] *fórceps:* instrumento quirúrgico con dos palas y un mango que se utiliza para atrapar o comprimir tejidos y asimismo para la extracción del feto en partos complicados; *Chassaignac:* Charles M. Chassaignac (1805-1879), anatomista francés, famoso por su descripción de un pequeño engrosamiento de la apófisis transversa de la sexta vértebra cervical, conocido como *tubérculo de Chassaignac;* como cirujano es famoso también por la invención de numerosos aparatos quirúrgicos así como de diversos métodos operatorios; *speculum vaginal:* espejo vaginal; instrumento que expone el interior de la vagina al ensanchar su abertura; *Collin:* Anatole Collin (1831-1923), fabricante francés de útiles quirúrgicos que, a finales del siglo XIX, iba a revolucionar el campo de la medicina quirúrgica con sus aparatos; *catéter:* instrumento quirúrgico flexible y en forma de tubo utilizado para extraer o introducir líquidos en una cavidad corporal; *sonda oftálmica:* sonda —instrumento delgado y flexible diseñado para ser introducido por una herida o cavidad corporal— que tiene una hendidura cerca de uno de sus extremos por el que puede pasarse una ligadura o una cinta; *tenacilla:* tipo de pinza que se utiliza para suturar heridas; *hemostasis capilar:* detención de la hemorragia en la zona del cabello; *agujilla hipodérmica:* aguja corta, fina y hueca utilizada para la administración de medicamentos por vía subcutánea; *aguja de sutura:* la que se utiliza para la ligadura de vasos sanguíneos.

¿Ha revisado ya la mesilla de hierro con cubierta de mármol que se encuentra adosada al muro debajo del cuadro alegórico? Remueva usted los algodones sanguinolentos y las gasas manchadas de pus; una aguja imprescindible, una pequeña sonda nasal de gran utilidad puede estar oculta entre ellos. Repase usted, uno a uno, sus instrumentos de trabajo; los que usted mismo ha inventado y diseñado y que le han dado justo renombre en todo el mundo, así como aquellos que se deben al ingenio de sus colegas más notables. No se distraiga usted, doctor, al hacer este inventario mental. No preste ninguna atención a esa bella mujer desnuda representada en el cuadro[8] que tiene ante los ojos. Tenga cuidado, sin embargo, de no bajar la vista al suelo; los periódicos viejos que allí han sido extendidos podrían distraerlo igualmente. Usted quizá ya sabe por qué. Va usted a salir de aquí dentro de algunos minutos y tal vez no vuelva nunca más a esta casa. Hoy ha tenido que desviarse considerablemente de su ruta habitual al salir de la Escuela de Medicina para venir hasta aquí. Ha vacilado usted antes de atreverse a entrar en esta casa en la que vivió tantos años. Al llegar la primera vez ante la puerta no entró y volvió sobre sus pasos para dirigirse nuevamente al Carrefour[9] a esperar el autobús que lo llevaría a su casa en el otro extremo de la ciudad. Pero volvió usted al poco tiempo y helo aquí a punto de marcharse ya, tal vez para siempre. Es por ello que debe usted asegurarse de que no deja nada olvidado. Piense detenidamente... las diferentes cuchillas para amputación cuyo filo extremo es uno de sus orgullos... los escalpelos[10] con sus diferentes formas de mangos que tan perfectamente se adaptan a la mano que los empuña... los aguzados bisturís cuyo sólo peso basta para producir delicadísimos tajos... la sierra de dorso móvil que tan buenos resultados le

---

[8] *cuadro:* como se aclarará posteriormente, este cuadro, que constituirá una referencia constante a lo largo del argumento, es la tela pintada por Tiziano *Amor sagrado y amor profano* (1515); actualmente se encuentra en la Galería Borghese, en Roma (véase lámina 3, pág. 255).

[9] *carrefour:* voz francesa; cruce, encrucijada de caminos o calles.

[10] *escalpelo:* instrumento quirúrgico cortante y puntiagudo, compuesto por uno o dos filos y un mango.

ha dado aplicada sobre el fémur... o su propia sierra universal de seguetas intercambiables[11], útil, sobre todo, cuando se trata de hacer saltar los brazos conservando la articulación de la cabeza del húmero en la cavidad glenoide del omóplato... la cizalla[12], también de su invención, de incalculable valor para allanar los bordecillos que deja la sierra después de la sección de un hueso o en los astillamientos traumáticos tan molestos siempre al desarrollo de una intervención nítida, perfecta... los diferentes *clamps* y ligaduras[13], algunos de ellos de bronce bruñido con tornillos de presión a los lados, otros de hule rojizo y otros, en fin, de hule ambarino... las cánulas[14]... las tortuosas sondas que permiten penetrar a través de las fosas nasales hasta las cavidades craneanas del occipucio[15] o que permiten, por la boca, explorar los meandros del oído interno... No olvide usted, especialmente, sus complicados gatillos[16], entre todos los instrumentos de su invención, los que más le honran ya que aúnan la rapidez instantánea, sí, ins-tan-tá-nea, a la precisión y a la limpieza del tajo en el descabezamiento de los huesos alargados... y la sierra de cadenilla de Gigli[17], otro complicado producto de la inventiva médica mediante la que se ha solucionado para siempre el molesto problema del serrín óseo[18] que tantas grandes reputaciones había comprometido... ¿Está usted seguro de que no falta nada? ¿Lleva usted todos, pero absolutamente todos los instrumentos debidamente envueltos en

---

[11] *sierra de seguetas intercambiables:* también llamada «de Farabeuf»; sierra cuya hoja puede colocarse en cualquier ángulo deseado.

[12] *cavidad glenoide:* cavidad glenoida, cavidad en forma de fosa o casquillo en la que se encaja el hueso; *cizalla:* máquina que sirve para cortar.

[13] *clamps:* pinzas, fórceps —véase nota 7—; *ligadura:* cualquier tipo de filamento (algodón, seda o alambre) que se emplea para atar un vaso sanguíneo.

[14] *cánula:* catéter; tubo que se introduce en un conducto o cavidad.

[15] *occipucio:* parte posterior de la cabeza.

[16] *gatillo:* pinza en forma de tenazas, muy sólida, que se emplea para la extracción de piezas dentarias y, asimismo, para el descabezamiento de huesos.

[17] *sierra de cadenilla de Gigli:* sierra compuesta por un alambre flexible con dientes de sierra y sujetado por dos mangos en sus extremos; es llamada también sierra de alambre y fue dada a conocer en Florencia en 1894.

[18] *serrín óseo:* partículas óseas que se desprenden de los huesos durante su sección.

104

los pequeños lienzos de lino, cuidadosamente guardados dentro del viejo maletín de cuero negro?...»

Al trasponer aquel umbral —¿quién lo hubiera traspuesto bajo la lluvia, viniendo desde aquella encrucijada?— se confundía el recuerdo con la experiencia (esto quizá debido a la tenacidad de esa lluvia menuda que no cesaba de caer desde hacía muchos días). La vida quedaba sujeta a una confusión en medio de la que era imposible discernir cuál hubiera sido el presente, cuál el pasado. Al trasponer el umbral de aquella casa lujosa y decrépita a la vez, un transeúnte que se hubiera detenido a contemplar la fachada rugosa de aquella casa, proyectada de acuerdo con la más pura tradición del *modern style*[19], pletórica de cornisas voluptuosas pringadas de salitre, de humo, de niebla y de lluvia, sí, se hubiera detenido como para inquirir a las piedras carcomidas de aquel alféizar tallado en la forma de unas enormes fauces —el del lado izquierdo, en el que habían arraigado los líquenes grisáceos— cuál era el verdadero significado de aquella cita concertada a través de las edades, de aquel momento que sólo ahora se realizaba. Es un hombre —el hombre— que desciende apresuradamente de un pequeño automóvil deportivo de color rojo, con las manos enguantadas y los ojos ocultos detrás de unas gafas ahumadas, se dirige a la reja, empuja la verja de hierro para abrirla y penetra en aquel meandro de setos de boj[20], descuidados, crecidos más allá de su armonía original hasta convertirse en construcciones tortuosas que se confunden con los arabescos[21] vegetales que ornan la arquitectura de la casa. «Cómo está descuidado...» piensa para sí al cruzar entre esos setos abandonados al capricho de su propio crecimiento. Es un an-

---

[19] *modern style*: voz inglesa, literalmente *estilo moderno;* expresión que designa el movimiento estético del modernismo, corriente que se desarrolló en el umbral de los siglos XIX y XX y que se caracterizó por su tendencia ornamental. Aparte de sus manifestaciones literarias, fue una tendencia especialmente presente en las artes decorativas.
[20] *seto de boj:* arbusto de tallo derecho muy ramoso y de flor pequeña y blanquecina, muy utilizado como planta de jardín para bordear parterres.
[21] *arabesco:* decoración compuesta por adornos geométricos entrelazados.

ciano —el hombre— que llega a pie bajo la lluvia viniendo desde el Carrefour, enfundado en un grueso abrigo de paño negro, en la solapa del que están cosidos, al igual que en la solapa de su chaqueta, los listoncillos[22] de tres condecoraciones. Sostiene en una mano un maletín de cuero negro y en la otra un viejo paraguas a través del cual se cuela el agua cayéndole en gruesos goterones sobre los hombros del abrigo impregnados de caspa seca. Tú recuerdas sus gestos llenos de fatiga ¿no es así? Recuerdas su paso artrítico[23] cruzando aquella calle embaldosada; ¿recuerdas el sonido lento —como el sonido que hace la ouija cuando empieza a moverse—, el sonido árido de sus anticuados botines ortopédicos sobre los peldaños de la escalera desierta de aquella casa —3 rue de l'Odéon[24]—, recuerdas la inquietud que emanaba de su respiración jadeante cuando se detenía apoyado en el barandal de la escalera, en cada uno de los descansos alfombrados de *pelouche*[25] color vino, a recobrar el aliento mientras acariciaba nerviosamente las perillas de bronce de los remates? De seguro que has retenido todo esto en tu memoria. Vuelve tu mirada en torno a estas paredes. Has vuelto después de algunas horas —tú, yo—; has vuelto después de muchos años —él, ella—. Has venido porque ella —la mujer— te ha llamado hace apenas media hora. Descolgaste el auricular del teléfono y sin darte tiempo de decir una sola palabra escuchaste su voz lejana que te imploraba venir en su ayuda, que te pedía vinieras a su lado mediante el proferimiento de una fórmula convenida. ¿Acaso lo has olvidado? No esperabas ya esa llamada y sin embargo la campanilla del teléfono sonó cuando tú sabías que sonaría. Ahora has venido en busca del recuerdo de la Enfermera —la mujer— siempre vestida de blanco No importa ya para nada tu identidad real: tal vez eres el viejo Farabeuf que llega hasta

---

[22] *listoncillo:* pasador, cinta que se prende al uniforme y que representa las condecoraciones militares obtenidas.

[23] *artrítico:* que sufre inflamación de las articulaciones.

[24] *rue de l'Odéon:* calle del Barrio Latino de París, muy próxima a la Universidad de la Sorbona.

[25] *pelouche:* voz francesa, peluche; galicismo que designa la felpa o, en general, la tela aterciopelada.

esa casa después de haber hecho saltar dos o tres piernas y brazos en el enorme anfiteatro de la Escuela de Medicina, o tal vez eres un hombre sin significado, un hombre inventado, un hombre que sólo existe como la figuración de otro hombre que no conocemos, el reflejo de un rostro en el espejo, un rostro que en el espejo ha de encontrarse con otro rostro. Eso es todo. Lo que importa ahora es recordar aquel ámbito. Tú lo recuerdas ¿no es así? Pero tu memoria no alcanza más allá de aquel rostro. Quisieras olvidarlo. Quisieras olvidar la sensación que producía aquel objeto oceánico, putrefacto, entre tus dedos. Es preciso que yo lo reviva todo en tu memoria renuente; cada uno de los detalles que componen esta escena inexplicable. No debes olvidarlo porque solo así será posible llegar a tocar el misterio de aquellos acontecimientos singulares que algo o alguien, tal vez una mano que se desliza sobre un vidrio empañado, trata de borrar. No... es preciso no sólo recordar el rostro de aquella mujer vestida de blanco —o de negro quizá— sino también las circunstancias y los objetos que la rodeaban en el momento en que decidió entregarse, urgida por la excitación que le había provocado la contemplación de una imagen que había tenido ante los ojos durante largo rato mientras caía la lluvia —se supone— antes de llamar por teléfono y proferir la fórmula convenida; una imagen imprecisa en la que se representaba, borrosamente, un hecho incomprensible, o tal vez terriblemente claro. No habrás olvidado, estoy seguro de ello, aquel salón enorme, que sólo por su enormidad, duplicada en la superficie de aquel espejo con historiado marco dorado, parecía lujoso y espléndido, pero que en realidad estaba minado y manchado por el tiempo y por todas las cosas que a lo largo de los años se habían reflejado en él. La luz imprecisa, turbia de polvo, del atardecer se filtraba por las dos ventanas que daban a la calle por encima del jardincillo abandonado. En contraluz no era posible precisar el estado exacto del terciopelo de los cortinajes que bordeaban los marcos de aquellas ventanas. Sabíamos, sin embargo, que era un terciopelo desvaído por la luz de los años, unas colgaduras fúnebres con los visos rotos por su propio roce, deshilachados en su parte inferior de arrastrarse pesadamente por aquel piso de *parquet* que la lluvia, que a veces se

107

colaba a través del marco de la ventana, había carcomido y hecho áspero. Fue justamente sobre esa parte del piso, podrida por el agua, junto a los flecos sucios de las cortinas de terciopelo desvaído, que una mosca —de seguro que recuerdas esto, ¿no es así?— cayó muerta, después de revolotear insistentemente cerca de la ventana, después de golpear repetidas veces los cristales empañados. Hubieras corrido al subir por aquella escalera, posando apenas tus manos enguantadas en el gastado barandal de la escalera. Hubieras acariciado apenas, al llegar a los descansos de aquella escalera crujiente, las perillas de bronce de los remates, pero al llegar ante la puerta cerrada de aquel salón te hubieras detenido un instante para percatarte de que existía una presencia que te aguardaba y que te acogería más allá de aquel quicio y tu memoria hubiera evocado el tumbo de las olas, creyéndote, por un momento, a la orilla del mar. Unos pasos, el ruido producido por dos tablitas de madera que se rozan, por unas monedas que caen sobre una mesa[26], te hubieran proporcionado la seguridad que

---

[26] *tablitas de madera que se rozan:* se refiere al deslizamiento del indicador o máster de la ouija sobre el tablero que da las respuestas a las preguntas de los integrantes de la sesión; *monedas que caen sobre una mesa:* en el *I ching* el desarrollo del método adivinatorio consiste en la enunciación de una pregunta y, para la obtención de la respuesta, se realizan seis lanzamientos consecutivos de tres monedas. Cada uno de estos lanzamientos establecerá, según la disposición de cada uno de los dos lados de las monedas, un *yin* o un *yang*, y los seis en su conjunto establecerán un hexagrama, compuesto por dos trigramas. El significado de éste quedará establecido mediante complejos códigos que tienen que ver con el valor simbólico de los *yin*, los *yang* y los tipos de trigramas que componen el hexagrama, valor que ha ido consolidándose a lo largo de los siglos. No obstante, el *I ching* no constituye un conocimiento del mundo buscador sólo del ser esencial e inamovible de las cosas sino que trata de captar sus movimientos cambiantes (de ahí el título de *Libro de las transformaciones);* así, cada uno de los *yin* o *yang* del hexagrama puede ser variable o invariable; si es lo primero, puede convertirse en su opuesto y variar el significado del hexagrama. La condición de variable o invariable depende de un código numérico asignado a los *yin* y a los *yang*. Por lo general, el lado de las monedas que designa al *yin* suele ser aquel en que está inscrito su valor; siendo el reverso el correspondiente al *yang*. Cada lado *yin* tiene un valor de dos y cada *yang* de tres. Así, si al tirar las monedas la suma de sus caras tiene un valor de seis, en el caso del *yin*, o de nueve, en el caso del *yang*, obtenemos un *yin* o *yang* inamovible. Si la suma fuera siete u ocho, lo que obtendríamos sería un *yin* o *yang*, respectivamente, movible o mutante en la línea correspondiente del hexagrama. Esta condición flotan-

buscabas. Pero la puerta y los muros eran demasiado gruesos y todos los ruidos que se escuchaban eran ruidos lejanos y sin sentido para ti en aquel momento.

Tres *yin*... una línea rota... *al arrancar el bledo sale también la raíz... la perseverancia trae consigo la buena fortuna*[27]...

«Es preciso entrar en ese salón sin decir una sola palabra», pensó el hombre al llegar al final de la escalera.

Abriría la puerta inmediatamente después de que se produjera el ruido de las tres monedas al caer sobre la mesa y la vería de espaldas. En sus ojos se habría grabado la imagen de ese momento, de ese espacio donde la luz mortecina del atardecer se iba coagulando en torno a los objetos como la sangre que brota apenas de la incisión hecha en el cuerpo de un cadáver y vería todas las cosas que allí se encontraban como si fuera la primera vez que entraba en el salón. Junto a la puerta del pasillo la mesilla de hierro con la cubierta de mármol. Encima de la mesilla, colgada del muro, la copia, al tamaño, de un famoso cuadro en el marco del cual relucía una plaquita de bronce con el título grabado en letra inglesa: incomprensible por estar escrito en una lengua desconocida. Entre las dos ventanas el tocadiscos que giraba en la penumbra difundiendo insistentemente el estribillo de una canción anticuada y obscena. Iría hasta la mesilla sobre la que dejaría sus guantes después de habérselos quitado cuidadosamente. Era preciso no decir ni una sola palabra. Absorbería mentalmente cada uno de estos objetos poniendo toda su atención en ellos, en la luz que los iluminaba, y olvidaría momentáneamente el rostro de esa mujer que lo esperaba inmóvil sin volverse hacia

_____

te puede hacer que el hexagrama que resulta en un comienzo se transforme en otro y, asimismo, el hecho de que el *yin* o *yang* mutante se encuentre en una u otra línea del hexagrama aporta a éste nuevos significados simbólicos. Con estas continuas variantes el *I ching* muestra esa condición de código simbólico que pretende captar lo esencial del universo en su mismo discurrir.

[27] *Tres yin:* trigrama *k'un* que representa la tierra y lo receptivo; *bledo:* planta comestible de hojas color verde oscuro y flores rojas; *la perseverancia trae consigo la buena fortuna:* dictamen (o significado simbólico) del hexagrama *k'un*, compuesto por dos trigramas del mismo nombre.

él, que lo esperaba sin que él conociera su verdadero rostro, su rostro de aquel momento que tal vez fuera para entonces —si las monedas habían caído en la disposición de tres *yang* o de dos *yang* y un *yin*[28]— el rostro de otra y no de la que él había conocido, esa mujer cuya voz lo había llamado angustiosamente a su lado por teléfono.

Apoyado a un lado de la pequeña mesa con cubierta de mármol, podía ver su rostro reflejado en el enorme espejo que pendía de la pared opuesta y podía ver el reflejo de la figura de la mujer, de espaldas al espejo, en la misma forma en que esta representación hubiera surgido en la mente de alguien que pretendiera describir el momento de su llegada a aquella casa. Perdió entonces la noción de su identidad real. Creyó ser nada más la imagen figurada en el espejo y entonces bajó la vista tratando de olvidarlo todo.

—Doctor, no ponga usted demasiada atención a lo que dicen esos periódicos esparcidos en el suelo... sólo están allí para que el *parquet* no se manche. Ella hubiera escuchado el golpear de la lluvia contra los cristales. Los primeros goterones hubieran producido exactamente el mismo ruido que una mosca que choca reiteradamente contra la ventana tratando de escapar, o lo hubiera escuchado al unísono con aquella canción absurda que parecía repetir la misma frase para siempre y lo hubiera sentido trasponer el umbral de aquella puerta a sus espaldas y llegar cautelosamente, temeroso de manchar con el barro adherido a sus zapatos el *parquet* del salón, pisando cuidadosamente los periódicos viejos que ella había extendido desde la puerta de entrada al salón hasta donde empezaba el pasillo. Pero no hubiera vuelto la mirada hacia él. Miraba fijamente el fondo de aquel pasillo, adentrándose con el pensamiento en esa penumbra en la que su ansiedad había imaginado la existencia de un ser, el ser que ella hubiera querido ser, de las cosas que ella hubiera querido saber y que al-

---

[28] *tres yang:* trigrama que simboliza *ch'ien* (lo creativo, el cielo); *dos yang y un yin:* trigrama de *tui* (lo sereno, el lago). Ambos trigramas componen el hexagrama *Lü*, el Porte, que representa el modo correcto de conducirse en la vida.

110

gunos minutos antes había tratado de concretar, trazando con el índice de la mano derecha un signo incomprensible sobre el vidrio empañado de una de las ventanas, la del lado derecho viendo hacia el exterior, un signo que ella hubiera deseado ser y comprender; porque en esa capacidad de comprender lo que ella hacía al azar y sin sentido, por un capricho, residía la concreción y el significado del ser que ella se imaginaba, un ser anticuado, cruel, bello, vestido siempre de blanco, que se acoge a una caricia sangrienta y en cuyas manos lívidas persiste para siempre la sensación de una materia viviente, viscosa, que se pudre lentamente entre las puntas de los dedos, un ser inolvidable que todo lo que toca lo vuelve inolvidable y que se cuela, de tan inolvidable, en la memoria y en los recuerdos de quienes nunca lo hubieran conocido.

—En efecto —dijo el Maestro—, se trata o bien de una *Asteria rubens* o bien de una *Asteria aurantiaca*[29]...

Si te hubieras vuelto hacia mí en ese instante no te hubiera reconocido tocada con aquella cofia, manchado tu uniforme blanco de enfermera con la sangre de algún desconocido al que hubieras amado en tu memoria. Sí, era un hecho que lo amabas, imaginado en ese éxtasis sanguinario que hubieras querido presenciar o que hubieras querido olvidar. Ambas cosas eran ahora imposibles porque al volverte, turbada por mi presencia en aquella casa, hubieras sido otra, inolvidable como el hombre que te había estado contemplando fijamente, en tu desnudez, desde la turbia atmósfera de aquella fotografía borrosa que alguien, tal vez un antiguo inquilino, había olvidado en algún resquicio mohoso de aquella casa, entre las páginas amarillentas de un libro, muchos años atrás y que, entonces, en un instante de locura, nos imaginó en su futuro, contemplando nuestra propia imagen, uno, en la superficie de un espejo y otro, en el fondo de su propio deseo insatisfecho.

---

[29] *Asteria rubens o asteria aurantiaca:* especies pertenecientes al género de los equinodermos asteroideos o estrellas de mar.

¿Quién es ése que en la noche nos invoca para su imaginación como la concreción de nuestro propio deseo insatisfecho? ¿Quién, en la tarde lluviosa, nos llama mediante una operación mágica que consiste en hacer, por un impulso cuya explicación todos desconocen, que una tabla más pequeña se deslice sobre otra tabla más grande con un orden y un sentido, deletreando vacilantemente un nombre, una palabra que nada significa? ¿O es que acaso tú te hubieras llamado R... E... M... E... M... B... E... R?

Ese libro... ¿recuerdas?... el libro que alguien dejó olvidado en esa casa y entre cuyas páginas amarillentas encontraste dos cartas; una que describía un incidente totalmente banal ocurrido en la playa de un balneario lujoso y otra, redactada febrilmente, un borrador tal vez, muchas de cuyas líneas eran ilegibles y que hablaba de una curiosa ceremonia oriental y proponía, al destinatario, un plan inquietante para conseguir la canonización de un asesino... ¿recuerdas ese libro?

Aspects Médicaux de la Torture Chinoise... Précis sur la Psychologie... no, *Physiologie...* y luego decía algo así como: *renseignements pris sur place à Pekin pendant la revolte des Chinois en 1900...* el autor era H. L. Farabeuf... *avec planches et photographies hors texte...* Esto es lo que yo recuerdo...

¿Quién hubiera podido imaginarnos con tanta realidad como la que hemos podido cobrar ahora? Tanta que este espejo ha llegado a reflejarnos y en él se han encontrado nuestros rostros tantas veces. Tú recuerdas todo esto ¿no es así? Hemos jugado, innumerables veces, a encontrarnos de pronto en el espejo. Hubiéramos pasado a formar parte de una realidad ajena a nuestra vida si en verdad allí nos hubiéramos encontrado. Hemos jugado a tocar nuestros cuerpos sobre esa superficie fría, a besarnos en la imagen reflejada sin que nuestros labios se tocaran jamás. Algo indeterminado nos lo hubiera prohibido. Esa mujer figurada en el cuadro[30] que representa la virginidad del cuerpo se antepo-

---

[30] *cuadro:* las líneas que siguen son la descripción de algunos elementos de la tela de Tiziano *Amor sagrado y amor profano* —véase nota 8—, cuadro que reúne en sus más pequeños detalles varias escenas alegóricas de contenido amoroso-erótico.

nía siempre que yo hubiera deseado romperte como una muñeca de barro mientras que la otra mujer —una figuración alegórica de la Enfermera, sin duda— parecía ofrecer al mundo el ánfora de su cuerpo en un gesto lleno de presagios. No en balde su cuerpo se apoyaba sobre un altorrelieve que representaba el connubio[31] cruento de un sátiro y un hermafrodita o una escena de flagelación erótica. Nos besábamos virtualmente sobre la superficie de azogue de aquel espejo enorme, propiciando con ello la materialización de aquél que un día nos concibió exactamente en estas actitudes: tú ante el espejo, de espaldas a él; yo ante el cuadro incomprensible e irritante que sólo incidentalmente —un detalle mínimo dentro de la espléndida composición— representa una escena de flagelación erótica esculpida en el costado de un sepulcro clásico o de una fuente rectangular, tallado en un estilo reminiscente del de Pisanello o del de Della Robbia[32] de cuyo fondo un niño trata, indiferente a las dos magníficas figuras alegóricas, de extraer algo. Trata tal vez de sacar de esa fosa un objeto cuyo significado, en el orden de nuestra vida, es la clave del enigma que todas las tardes una mujer vestida de blanco propone a la ouija o trata de dilucidar mediante los hexagramas del *I Ching*[33] sentada en el fondo del pasillo. Nunca he logrado desentrañar este misterio sin embargo...

Tu mano se perdió en los resquicios enlamados, tortuosos de las rocas de aquella playa para extraer de las comisuras resbaladizas, surcadas de pequeños cangrejos, una estrella de mar...

—¿Una estrella de mar...?

—Sí, un objeto putrefacto que luego, con asco, lanzaste a las olas, ¿recuerdas...?

---

[31] *connubio:* matrimonio; aquí se refiere más bien a una escena sexual.

[32] *Pisanello:* Antonio Pisano (1395-¿1451?), pintor italiano máximo representante en este país del gótico internacional; destacado retratista y paisajista, su pintura se caracterizó por una acusada naturalidad; *Della Robbia:* Luca della Robbia (1400-1482), escultor y ceramista florentino que adquirió gran celebridad durante el *quattrocento*. Su obra escultórica se caracteriza, fiel a los cánones de la época, por la elegancia y la naturalidad.

[33] *I ching:* véase nota 3.

No recuerdo nada. Es preciso que no me lo exijas. Me es imposible recordar. Es necesario que no me atormentes con esa posibilidad, con la probabilidad de esa mentira que hemos forjado juntos ante aquel espejo enorme que nos reflejaba entre sus manchas y grietas. Es necesario que no me atormentes con esa posibilidad de la memoria. Sólo se ha grabado en mi mente una imagen, pero una imagen que no es un recuerdo. Soy capaz de imaginarme a mí misma convertida en algo que no soy, pero no en algo que he sido; soy, tal vez, el recuerdo remotísimo de mí misma en la memoria de otra que yo he imaginado ser. Es por ello que yo no puedo recordar. Sólo puedo escucharte, oír tu evocación como si se tratara de la descripción de algo que no tiene nada que ver conmigo. Es preciso, lo sé, que yo te crea cuando me hablas de todo lo que hemos hecho juntos. Estoy dispuesta a creerte, pero no puedo recordarlo porque para ti yo no soy yo. Soy otra que alguien ha imaginado. Soy, quizá, la última imagen en la mente de un moribundo. Soy la materialización de algo que está a punto de desvanecerse; un recuerdo a punto de ser olvidado...

Eso es lo que tú hubieras querido ser, mas la memoria no hubiera logrado retenerte de tan fugaz. De pie, inmóvil, en mitad del salón te has desplazado con el deseo de ser otra, hacia el fondo del pasillo en donde inquieres siempre una misma pregunta haciendo caso omiso de ti misma; un cuerpo abandonado ante el espejo, de frente a un cuadro incomprensible, de espaldas siempre a quien te mira en esa fuga de ti misma que no admite mostrar tu rostro, porque cuando el recién llegado se dirige a ti giras lentamente hasta quedar de nuevo colocada de espaldas a él. Te vuelves. Corres hacia la ventana tratando nuevamente de huir de su mirada. ¿Quién, cuando nos imaginó en esa suspensión de todo movimiento, hubiera presentido este súbito rompimiento de la quietud? Tu mirada está fijada en ese fondo de luz de la ventana y al pasar frente al recién llegado tu pie roza la base de fierro de la mesilla y tu mano la suya.

¿La hubiera retenido un instante en su mano?

Corres como tratando de reconstruir, en ese momento único, una larga carrera a la orilla del mar, hasta detenerte bruscamente sin haber llegado al reborde de la ventana porque
un recuerdo impreciso te ha asaltado de pronto. El recuerdo de algo que no habías experimentado en tu vida, sino en
la vida de la Enfermera. Te detienes ante la ventana, a unos
pasos del reborde. Suena en tus oídos una frase que se repite tediosamente como el tumbo de las olas y tratas al mismo tiempo de descifrar ese signo que tu dedo, impulsado
por el deseo incontenible, trazó en el vidrio empañado.
Crees de pronto haber descubierto su significado y balbu-
ceas un nombre sin terminar de decirlo porque en ese momento, de pie ante la ventana del lado derecho del salón,
alguien te ha recordado a su vez, alguien que desde la calle
y bajo la lluvia, quieto como una mancha negra dibujada
en el vidrio, contempla fijamente la ventana del lado izquierdo e intuye tu presencia detrás de la fachada rugosa y
carcomida, una fachada del más puro estilo *art nouveau*[34],
de aquella vieja casa.

¿Por qué te has detenido?, ¿por qué se ha congelado este
momento?, ¿por qué lo has invocado mediante aquel garabato que tu mano trazó al azar sobre el vidrio empañado?
Si hubieras llegado hasta donde ibas, si hubieras logrado
borrarlo con la palma de tu mano, la vida, tal vez, hubiera
proseguido y nada se hubiera detenido. Alguien, en aquella
inmovilidad tan súbita, barruntó tu cuerpo impreciso detrás de la ventana...

Hay miradas que pesan sobre la conciencia. Es curioso sentir
el peso que puede tener una mirada. Es curioso comprobar
cómo el afán de retener un recuerdo es más potente y más
sensible que el nitrato de plata extendido cuidadosamente sobre una placa de vidrio y expuesto durante una fracción de segundo a la luz que penetra a través de una combinación más

---

[34] *art nouveau*: voz francesa (literalmente *arte nuevo*) para designar el movimiento artístico del modernismo —véase nota 17. El nombre francés fue tomado de un famoso establecimiento parisino abierto en 1895 y dedicado a la
exposición y venta de objetos de arte.

o menos complicada de prismas[35]. Esa luz se concreta, como la del recuerdo, para siempre en la imagen de un momento. Una imagen borrosa, la nitidez de cuya verdadera significación, comprendida en la soledad y en el silencio, es capaz de hacerte gritar en mitad de la noche. Ese grito no es más que la máscara de tu verdadero dolor. Un dolor agudísimo, mil veces más agudo que el lento desmembramiento que ellos, con la lentitud del hielo que se resquebraja al sol, pero súbito como el vómito de un moribundo, van tajando en el cuerpo del supliciado[36].

—La fotografía —dijo Farabeuf— es una forma estática de la inmortalidad.

Luego depositó cuidadosamente el viejo maletín de cuero negro sobre la cubierta de mármol de la mesa. Sus ojos se posaron un instante sobre el cuadro suspendido ante sus ojos, pero la alegoría allí representada no pareció llamarle mucho la atención. Fijó la mirada apenas en la desnudez de la mujer que aparece del lado derecho del cuadro, pero en el acto bajó la vista y siguió extrayendo cuidadosamente cada uno de los instrumentos, envueltos en pequeños lienzos de lino, del fondo del viejo maletín de cuero negro.

Te habías detenido. Lo que era inexplicable era que, a pesar de tu inmovilidad (un hecho concreto, irrefutable, pues sólo la quietud no admite dudas), en ese momento que no ocupaba ningún lugar en la extensión del tiempo, se manifestó de una manera inconfundible la existencia de un movimiento, pues cuando tú te detuviste bruscamente, alguien (acaso fuera yo mismo) escuchó con toda claridad un ruido como el que produce una tablilla de madera al deslizarse lentamente, impulsada por una fuerza imponderable, animada tal vez por un deseo secreto, movida por un ansia de comprobación más

---

[35] *nitrato de plata extendido sobre un placa...:* procedimiento para la obtención de un daguerrotipo; placa fotográfica obtenida según el método inventado por Louis Jacques Mandé Daguerre (1787-1851). El método consiste en la obtención de una imagen positiva formada por vapor de mercurio sobre una placa de cobre pulimentada recubierta por una capa de plata.

[36] *cuerpo del supliciado:* véase nota 6.

que de inquisición, sobre otra tablilla de madera. O como el sonido que producen tres monedas al caer sobre una mesa. Y ese sonido era la manifestación incontestable de un movimiento, el único en esa quietud y en ese silencio que todo lo abarcaban aparentemente.

—Fotografiad a un moribundo —dijo Farabeuf—, y ved lo que pasa. Pero tened en cuenta que un moribundo es un hombre en el acto de morir y que el acto de morir es un acto que dura un instante —dijo Farabeuf—, y que por lo tanto, para fotografiar a un moribundo es preciso que el obturador del aparato fotográfico accione precisamente en el único instante en el que el hombre es un moribundo, es decir, en el instante mismo en que el hombre muere.

Usted es, y todos lo sabemos, querido maestro, el autor de este pequeño *précis*[37] que tanto ha dado qué hablar en los círculos de su especialidad. Una obrita inquietante en verdad. La Facultad, desde luego, no ha participado en ninguno de los aspectos del escándalo que se ha producido. Son las gentes de letras y en especial los *dreyfusards*[38] los que han acudido apresuradamente a abrevar en las fuentes de esa sabiduría malsana que usted, querido doctor, no sin cierto ingenio y buen humor, ha hecho brotar en el yermo de la filosofía médica de nuestro tiempo. Particularmente su exhaustivo análisis del *leng-tch'é*[39], con las magníficas fotografías que lo acompañan, debidas —como todos lo saben— a su pericia técnica en el arte de Daguerre[40], merecerán, en años futuros, sin duda alguna, un lugar de honor en la historia de las curiosidades médicas. Es un hecho que desde los cursos del gran Claude Ber-

---

[37] *précis:* voz francesa; resumen, compendio, recopilación, manual.
[38] *dreyfusard:* miembro de la Liga de los Derechos del Hombre, parte de la opinión publica francesa que, respecto al famoso *caso Dreyfus*, se pusieron al lado del oficial judío Alfred Dreyfus, militar injustamente acusado de espionaje por el Ministerio de la Guerra francés. A pesar de las evidencias de inocencia, fue condenado en 1894 a cadena perpetua y a degradación militar y deportado a la isla del Diablo. Se le rehabilitó en 1906.
[39] *leng-tch'é:* véase nota 6.
[40] *arte de Daguerre:* véase nota 35.

nard que produjeron la *Introducción al Estudio de la Medicina Experimental*[41] no se había producido, en el seno de nuestra Facultad cuando menos, un texto teórico tan importante como el suyo. Sólo es de lamentarse el uso tan inapropiado que los literatos están haciendo de él. Si no fuera por esto, su candidatura, querido maestro, seguramente se vería bien acogida.

Lo que nos esperaba más allá, en el tiempo futuro, hacía que ese paseo a la orilla del mar tuviera un sentido especial. Para recordarlo hubiera sido preciso que nos hubiéramos tomado de la mano. Esto le hubiera dado a nuestra experiencia la concreción que tienen las cosas cuando acontecen tal y como deben acontecer en la imaginación popular, en la imaginación de aquellas gentes ociosas que caminaban despreocupadamente por el muelle y que sin quererlo, a veces, alcanzaban a vislumbrarnos mientras íbamos por la arena sintiendo a nuestro lado romperse las olas. Para ser verdaderos es preciso que seamos tal y como nos imaginan los desconocidos. Sin embargo nosotros caminábamos apartados el uno del otro. Tú ibas delante de mí; por eso pudiste correr sin que yo lograra detenerte. Pensé por un momento que la plenitud de ese mar grisáceo te había sobrecogido y que intentabas alejarte del embate de las olas, pero luego caí en la cuenta de que, en realidad, estabas huyendo de mí, de mi proximidad que te hostigaba. Echaste a correr. Ignoraste, al pasar frente a él, al niño que construía un castillo de arena. Hubiera estado dentro de tu carácter que te hubieras detenido, que lo hubieras acariciado, que le hubieras dirigido algunas palabras de encomio. Eras, para entonces, otra que yo no conocía. Es por eso que al cruzarnos con aquella mujer vestida de luto hiciste algún comentario que yo no pude oír claramente, pero ignoraste al perro que la seguía. Yo hubiera querido detenerte cuando corriste alejándote de mi lado y luego, de pronto, te detuviste

---

[41] *Claude Bernard:* fisiólogo francés (1813-1878), en 1851 ocupó en la Sorbona la cátedra de Fisiología Experimental. Su *Introducción al estudio de la medicina experimental* fue publicado en 1865 y en él se basó Emile Zola para desarrollar su concepto de novela experimental.

bruscamente. Te agachaste y entre los guijarros redondos de aquella playa encontraste una estrella de mar que me mostraste diciendo, «Mira, una estrella de mar», y ese ser putrefacto tenido delicadamente entre las yemas de tus dedos te contagió una ansiedad como si tus manos hubieran tocado un cadáver antes de que tu corazón se hubiera dado cuenta de ello, ¿recuerdas...?

Hay en todo esto una circunstancia curiosa; un efecto que no puede ser explicado ni por la más extravagante teoría acerca de la técnica fotográfica. Cuando escalamos aquel farallón[42] y nos sentamos sobre las rocas a contemplar el vuelo de las gaviotas y de los pelícanos, yo te tomé una fotografía. Estabas reclinada contra las rocas desgastadas por la furia de las olas. Se trataba, simplemente, de un paisaje marino, banal por cierto, en cuyo primer término tu rostro tenía la expresión de estar haciendo una pregunta sin importancia. ¿Por qué entonces, cuando la película fue impresa, aparecías de pie frente a la ventana de este salón?

No hubiera presentido la presencia de aquel hombre; un hombre cuyo significado se hallaba suspendido en el momento de aguardar inmóvil el impulso definitivo de su voluntad para franquear aquel quicio y que a su vez me imaginaba de espaldas a la puerta. Lo esperaba, sin embargo, sin presentirlo cabalmente. Es por eso que me había colocado de espaldas a la puerta, tratando de descubrir en el fondo de aquel pasillo oscuro la imagen que mi deseo invocaba. No en vano había yo contemplado durante tantas horas aquella fotografía borrosa cuya visión había despertado en mí a otro ser desconocido —tal vez presentido— que medraba en las sombras y pasaba las horas invocando una imagen que era, en realidad, solamente mía y que la Enfermera había abandonado en esa zona que abarcaba todas las cosas y los rostros que yo había olvidado definitivamente al concretarse esa imagen en lo que yo hubiera querido ser; lo que había sido ella según yo la concebía: el testigo de un rito sanguinario y solemne que ya había

---

[42] *farallón:* roca alta que sobresale en el mar.

119

olvidado en el fondo de lo que hubiera sido mi memoria si hubiera sido la Enfermera y que se había extraviado en el momento exacto en que yo había cobrado esa imagen para mí. Pensé entonces que yo estaba hecha con las memorias que ella había olvidado y que ella era la reencarnación de mis olvidos, recordados de pronto al ver aquella fotografía; que yo era la materialización de sus recuerdos o acaso un ser hecho de olvido que alguien estaba recordando dándole con ello una materia que tal vez pesaba y ocupaba un lugar en el espacio.

¿Cómo, si no, te hubieras sentido tan penetrada por ese cuerpo que te era ajeno?

Pero... ¿de quién es ese cuerpo que hubiera amado infinitamente y cuya carne hecha jirones había cobrado tanta realidad dentro de aquella casa, cuya memoria todo lo impregnaba, manchando ante nosotros aquellos periódicos viejos extendidos sobre el *parquet*? ¿quién hubiera transformado la banalidad de un acontecimiento, de un encuentro imprevisto semejante, en una imagen borrosa, en una presencia irrealizada que todo lo llenaba de sangre? ¿quién hubiera puesto en tu mano, enfundada en un terso guante de hule color de ámbar, esa cuchilla afiladísima que entonces apuntabas hacia mi garganta? ¿quién se hubiera dejado penetrar ante aquella presencia que todo lo invadía con su éxtasis? ¿quién se hubiera dejado matar por el roce de un muñón tumefacto, si lo que éramos ante aquel espejo era la imagen de una mentira ociosa, de una ilusión sin sentido forjada por la pericia siempre precaria, pero a veces certera, de un mago inepto tratando torpemente de imponer nuestra presencia intangible, de sugestionar con nuestra irrealidad a un grupo de dementes o de idiotas en una función de festival de manicomio barato[43]?

---

[43] El texto en francés que viene a continuación expone la índole de la misión de espionaje llevada a cabo por el doctor Farabeuf, bajo el nombre supuesto de Paul Belcour, durante su estancia en China. El texto comienza con la reproducción incompleta del edicto por el que se condenaba a muerte mediante el *leng-tch'é* a Fu Tchu Ki, asesino del príncipe Ao Jan Wan. La traducción del resto del fragmento es la que sigue: «Para aprovechar esta feliz cir-

A Son Em. T. Rev., Lut... ci-joint coupures (Ch'eng pao, jan. '901..., Shun tien sh'pao, No. Chin. Daily News, trad. Shang Yü: Princeps mongol, exigen que... Fu Chu... sea quemado... pena demasiado cruenta... infinita misericordia... Chu lí... muerte lenta... et caet... pour profiter de cette heureuse circonstance et faire parvenir le zèle de notre haute mission aux buts voulus et donc si sagement préétablis par la Providence

---

cunstancia y para que el celo de nuestra alta misión logre alcanzar los objetivos deseados y tan prudentemente preestablecidos por la Providencia Divina que guía siempre los asuntos de este mundo, según el mejor designio para que cada paso de nuestra Sociedad se cumpla para la mayor gracia de Dios; de tal modo que en este caso su utilización ingeniosa hará posible, de una vez por todas, el establecimiento de la Fe y de los Evangelios en el Reino Central, tarea a la que tantos de nuestros compañeros en armas, desde siglos atrás, consagraron *(ilegible)...* incluso su sangre y su vida... dos etapas del plan: 1.º) ...publicación del pequeño opúsculo sobre los diversos procedimientos, esto con el fin de captar a las gentes de letras, después, 2.º) publicación de los documentos fotográficos en la prensa católica disimulando hábilmente el carácter preferentemente político de estos acontecimientos y dando realce a su carácter, digamos, religioso y místico, hasta hacer aparecer a ese individuo como un apóstol y un mártir de la Fe. En espera de mi regreso a Europa, me encargaré de recoger el mayor número de informaciones sobre la vida privada del citado F. Esa información podrá también justificarse y ser readaptada (tachado: a nos...) para servir a los fines de la Santa Compañía antes de hacerla llegar a Roma; a esta tarea podría consagrarme durante la travesía; ya que mi barco llega a Barcelona hacia finales de abril; podría someter a Vuestra Eminencia Reverendísima en Monserrat el bosquejo de mis notas después de haberme puesto en contacto con ciertos emigrados que vivían en el barrio chino de dicho puerto, de los que yo aprendí aquí en Pekín las señales y de los que la naturaleza de sus conocimientos sobre la aplicación y la sublimación de los procedimientos clásicos podría, tal vez, ser muy aprovechable. Entretanto, hay que velar con gran cuidado para que la indiscreción o la malevolencia de nuestros encarnizados enemigos no haga que nuestra gestión termine en un contratiempo parecido al del asunto de los *tai ping*, que tanto ha hecho retroceder el avance de nuestra Santa Religión en China a causa de la torpeza con la que nuestros hermanos, los D. O. M., manejaron el problema. Os ruego, Eminencia Reverendísima, que me hagáis llegar vuestra aquiescencia, por medio de la señal convenida: *Demos gracias a Dios Nuestro Señor,* en el nombre, como siempre, de Paul Belcour, Gran Hotel de Wagons Lit, Pekín, hasta lo más pronto posible»; *tai ping:* nombre dado por los extranjeros a los insurrectos que, entre 1850 y 1864, trataron de derribar a la dinastía imperial manchú. Su jefe, Hung-Tsin-Tsuan, había sido educado en la religión cristiana y con la revuelta pretendía imponer la religión católica en China; la rebelión fracasó, entre otras razones, por la intervención del ejército inglés en favor de la dinastía imperial.

Divine qui mène toujours les affaires de ce monde selon le meilleur dessein pour que chaque démarche de notre Société s'accomplisse ad majorem D. G., tel qu'en ce cas dont l'utilisation ingénieuse rendra possible, d'une fois pour toutes, l'établissement de la Foi et des Evangiles dans le Royaume Central, tâche à laquelle se sont consacrés, depuis des siècles, tant de nos compagnons-en-armes... *(ilegible)...* même leur sang et leur vie... deux étapes du plan: 1.º) ...publication du petit tract sur les divers procédés, ceci pour atteindre les gens de lettres, puis, 2.º) publication des documents photographiques dans la presse Catholique en déguisant habilement le caractère, plutôt politique de ces événements et en réhaussant leur caractère, disons, religieux et mystique, jusqu'à faire apparaître cet individu comme un apôtre et un martyr de la Foi. En attendant mon retour en Europe, je me chargerai de recueillir le plus grand nombre de renseignements sur la vie privée du dit F. Ces renseignements pourront aussi être «justifiés» et réaccomodés pour servir (tachado: a nos...) aux fins de la Sainte Compagnie avant de les faire parvenir à Rome; celle-ci étant une tâche à laquelle je pourrais me consacrer pendant la traversée, de telle façon que mon bateau, arrivant à Barcelone vers la fin avril, je pourrais soumettre à Votre Em. T. Rev. à Monserrat, le brouillon de mes notes après avoir pris contact avec certains emigrés habitant le quartier chinois du dit port, dont je pus apprendre les signalements ici à Pekin et dont la nature de leurs connaissances sur l'application et la sublimation des procédés classiques pourrait, peut-être, être fort profitable. Entretemps il faut veiller avec grand soin à ce que l'indiscretion ou la malveillance de nos ennemis acharnés ne fasse aboutir nos démarches à un echec pareil à celui de l'affaire des *tai ping* qui tant a fait reculer l'avance de notre Sainte Religion en Chine par la maladresse avez laquelle nos frères, les D. O. M., ont mené la question. Je vous prie, Em. T. Rev., de me faire parvenir votre acquiescement, dans le chiffre convenu: *Gratias agamus Domino Deo nostro,* au nom, comme toujours, de M. Paul Belcour, Grand Hôtel des Wagons-Lits, Pekín, aussitôt que possible.

Al calce y continuando a la vuelta del pliego, la siguiente anotación:

Post Script.—Depuis quelques semaines j'ai pris contact avec Soeur Paule du Saint Esprit selon les instructions de V. Em. T. Rev. Bien qu'elle se rende fort serviable, je me suis absteint de lui faire connaître notre projet sur le supplicié. En ce moment elle travaille comme infirmière à l'hôpital militaire, attachée aux Services Médicaux de la Force Expéditionaire. Inutile de dire q'elle maintient incognito son vrai état et se fait appeler Mlle. Mélanie Dessaignes, de Honfleur, Calvados. Le moment arrivé, je crois que cette personne pourra nous être très utile. Étant donné que la prise des plaques était une opération plutôt difficile à soustraire de l'attention publique, je me suis présenté à elle comme photographe-correspondant de la revue scientifique *La Nature* de Paris, dont le directeur, M. de Parville, étant étroitement lié à la Cause, comme V. Em. T. Rev. le sait bien, n'hésitera pas à attester de la véracité de cette atribution. Je préviens V. Em. T. Rev. de ceci en cas ou Elle déciderait établir liaison entre cette personne et moi. Il ne faudra, sous aucun pretexte, lui révéler ma vraie identité avant que je n'aie une assurance absolue sur la sienne et sur le rôle qu'elle joue dans les événements qui à présent se déroulent en Chine[44].

---

[44] «Después de algunas semanas, me he puesto en contacto con la Hermana Paula del Santo Espíritu siguiendo las instrucciones de Vuestra Eminencia Reverendísima. Aunque ella se muestra muy servicial, me he abstenido de darle a conocer nuestro proyecto sobre el supliciado. En la actualidad ella trabaja como enfermera en el hospital militar, asignada a los Servicios Médicos de la Fuerza Expedicionaria. Inútil decir que ella mantiene en incógnito su verdadera identidad y se hace llamar señorita Mélanie Dessaignes, de Honfleur, Calvados. Cuando llegue el momento, considero que esta persona nos podrá ser muy útil. Dado que la toma de las fotografías era una labor demasiado difícil de sustraer a la atención pública, me he presentado como fotógrafo-corresponsal de la revista científica *La Nature,* de París, cuyo director, el señor de Parville, al estar estrechamente unido a nuestra causa, como Vuestra Eminencia Reverendísima sabe bien, no dudará en testimoniar la veracidad de tal atribución. Prevengo de ello a Vuestra Eminencia Reverendísima por si ella decidiera establecer relación entre este personaje y yo. No habrá que revelar, bajo ningún pretexto, mi verdadera identidad antes de que yo tenga una seguridad absoluta acerca de la suya y del papel que juega en los acontecimientos que actualmente se desarrollan en China.»

Al margen, escrito de la misma mano, pero a lápiz:

Transcrit au chiffre *Misereatur vestri omnipotens Deus,* le 29 janvier, 1901, au soir[45].

Y un poco más abajo, nuevamente en tinta y con letra de imprenta: H. M. S. ADEN (P. & O.) Via Port Said — le 30 jan[46].

El magnicidio, querido maestro, cometido o propiciado aun en aras de ideales sublimes, no deja de ser un delito grave. ¿Estaba usted al corriente de los pormenores y de los preparativos que precedieron al asesinato del príncipe Ao Jan Wan[47]? ¿Se trata de un documento auténtico o simplemente pretendía usted, mediante el encubrimiento de su verdadera identidad y mediante una intriga jesuítica descabellada, acostarse con una monja en el más manido de los estilos de las novelas galantes? ¿Expidió usted efectivamente esa carta cifrada? ¿Quién era el destinatario? ¿Quién era la llamada Mélanie Dessaignes? ¿La reconocería si la viera de pronto, vestida de blanco, con los vuelos grises de su cofia cayéndole sobre la espalda, sentada en el fondo de un pasillo oscuro?, ¿o vestida de negro, reflejada en la superficie manchada de un espejo enorme, de pie ante una ventana —sí, la del lado izquierdo desde la calle— fija su mirada en un signo incomprensible que con la punta del dedo había trazado sobre el vidrio empañado? ¿La reconocería usted si una tarde, una de esas tardes en las que acostumbra trabajar a solas en el Gran Anfiteatro de la Facultad, sus ojos la encontraran de pronto desnuda, tendida en una plancha de mármol, con la boca entreabierta y los ojos fijos en esas escenas que un famoso pintor trazó sobre la bóveda del anfiteatro[48], escenario de sus más sorprendentes expe-

[45] «Transcrito en código cifrado *Dios omnipotente se apiade de usted,* el 29 de enero de 1901, por la tarde. [...].

[46] *Port Said:* ciudad de Egipto a la entrada del Canal de Suez, junto al Mediterráneo, fue construida en 1860 por la compañía del propio canal.

[47] *príncipe Ao Jan Wan:* véase nota 6.

[48] *escenas que un famoso pintor trazó sobre la bóveda del anfiteatro:* como se cita posteriormente —véase nota 64—, la obra a que se hace referencia pertenece al pintor francés Pierre Puvis de Chavannes. Puvis de Chavannes decoró, entre 1887 y 1889, el enorme anfiteatro de la Universidad de la Sorbona de Pa-

riencias? ¿La reconocería usted, maestro, en el momento preciso en que la gran cuchilla convexa de Larrey trazara, guiada por su mano, una incisión de sangre lentísima, casi coagulada a lo largo del pliegue inguinal[49] para practicar una experiencia *supra cadaver* tendiente a batir su propia marca en la amputación de la pierna de la cadera: 1 minuto 8 segundos? ¿La reconocería usted en esa actitud de entrega, en ese abandono que va más allá de la vida, en ese solo instante en que, como en el coito, la desnudez y la muerte se confunden y en que todos los cuerpos, aun los que se enlazan en un abrazo inaplazable, exhalan un efluvio de morgue[50], de carroña conservada asépticamente, en que la gasa impoluta recibe sin que apenas nos demos cuenta de ello, como si fuera el escupitajo de un verdugo, una violenta salpicadura de pus?

---

rís con un inmenso fresco alegórico titulado *Las Ciencias y las Artes;* sin embargo, por la posterior descripción de la escena del fresco, pienso que Elizondo cambia esta decoración del anfiteatro por la imagen de la pintura del mismo autor *El país del placer* (1882), cuadro caracterizado por un sugerente erotismo en el retrato de las figuras femeninas.

[49] *cuchilla convexa de Larrey:* instrumento de amputación creado por Dominique Larrey (1766-1842), cirujano francés creador de un método de amputación que lleva su nombre; *pliegue inguinal:* doblez delgado y en forma curva situado en la zona de la ingle.

[50] *morgue:* lugar donde se guardan los cadáveres, generalmente para su identificación hasta que son reclamados para el entierro.

Capítulo II

¿Recuerdas...?

La noche era como un largo camino que se adentraba en la casa invadiendo todos los rincones, llevando la penumbra hasta el último resquicio, asustando lentamente a los gatos, ¿recuerdas? Estoy seguro que sí. En vano has tratado de olvidarlo. Todos los días, al dormirte, piensas en ello tratando de olvidarlo. Inclusive, has llegado a ser la víctima de varios charlatanes que te ofrecían el olvido de ese momento, un olvido patentado y garantizado. ¿Acaso no compraste un día, en una pequeña tienda del barrio judío, un folleto que se llamaba *Las Aguas del Leteo, método antimnemónico basado en los últimos descubrimientos de la ciencia cabalística*[51]. Yo he visto ese folleto entre tus cosas, entre las cosas que guardas con recelo, temerosa de que ellas delaten ese compromiso ineludible que has concertado con tu pasado, con un pasado que crees que es el tuyo pero que no te pertenece mas que en el delirio, en la angustia que te invade cuando miras esa fotografía, como lo haces todas las tardes hasta que sientes que tu pulso se apresura y tu respiración se vuelve jadeante. Aspiras a un éxtasis semejante y quisieras verte desnuda, atada a una estaca. Quisieras

---

[51] *Leteo:* uno de los ríos griegos de los Infiernos cuyas aguas provocaban el olvido del pasado a aquellos que las bebían; *mnemónico:* nemotécnico, aquello que sirve para desarrollar la memoria; *ciencia cabalística:* cábala, conjunto de doctrinas de carácter esotérico desarrolladas por el judaísmo que constituyen un saber secreto de tipo alegórico y simbólico.

sentir el filo de esas cuchillas, la punta de esas afiladísimas astillas de bambú, penetrando lentamente tu carne. Quisieras sentir en tus muslos el deslizamiento tibio de esos riachuelos de sangre, ¿verdad?...

—¡Qué pálida estás! —dijo cuando la vio, inmóvil en aquella actitud indescifrable.

—Es preciso, maestro, que obtenga usted la cifra original o que reconstruya de memoria la clave *Gratias agamus Domino Deo nostro*[52]. Ello puede permitirnos descifrar ese documento...

Sí, yo encontraba tu rostro de pronto, como surgiendo de los gruesos cortinajes de terciopelo desvaído y parecías estar del otro lado de la ventana. Cuando nos encontrábamos súbitamente un grito trémulo se ahogaba entre aquellas paredes manchadas de humedad. ¿Quién gritaba en la noche? Tu rostro, en el espejo, sangraba cuando yo lo veía desde el ángulo opuesto del salón, apoyado, inerte, sobre la cubierta de mármol de la pequeña mesa de hierro en la que él había depositado los instrumentos de cirugía que brillaban, para entonces, con los últimos reflejos de la tarde. La luz débil del crepúsculo se filtraba como una bruma luminosa a través de los vidrios empañados de las ventanas que daban al jardincillo abandonado.

Ahora lo recuerdo... una mosca golpeó contra el cristal de la ventana.

Hubiéramos jugado a encontrar nuestros rostros en el espejo; comunicarnos así; hacer que nuestras miradas se encontraran sobre aquella superficie manchada y, en cierto modo, lujosa, bordeada de ornamentos áureos y que refulgía contra el papel manchado cuyo diseño se había escurrido por el trasudamien-

---

[52] *Gratias agamus Domino Deo nostro:* «Demos gracias a Dios Nuestro Señor».

to del agua, reflejando de una manera imprecisa y turbia un cuadro de grandes proporciones que representaba una alegoría cuyo significado aún hoy, en este instante, nos es totalmente ajeno...

Has caminado ya; saliendo del espejo ante mis ojos, has cruzado esta estancia umbrosa. Lo sé aunque no pueda verte. Has caminado a lo largo del salón oloroso aún a los desinfectantes que él depositó sobre el mármol amarillento de la mesilla de hierro. Has caminado hacia el ángulo opuesto del salón sin mirarme al pasar frente a mí, como temiendo distraerte de esa faena equívoca que todas las tardes, a la misma hora, has realizado desde hace meses, desde hace años, ¿recuerdas...?

Lentamente, como quien teme turbar la precaria suspensión del polvo en los haces de luz dorada que se filtraban a través de los desvaídos cortinajes de terciopelo, hubieras caminado, sí, lentamente, hacia aquella ventana o hacia aquella mesilla de hierro en que los instrumentos ensangrentados yacían abandonados al óxido paulatino de los años y al pasar frente a la mesilla para dirigirte al otro extremo de aquel salón lúgubre, habitado en ese instante tan sólo del sonido moribundo de tus pasos, tu pie hubiera golpeado distraídamente la base de hierro de la mesilla, produciendo un ruido impreciso que, a espasmos, se hubiera adentrado en el oscuro corredor, diluyéndose poco a poco en toda la casa hasta perderse luego en el último cuarto, hasta trasponer la última puerta, hasta turbar la superficie del agua estancada en ese depósito situado al fondo del pasillo en el que unos algodones impregnados de ácido crómico[53] difundían, sí, lentísimas manchas anaranjadas mientras giraban como lotos[54] putrefactos, despidiendo veneno en un estanque de agua amarillenta, turbia...

Hubieras corrido. Hubieras corrido hasta alcanzar aquel eco metálico y en cierto modo informe para aprisionarlo dentro

---

[53] *ácido crómico:* ácido de cromo, metal que se emplea para cubrir metales oxidables y que puede resultar cancerígeno.
[54] *loto:* planta acuática de hoja y flores de gran tamaño.

de tu cuerpo, en el meandro tortuoso de tu oído, y no dejarlo escapar hacia la noche. Lo hubieras alcanzado y como si fuera una falena[55]; lo hubieras retenido en la crispada prisión de tu puño hasta hacer sangrar la palma de tu mano con el filo de tus uñas. Pero algo te hubiera detenido. Algo te detuvo. Una mirada... un recuerdo, sí, lejanísimo como el aullar de la sirena, como el sonido que producen *esas* palomas, ese sonido que llegaba en pequeños airones vibrantes desde la plazoleta de donde nosotros lo habíamos traído arrastrando, de donde nosotros habíamos traído su recuerdo. Esto tú lo sabes. Tú sabes que todo lo que yo digo es absolutamente cierto, ¿no es así?

Tal vez. Ahora recuerdo las planas manchadas de un periódico viejo que formaban un camino desde la puerta hasta el pasillo...

Al pasar ante aquella puerta tus dedos se crisparon involuntariamente. Parecían, en esa contracción, renovar la angustia del secreto sanguinario que nos había unido durante tanto tiempo. Tú lo comprendiste así y volviste la mirada al quedarte quieta en el umbral del espejo que reflejaba una puerta. Esa puerta se abría ante un largo pasillo oscuro en cuyo fondo tu mirada estaba fija tratando de mirarme, de descubrir en ese vislumbramiento la identidad de esa forma mía, revestida de un uniforme anticuado, tocada de aquella cofia de la que pendía un vuelo de lana gris. Yo trataba de descifrar el enigma de los instrumentos de cirugía depositados sobre el mármol amarillento de la mesilla y que los años habían ido corroyendo y oxidando sin que nadie jamás se hubiera atrevido a moverlos de allí.

...la fascinación de aquella carne maldita e inmensamente bella.

Si no hubiera sido porque aquel sonido turbador se perdió entre las sombras del fondo de aquel pasillo antes de que hu-

---

[55] *falena:* mariposa.

biera podido aprisionarlo para siempre, antes de que yo hubiera podido impedir que llegara hasta la noche, no me hubiera vuelto en torno al llegar al umbral de aquella puerta reflejada en el espejo. Algo, quizá una mirada cruel me contuvo y me hizo volverme hacia aquel camino que acababa de andar. Algo, tal vez el recuerdo de un momento lejanísimo —sí, tal vez el recuerdo de...— me asaltó súbitamente y volví la mirada hacia aquellos vestigios de luz mortecina que apenas se filtraban a través de los pliegues del polvoriento y desvaído cortinaje de terciopelo. Hubiera yo gritado, tal vez, si la presencia mutilada de aquel recuerdo, de aquel ser presentido, no hubiera ahogado el espanto en mi garganta con sólo su mirada. Hubiera gritado, sí, si mi voz, proferida como una iniciación definitiva de la noche, hubiera bastado para borrar aquel recuerdo o esta imagen. ¿Recuerdas...?, dijo volviéndose hacia mí desde el otro extremo del salón y posando cuidadosamente aquel instrumento manchado de sangre coagulada sobre la cubierta de mármol de la mesilla; ¿recuerdas...?, me ha dicho mirándome fijamente, como tratando de evocar la imagen de mi recuerdo con su propia mirada profunda, fija a través de los muros y a través de esa puerta reflejada en el espejo, fija en la imagen del suplicio voluptuoso que inunda el mundo como un misterio exquisito y terrible. ¿Recuerdas...?

¿Hay algo más tenaz que la memoria?

Cuando se ha detenido ante la puerta reflejada en el espejo ha caído la noche, de pronto, como una red de plomo que todo lo aprisiona. El otro la contempla apoyado en la mesilla de mármol mientras juega distraídamente con un viejo bisturí manchado de sangre, oxidado por la humedad del ambiente, corroído por los años. Ella se ha quedado inmóvil frente al espejo en el que se refleja una puerta detrás de la cual guardan celosamente un secreto. Él la mira con tanta pasión que su cuerpo desmaya y se incorpora en un solo movimiento que es como una convulsión solemne y fatídica. A lo lejos se escucha —¿por qué?— un ruido aéreo, como el de una alarma, como el ulular de las sirenas o como un graznido espasmódico. Ha caído la noche, de pronto, como una lluvia intempestiva: *con una lluvia intempestiva.* Él le dice: ¿Recuerdas...?, y ella se queda quieta, congelada en ese quicio figurado en la superficie del espejo suntuoso y manchado en el que se refleja una puerta tras la cual él y ella ocultan un secreto pulsátil[56] de sangre, de vísceras que si no fuera por esa puerta y por ese espejo que la contienen, su mirada todo lo invadiría con una sensación de amor extremo, con el paroxismo de un dolor que está colocado justo en el punto en que la tortura se vuelve un placer exquisito y en que la muerte no es sino una figuración precaria del orgasmo.

El recuerdo no hubiera abarcado aquel momento. Más allá del suplicio la memoria se congelaba. Por eso, antes de liberarlo de aquellas amarras tensas, antes de desanclarlo como se desancla un barco al capricho de la marea, se habían entretenido todavía algunos minutos —él y ella— para tomar las fotografías. Lo habían fotografiado desde todos los ángulos. «Hay que ayudar a la memoria», dijo, «...la fotografía es un gran invento». Y entonces empieza a caer la tarde. Las placas no dan de sí. Hubo que descargar el aparato para poder utilizar esa nueva película alemana muchísimo más sensible.

—¿Recuerdas...?
—Sí, un segundo...

Un pájaro escapado de la jaula. Súbitamente liberado como si la muerte lo hubiera tocado en un abrir y cerrar de ojos. El obturador[57] había producido un clic característico. Hubiera sido el único ruido perceptible ante aquel misterio silencioso. Cuando se retiraron jadeantes de aquel lugar el viento empezó a jugar con el papel metálico en que venían envueltas las placas fotográficas, arrastrándolo por los adoquines, haciéndolo chispear con la luz de los faroles que parecían incendiarlo fugazmente.

—Hubiéramos fotografiado a los perros.

---

[56] *pulsátil:* que tiene pulsaciones o latidos.
[57] *obturador:* mecanismo de las máquinas fotográficas que regula el tiempo de exposición de las placas.

—Era difícil fotografiar a los perros; nunca se quedan quietos y las placas no son lo suficientemente sensibles. Había poca luz, ¿recuerdas?

Quedaba el cuerpo; su cuerpo. Allí, apoyado en el marco de esa puerta que se refleja sobre el enorme espejo. Sostiene en las manos un objeto cuya realidad es tan incierta que nadie osaría definirlo. ¿Se trata acaso de un trozo de coral o de un instrumento de cirugía corroído por el óxido rojizo como sangre vieja? Dice una palabra sin sentido, apenas audible en la sombra, como si esa penumbra se abatiera con la misma intensidad sobre los objetos visibles y sobre los sonidos. La noche cae con furia sobre nosotros, como tratando de ocultar, como si tratara de conservarlo para sí, ese misterio nuestro, cultivado pacientemente, a lo largo de los días, a lo largo de las noches en vela junto a aquella puerta pintada de blanco como una puerta de hospital, a lo largo de los instantes en que esperábamos con ansiedad el efecto que surtiría aquella droga que Farabeuf había traído en una pequeña cápsula de vidrio, mientras propiciábamos con nuestras miradas ardientes la cicatrización de aquellos muñones sonrosados, la canalización de aquellas llagas purulentas que goteaban como diminutas clepsidras[58] sobre la gasa manchada y ávida que al cabo de poco tiempo se saciaba de pus y comenzaba a trasudar hacia las sábanas de seda sobre las que yacía el cuerpo inerte, mudo, al que la Enfermera reconfortaba, no más que son su mirada, cada vez que cambiaba los vendajes... ¿recuerdas?

La droga... he ahí un dato de extrema importancia... el Maestro ha mencionado insistentemente la existencia de una cierta cantidad de «rebanada de cuervo»[59], como él la llama, entre las cosas guardadas en el desván...

---

[58] *clepsidra:* reloj cuya invención se remonta a la época del imperio egipcio y que medía el paso del tiempo por medio del paso de una cierta cantidad de agua de un recipiente a otro.

[59] *rebanada de cuervo:* opio, droga que se obtiene del jugo extraído del fruto inmaduro de la adormidera; a pequeñas dosis puede tener efectos terapéuticos. El nombre de rebanada de cuervo proviene de la traducción literal de los signos de la expresión china que significa opio: *iapiann (ia:* cuervo; *piann:* rebanada).

Trato de recordarlo, pero mi memoria sólo abarca ese momento en que tú me mostraste por primera vez las fotos del hombre. Insistes en hacer aflorar el recuerdo. ¡Cómo podría olvidarlo! Era el atardecer. Caminábamos por la playa hablando de cosas banales. Nos cruzamos con una mujer vestida de negro que era seguida por un perro, un *caniche*. Un niño construía un castillo de arena. La marea subía perceptiblemente. Nos alejamos hacia el farallón y nos sentamos sobre las rocas a contemplar el juego de las olas y el vuelo de los pelícanos que caían pesadamente sobre los peces. Sí, lo recuerdo todo perfectamente. Recuerdo el grito de las gaviotas y el ruido que hacían los pelícanos al tocar la cresta de las olas. Y los tumbos del mar. Cada vez más violentos, apresurando la noche que allí, junto a las olas, tardaba siempre más en caer. Luego volvimos desandando el camino. Cruzamos, sin darles importancia, las ruinas del castillo de arena. Cuando entramos había sobre la cómoda un sobre amarillo y afuera seguían gritando las gaviotas. Cuando abriste el sobre y me mostraste aquel rostro aquel rostro inesperado y extático, había caído la noche. Era como si esa mirada llevara la noche consigo a todas partes. Yo lo recuerdo todo. Perfectamente. Y tú, ¿lo recuerdas?

—Sí, recuerdo tu cuerpo surcado de reflejos crepusculares que parecían escurrimientos o manchas de sangre. Tus palabras entrecortadas eran como gritos arrancados en un suplicio milenario y ritual, y tu mirada, entonces, era igual a la de aquel hombre de la fotografía. ¿Es preciso ahora olvidarlo todo...?

—¿Eres tú capaz de olvidarlo?

—El olvido no alcanza a las cosas que ya nos unen. Aquel placer, la tortura, aquí, presente, ahora, para siempre con nosotros, como la presencia del hombre que nos mira desde esa fotografía inolvidable...

—Sí, desde entonces nuestras miradas son como la de él.

«Originalmente podía verse, en segundo término, al fondo, el letrero de la sucursal de Pekín de *Jardine Matheson & Co.*[60],

---

[60] *Jardine Matheson & Co.:* compañía inglesa dedicada al comercio de opio en la costa china que tuvo una participación activa en la Guerra del Opio que enfrentó a chinos e ingleses entre 1839 y 1842. La causa del conflicto fue la decisión del emperador de suspender su importación, dirigida por Inglaterra a

pero lo recorté porque me parecía que desentonaba con el carácter más solemne de la escena principal que había captado
en aquella fotografía...»

Has caminado ya; saliendo del espejo has cruzado este salón
oliente aún a los desinfectantes que él dejó olvidados sobre el
turbio mármol de la mesilla. Has caminado lentamente hacia
el pequeño armario que está junto al tocadiscos sin mirarme
al pasar frente a mí. Has abierto uno de los cajoncillos y has
sacado una vieja fotografía, manchada por la luz del tiempo.
Mientras tanto él se preparaba para salir y, dejando olvidados
ciertos instrumentos sobre la mesilla, guardaba cuidadosamente los demás en el viejo maletín de cuero negro. Largo
rato te has quedado mirando ensimismada aquel rostro difu-
so grabado en la fotografía. Luego te dirigiste al teléfono.

Yo te miro desde el fondo del pasillo sin saber qué decir. He
dispuesto los instrumentos convenientemente. Todo es cuestión de un instante y el dolor es mínimo. Yo sé que estás dispuesta. Descubre tu brazo y apóyalo contra mi regazo. Cuando yo te diga, empezarás a contar, uno, dos, tres, o si prefie-
res, puedes también hacerlo en orden descendente a partir de
cien: cien, noventa y nueve, noventa y ocho y así sucesivamente, sin apresurarte...

R... E... M... (Farabeuf) llegó media hora después de que había
empezado a llover. A través del ruido de la lluvia oía sus pasos en la escalera. Salvaba penosamente los peldaños gasta-
dos, jadeando, como si aquel maletín de cuero negro pesara
mucho. En cada descanso se detenía unos instantes para recobrar el aliento, su mano posada en la perilla de bronce que re-
mata los tramos del barandal. Una vez repuesto recogía el maletín que había dejado en el suelo y proseguía su ascensión pe-
nosa mientras sobre su frente escurrían las gotas de lluvia que

---

través de la protección al contrabando de esa sustancia; esta guerra daría lugar
a la cesión de Hong Kong a los ingleses y supondría la apertura de China a los
intereses occidentales.

luego se embebían en el cuello de su abrigo sucio de caspa. Adivinaba yo sus movimientos por el sonido de sus pasos que se acercaban poco a poco a donde nosotros estábamos y al mismo tiempo te miraba, absorta en aquella inquisición terrible *(cien...)*, desde el fondo de aquel pasillo oscuro *(noventa y nueve...)*, sin saber qué decir *(noventa y ocho...)* esperando tan sólo que la mano de Farabeuf *(noventa y siete...)* al tocar en la puerta *(noventa y seis...)*, rompiera aquel encantamiento maligno *(noventa y cinco...)* en el que te anegabas como en un mar, ¿verdad? *(noventa y tres...)*

Te has saltado el noventa y cuatro. Debes concentrarte más. Trata de hacer memoria.

Sólo recuerdo que aquel día su bata blanca estaba manchada de excrecencias mortuorias.

(Noventa y dos...)... La experiencia de entonces era una sucesión de instantes congelados; *(noventa y uno...)* sus pupilas nos habían fotografiado, *(noventa...)* paralizando nuestros gestos *(ochenta y nueve...)* registrando nuestro silencio *(ochenta y ocho...)* como si ese silencio hubiera sido algo más vívido *(ochenta y siete...)* y más tangible que nuestras palabras *(ochenta y seis...)* y que nuestros gritos *(ochenta y cinco...)*

Y la lluvia, ¿recuerdas? *(Ochenta y seis...)* cayendo intempestiva afuera, *(ochenta y siete...)* lejos de nosotros *(ochenta y ocho...)* y sin embargo impregnándolo todo *(ochenta y nueve...)* con su golpe líquido. *(noventa...)* Sabíamos que la lluvia caía afuera *(noventa y uno...)* lejos de esa voluptuosidad que nos mantenía unidos *(noventa y dos...)* en torno a esa ceremonia *(noventa y tres...)*, unidos tal vez para siempre *(noventa y cinco...)*... Sabíamos que caía sobre Farabeuf, que en aquel momento *(noventa y seis...)* cruzaba lentamente nuestra calle *(noventa y siete...)* bajo su paraguas inútil. *(Noventa y ocho...)*.

...Y aquel espejo enorme, ¿recuerdas?, enmarcado lujosamente, en el que tu rostro hubiera querido reflejarse a pesar de la muerte que ya estaba contigo entonces; tan en ti que si te hubieras asomado a su superficie manchada hubieras visto aparecer, detrás de tu mirada, una calavera radiante y espléndida, pero no supiste decir las palabras que hubieran sido precisas para evocarte a ti misma muerta en ese futuro estático, quieta como el agua de un charco en que se reflejan las estrellas, infinitamente quieta como hubieras querido regalárteme muerta.

En fin de cuentas, para entenderlo hubiera sido necesario leer una pequeña notificación aparecida en el *North China Daily News* del 29 de enero de 1901, pág. 3, col. 7, o bien esos periódicos amarillentos y sucios: un número del *Ch'eng pao* y otro del *Shun tien sh'pao* que datan todos del *yeng yué* de 1901[61] y en los que se relatan algunos hechos curiosos relacionados con la muerte violenta de un alto dignatario de la Corte afecto a los «diablos extranjeros».

Es preciso no dejar nada al azar. ¿Está usted seguro, doctor, de que ha recogido todo, absolutamente todo —inclusive el troza-pubis[62] pulido y reluciente que compró en Francfort... y los gatillos de su invención que mandó fabricar en Edimburgo —con John McClough, Ltd.— y que le han dado una fama universal? ¿Está usted seguro de haberlo guardado todo en ese maletín gastado de cuero negro que tanto le pesa al cruzar con su paso artrítico la rue de l'École de Médecine?

---

[61] *North China Daily News:* periódico de lengua inglesa que se publicaba en China en el periodo de la rebelión de los bóxers; *Ch'eng pao:* publicación periódica fundada en 1872 en Shangai; fue en sus páginas donde se publicó, el 25 de marzo de 1905, el decreto imperial por el que se condenaba a muerte al magnicida Fu Tchu Ki mediante el método del *leng-tch'é*. El decreto lo transcribe literalmente Georges Bataille en su libro *Las lágrimas de Eros* y reza como sigue: «Los príncipes mongoles piden que el llamado Fu Tchu Ki, culpable del asesinato en la persona del príncipe Ao-Ovan, sea quemado vivo, pero el emperador considera este suplicio demasiado cruel, y condena a Fu Tchu Ki a la muerte lenta por el *leng-tch'é* (descuartizamiento en trozos). ¡Respeto a la Ley!»; *Shun tien sh'pao:* revista ilustrada perteneciente a la misma empresa que el *Ch'eng pao; yeng yué:* primer mes del año lunar, enero.
[62] *Troza-pubis:* útil quirúrgico empleado en la pubiotomía, intervención quirúrgica consistente en seccionar el hueso pubis unos centímetros para aumentar la capacidad de la pelvis estrecha en el momento del parto.

¿Está usted seguro de haber envuelto cada uno de esos curiosos instrumentos en los pequeños lienzos de lino hábilmente preparados por «Mme. Farabeuf» (née Dessaignes, de Honfleur) con los restos de las sábanas sobre las que usted, maestro, y ella consumaban el acto llamado carnal o *coito* cuando apenas era un interno en el Hôtel Dieu —antes todavía de ser auxiliar de la clase de Anatomía Descriptiva bajo el gran Larrey[63], antes de que tomara el gusto de aplicar sus propios métodos a toda aquella carroña tendida bajo la bóveda decorada con el lujo austero de aquellas mujeres quietas, infinitamente quietas, tan quietas como cadáveres vistos en un espejo, que Puvis de Chavannes[64] había pintado allí? ...¿todos los instrumentos los guardó usted en ese maletín negro? ¿el basiotribo de Tarnier que sirve para extraer el feto, tajado en pedazos, del interior del llamado «claustro materno»[65]? ¿Está usted seguro, doctor Farabeuf? ¿Todos sus complicados instrumentos...?

Noventa y siete... noventa y seis... noventa y cinco... noventa y tres...

Hemos jugado a encontrar nuestras miradas sobre la superficie de aquel espejo —nos hemos comunicado, hemos tocado nuestros cuerpos en aquella dimensión irreal que se abría hacia el infinito sobre el muro manchado y surcado de pequeños insectos presurosos. Y antes de aquel encuentro inexplicable me hubieras dicho que no bastarían todos los espejos del mundo para contener esa sensación de vértigo a la que te hubieras abandonado para siempre, como te abandonas a la muerte que reflejan los ojos de este hombre desnudo cuya fotografía amas contemplar todas las tardes en un empeño desesperado por descubrir lo que tú misma significas. Es por ello que quisieras que todos los espejos reflejaran tu rostro,

---

[63] *Larrey:* véase nota 49.

[64] *Puvis de Chavannes:* pintor francés (1824-1898) de tendencia simbolista y famoso por sus frescos decorativos. Véase nota 48.

[65] *basiotribo:* útil quirúrgico empleado en las basiotripsias, intervención quirúrgica mediante la cual se extraía fragmentado el feto del interior del útero materno; *Tarnier:* Esteban Tarnier (1828-1897), cirujano francés; fue profesor de la Facultad de Medicina de París y es famoso también como inventor de un tipo de fórceps; *claustro materno:* útero.

para sentirte más real, ante ti misma, que esa mirada demente que ahora ya siempre te acecha.

Empezó a llover y tú corriste hacia la ventana por ver un signo que quizá habías trazado sobre el vidrio empañado y sin llegar hasta el reborde viste la silueta de Farabeuf que cruzaba penosamente la calle, cargando su viejo maletín de cuero negro en el que guarda celosamente sus instrumentos de tortura, los relucientes separadores[66] que aplica en las comisuras de la herida y el aparato singular con el que...

Sí, entonces comenzó a llover y yo había escrito un nombre que ya no recuerdo, con la punta del dedo sobre el vidrio empañado. Era un nombre o una palabra incomprensible —terrible tal vez por carecer de significado— un nombre o una palabra que nadie hubiera comprendido, un nombre que era un signo, un signo para ser olvidado.

...noventa y dos... noventa y uno... noventa...

¿Y aquel espejo enorme? Hubo un momento en que reflejó su imagen. Se tomaron de la mano y durante una fracción de segundo pareció como si estuvieran paseando a la orilla del mar, sin mirarse para no encontrar sus rostros, para no verse reflejados en esa misma superficie manchada y turbia que reflejaba también, imprecisa, mi silueta como un borrón blanquecino, inmóvil en el fondo de ese pasillo oscuro por el que Farabeuf habría de pasar apenas unos instantes después, con las manos en alto, enfundadas en unos guantes de hule, oloroso a un desinfectante impreciso que infundía una sensación inquietante y que pronto lo impregnaba todo en aquel ambiente de luz mortecina.

Tienes que concentrarte. Ésa es la regla de este juego. *Fije usted en su mente las preguntas que desea hacer; apoye suavemente las yemas de los dedos sobre el indicador; repítase a sí mismo la pregun-*

---

[66] *separador:* útil quirúrgico que se usa para separar las estructuras anatómicas que entorpecen la intervención.

ta mentalmente varias veces hasta que note usted que el indicador se mueve lentamente sobre la superficie de la tabla indicando con el extremo afilado la respuesta que usted desea obtener. Si la primera vez no obtiene resultados satisfactorios, vuelva a iniciar la operación colocando el indicador en el centro de la tabla mágica[67]. Ya lo ves, tienes que concentrarte.

—Habías hecho una pregunta, ¿recuerdas?

—Sí, recuerdo que había hecho una pregunta. Eso es todo. Una pregunta que he olvidado...

Es preciso recordarlo ahora. Aquella respuesta, aquel nombre hecho de sílabas difusas, breves, como pequeños gritos, como esos chirridos que producen los muebles en la noche. Es preciso recordarlo ahora. Aquella pregunta lenta y larga, repetida en un susurro imperceptible sobre aquella tabla cubierta de letras y de cifras; aquella pregunta hecha de sonidos como de lluvia afuera que tú hiciste, mientras yo trataba de descifrar aquel signo que poco a poco se borraba y que tenía un significado capaz de trastrocar nuestras vidas, si bien yo no lo comprendía, y que alguien había escrito con la punta del dedo sobre el vidrio empañado a través del cual alguien contemplaba —sí, contemplaba— el caminar artrítico de Farabeuf cruzando la calle hacia la casa bajo la lluvia. Era preciso recordarlo ahora, aquí...

Algo había en todo ello que recordaba el mar... algo en aquel nombre indescifrable...

—Pero tú no hubieras corrido, cruzando la superficie del espejo para ir hacia la ventana...

—Caminábamos tomados de la mano. A nuestro lado los pelícanos y las gaviotas caían pesadamente sobre las olas para devorar a los peces. Era el atardecer, un atardecer gris, ¿recuerdas?

—Sí, recuerdo.

---

[67] Véase nota 3.

—Luego cruzamos a un niño que construía un castillo de arena. La marea iba subiendo lentamente hacia nosotros. El niño apenas nos miró cuando pasamos a su lado. Era un niño rubio que construía un castillo de arena a la orilla del mar mientras nosotros caminábamos hacia el farallón...

(—¿Hacia aquel farallón...?)

«¿Hacia aquel farallón?», me preguntaste al pasar frente al niño. Después, muy cerca de nosotros, un pelícano cayó al agua y tú te asustaste.

Sí, se asustó al ver que Farabeuf sostenía ante sus ojos miopes aquella hoja inmensamente afilada, en la penumbra. Tal vez había cesado de llover y los últimos rayos del sol se filtraban a través del desvaído cortinaje de terciopelo y caían sobre la hoja de acero con la que Farabeuf amaba amputar los miembros tumefactos de los cadáveres en el anfiteatro enorme decorado con pinturas que representaban mujeres legendarias esperando una barca a la orilla del mar[68]...

Sí... en la playa. Hubo un momento en que tú te agachaste y tomaste en tus manos una estrella de mar muerta. «¡Mira —dijiste—, una estrella de mar...!»

—Mira... —dijiste mostrándome aquella imagen terrible—. Mira —decías poniéndola ante mis ojos y yo trataba de recordarla y de olvidarla al mismo tiempo.

—Mire usted... —dijo el maestro Farabeuf reteniendo con firmeza entre sus dedos los separadores manchados de excrecencias y de sangre medio coagulada mientras con la otra mano, blanquísima y afilada, iba señalando con la punta de un canalizador[69] los órganos y los tejidos que su destreza iba descubriendo poco a poco en el interior de

---

[68] Véase nota 48.

[69] *canalizador:* instrumento empleado en cirugía para establecer canales de drenaje.

aquel hombre a quien alguien había asesinado en la noche.
—Mire usted... —iba diciendo.

Noventa y uno...

«Mira», le dijo ella una vez que habían llegado a la cima de aquel farallón. «¡Mira los pelícanos!», y él se había vuelto hacia el mar, dándole la espalda y sonriendo hacia las olas de ver el torpe movimiento de aquellos enormes pájaros sobre la cresta de las olas.

Doctor Farabeuf, tenemos entendido que es usted un gran aficionado a la fotografía instantánea...

Noventa y dos...

«Mira...», le dije mostrándole ese cuerpo desgarrado, tratando de vencer su cuerpo con aquella visión sanguinaria, hasta que sentí que se rompía como una muñeca de barro, hasta que sentí que su cuerpo se abandonaba a mí en aquel océano de sangre que latía afuera, más allá de la ventana abierta, fuera de sus ojos cerrados que no veían otra cosa que ese cuerpo surcado de riachuelos de sangre, esa carne que tanto hubiera amado en su delirio.

Noventa y tres...

Cuando cerré los ojos la fascinación de aquella carne maldita e inmensamente bella se había apoderado de mí.

(«Y entonces él la tomó en sus brazos...»)

Noventa y cuatro...

«Y entonces me abandoné a su abrazo y le abrí mi cuerpo para que él penetrara en mí como el puñal penetra en la herida...»

142

Mire usted, ponga atención, meta la punta de la cuchilla sobre la parte central del labio derecho de la incisión longitudinal y, a partir de allí, incida usted hacia abajo y hacia la derecha haciendo al mismo tiempo una incisión cutánea oblicua que se curve convexamente para hacerse transversal al nivel mismo de la extremidad inferior de la incisión longitudinal y que se termine en la parte posterior del brazo. Esta incisión oblicua convexa hecha en su derecha no debe interesar más que la piel, no solamente si ha cruzado los vasos axilares en el caso del brazo derecho, sino también en el caso de que no haya hecho usted más que descubrir el deltoides[70] en el caso del brazo izquierdo. En el caso de la segunda incisión será exactamente lo mismo y deberá hacerla absolutamente simétrica a la primera, después de haber traído la cuchilla por encima del miembro y haber llegado a la parte terminal reteniendo con su mano izquierda los tegumentos[71] que van quedando sueltos... ¿ha comprendido usted el procedimiento hasta aquí?

¿De quién es ese cuerpo?

Es preciso recordarlo ahora, aquí; la identidad de ese cuerpo mutilado que de pronto había surgido ante nuestros ojos y que nosotros hubiéramos querido apresar en un abrazo inútil de muñones descarnados que nada alcanzaban a asir de otros cuerpos íntegros, pero deseosos de perderse en esa agonía lenta, hipnótica, inmóvil y erecta. Por eso hay que repetirse mil veces la misma pregunta: ¿de quién era ese cuerpo que hubiéramos amado infinitamente?

Es preciso recordarlo ahora, aquí, paso a paso, cada uno de los detalles, sin omitir uno solo de ellos. Hasta el más mínimo gesto, el más tenue matiz de una mirada lanzada al azar hacia el cielo o encontrada de pronto sobre la superficie de

---

[70] *deltoides:* músculo que constituye el hombro y que lo delimita con el brazo.
[71] *tegumento:* membrana de piel o mucosa que forma una envoltura; se aplica generalmente a la piel.

un espejo, todo, absolutamente todo, puede tener una importancia capital. Es preciso recordarlo todo, ahora, aquí.

Un empeño te anima: buscas en los resquicios de la muerte lo que ha sido tu vida. Por eso las tres monedas, al caer, turban la realidad. Tres *yang:* nueve en el cuarto lugar del hexagrama *kuai;* El Hombre Desollado. La piel ha sido arrancada de sus muslos. He aquí a un hombre que sufre de una inquietud interior y que no puede permanecer en donde está. Quisiera avanzar por encima de todo, por encima de su propia muerte. Si lanzaras de nueva cuenta las tres monedas y cayeran tres *yin* en el sexto lugar, tal vez comprenderías el significado de esa imagen, la verdad de ese instante: *Cesa el llanto, llega la muerte*[72].

Algo más se te olvida. ¿Recuerdas el golpear de aquella puerta abatida por la brisa? ¿recuerdas aquellos golpes secos, escuetos, contra el marco, que te producían tal sobresalto en esos instantes en que estabas a punto de entregarte? A veces te volvías, pero otras veces lo olvidabas. Ahora es necesario que lo recuerdes; es necesario que recuerdes cuántas veces lo olvidaste. ¿Cuántas veces nos percatamos de que aquella puerta golpeaba tenazmente contra su marco abatida por el viento? ¿Cuántas veces golpeó la puerta sin que nosotros, que estábamos allí, entregados a esa ceremonia que figura la agonía de un supliciado, nos hubiéramos dado cuenta?

Ahora puedes dejar de contar.

---

[72] *tres yang:* véase nota 28; *nueve en el cuarto lugar del hexagrama kuai:* hexagrama número 43 que significa *resolución,* con un nueve en el cuarto lugar (véase nota 26) representa a un hombre con los pies desollados*; tres yin en el sexto lugar:* el hexagrama *kuai* con tres *yin* en el sexto lugar muestra al hombre absolutamente desamparado, sin nadie que lo pueda ayudar; su final será malo; de ahí que en el dictamen se lea, como se recoge a continuación: *Cesa el llanto, llega la muerte.*

Capítulo III

Para poder resolver el complicado *rebus*[73] que plantea el caso, es preciso, ante todo, ordenar los hechos cronológicamente, desposeerlos de su significado emotivo, hacer, inclusive, antes de ese ordenamiento en el tiempo, un inventario pormenorizado de ellos, independientemente del orden en el que tuvieron lugar en el tiempo. Olvidemos por ahora nuestras propias indefinidas personas. Tenemos una vaga constancia de la existencia de un número indeterminado de hombres y de un número impreciso de mujeres. Uno de los primeros y otra de las segundas han realizado o sugerido la realización del acto llamado carnal o *coito* en un recinto que bien puede estar situado en la casa que otrora sirviera para las representaciones del Teatro Instantáneo del Dr. Farabeuf o bien en una casa situada en las proximidades de una playa, sobre una cama cerca de cuya cabecera, sobre una mesilla de noche en la que asimismo se encontraban unos frascos conteniendo desinfectantes o drogas analgésicas, o bien sobre una pequeña consola de hierro con la cubierta de mármol en la que igualmente se encontraban depositados algunos instrumentos quirúrgicos, algunos algodones manchados con excrecencias cruentas, uno de

---

[73] *rebus:* aunque en la novela el término rebus aparece en un sentido general como sinónimo de jeroglífico, el rebus es concretamente un jeroglífico o acertijo que, basado en juegos de homofonía, consiste en colocar, transcribiéndolo, en lugar de los signos gráficos que representan un significado lingüístico, un dibujo que evoque su forma fónica en la lengua deseada; en lugar de un dibujo, se pueden colocar también notas musicales o letras del alfabeto.

los dos, muy probablemente el hombre, había dejado olvidada, cuando menos por lo que se refiere a su propia memoria y durante el tiempo que pudo haber durado el acto anteriormente nombrado —canónicamente un minuto nueve segundos de acuerdo con el precepto *ab intromissio membri viri ad emissio seminis inter vaginam,* un minuto ocho segundos para los movimientos propiciatorios y preparatorios; un segundo para la *emissio* propiamente dicha—, pero no por la mujer durante esa misma duración, canónicamente casi instantánea de un segundo según el precepto «*...quo ad feminam, emissio seminis inter vaginam coitum est*»[74], una fotografía que representa la ejecución capital de un magnicida mediante el suplicio llamado *leng-tch'é* o de los Cien Pedazos. Las circunstancias que conducen lógicamente a hacer esta composición de lugar pueden resumirse más o menos de la siguiente manera: un hombre y una mujer han salido a dar un paseo por la playa al atardecer. De esto existen pruebas de relación verbal ya que ambos han mencionado en repetidas ocasiones y cada uno por su parte, ciertos hechos coincidentes como, por ejemplo, el encuentro que tuvieron durante este paseo con una dama de edad, vestida de negro, que caminaba por la playa seguida por un perro de la raza llamada *French poodle* o *caniche,* así como el espectáculo, por muchos conceptos significativo, de un niño rubio que construía, durante el trayecto de ida del hombre y la mujer, un castillo de arena que ya habría sido arrasado por la marea durante su trayecto de regreso. Esto se deduce del hecho de que ambos coinciden en la afirmación de que de regreso a la casa en la que algunos minutos más tarde había de realizarse el acto infamante anteriormente mencionado, aquel niño rubio ya no se encontraba en la playa y la construcción que había erigido había desaparecido casi por completo, no quedando de ella sino unos montículos informes que seguramente, para el momento en que se produjera el fenómeno consignado en los cánones mediante la fórmula

---

[74] *ab intromissio membri viri ad emissio seminis inter vaginam:* «desde la introducción del miembro viril hasta la salida del semen dentro de la vagina»; *quo ad feminam, emissio seminis inter vaginam coitum est:* «por lo cual, para la mujer, la emisión del semen dentro de la vagina es el coito».

«...*emissio inter vagina*», habrían desaparecido por completo disueltos en la marejada. Ellos mismos han declarado que durante el trayecto de retorno pudieron percatarse —aunque sólo fuera por la contingencia circunstancial de un hecho en el que se combina un fenómeno de traslación rápida de un cuerpo en el espacio con la recolección de un ejemplar biológico, un zoofito oceánico, seguramente del grupo de los equinodermos, seguramente del orden de los astérides[75], probablemente una *Asteria rubens* o quizá una *Asteria aurantiaca*— de que «...la marea, al subir, había derribado el castillo de arena y sólo quedaban vestigios informes de esta construcción, apenas discernibles...», pero lo suficientemente concretos como para deducir de su apariencia, en el caso de que la construcción terminada no hubiera sido vista durante el trayecto de ida hacia los farallones, la existencia anterior de una escultura de arena que representó un *krak* o fortificación medieval como las que en ruinas abundan en el norte de África y en las costas e islas del Mediterráneo oriental y que la imaginación caprichosa de un niño había intuido, ya que es altamente improbable suponer que hubiera realizado este juego escultórico con conocimiento de causa o pretendiendo realizar una reconstrucción fidedigna a partir de alguna teoría erudita sobre la arquitectura de este tipo de edificaciones. Prosiguiendo su *promenade*[76], el hombre y la mujer se dirigieron, después de haber pasado de largo ante el niño que estaba aún dando los toques finales al castillo de arena, hacia un farallón en la cúspide, cima o promontorio del cual se sentaron durante algunos minutos para contemplar el mar. Durante este corto descanso el hombre tomó una fotografía de la mujer en el momento en que ella hacía una pregunta o hacía notar un hecho inusitado cuya verdadera naturaleza, si bien sabemos que es intrascendente, ignoramos. Después de esto iniciaron el retorno a la casa, trayecto durante el cual pudieron percatarse de la elevación creciente de la marea así como de la destrucción

---

[75] *zoofito, equinodermo:* tipos de metazoos, subreino animal formado por seres pluricelulares, caracterizados por su forma radial; *astérides:* equinodermos asteroideos, estrellas de mar.

[76] *promenade:* voz francesa, paseo.

paulatina del castillo de arena, a pocos pasos de cuyas ruinas informes la mujer recogió una estrella de mar, la existencia de la cual, por demás evidente, subrayó haciendo mención del hecho de que dicha estrella era visible a la vez que tangible, dirigiéndose al hombre antes de lanzarla, indiferentemente pero no sin haber experimentado entre sus dedos una sensación inquietante y vagamente repugnante, a las olas. Llegado ese momento se suscita un hecho curioso y, hasta cierto punto, inexplicable: la mujer echa a correr a lo largo de la playa. El hombre no pretende, de inmediato, seguirla, pero ella, una vez que se ha alejado de él, se detiene bruscamente volviéndose hacia el hombre que ha quedado atrás, que la mira fijamente y que, cuando el rostro de la mujer, que se ha vuelto bruscamente hacia él y encuentra el rostro del hombre, éste, por un momento, no la reconoce porque piensa que se trata de otra mujer.

Este hecho, entre todos los que pueden haber ocurrido, nos sigue pareciendo inexplicable, si bien no debemos dudar de que haya ocurrido. Como quiera que sea, en nuestro afán por elucidar este misterio sólo hay un indicio que nos puede ayudar: la fotografía hecha por el hombre en la cima del farallón, ya que ella permitiría saber quién era la mujer del trayecto de ida, aunque no nos permitiría saber quién era la mujer del trayecto de regreso que sería, qué duda cabe, la mujer que excitada sexualmente por la fotografía del *leng-tch'é* se entregó al hombre mediante el acto llamado carnal o *coito,* inducido, como es de suponerse, por la insistente presentación a la mirada de ella, de una copia fotográfica que reproducía, a mayor tamaño del de la placa de nitrato de plata original, y con gran precisión de detalle, un antiguo *cliché* sobre vidrio, impresionado en una fecha que conocemos con toda exactitud ya que sabemos, por una circunstancia fortuita —pero no; debida tal vez a esa lluvia insistente que ha estado cayendo—, que el suplicio llamado *leng-tch'é* figurado en esa fotografía, empleada como imagen afrodisiaca por el hombre en la mujer, fue realizado, según un viejo ejemplar del *North China Daily News,* encontrado en un desván de la casa y empleado para proteger el *parquet* en esta tarde lluviosa, el 29 de enero de 1901, época en que las potencias europeas habían ocupado militarmen-

148

te ciertas ciudades de la costa nororiental de China para garantizar la seguridad de sus nacionales después de la cruenta rebelión de los miembros de la sociedad *I jo t'uan*[77] mejor conocidos como los *Bóxers...*

—No se puede negar que tiene usted el don de la recapitulación de los hechos. La claridad de su pensamiento es asombrosa. Los hechos, según la relación que de ellos ha hecho usted, encajan perfectamente unos dentro de otros, como las partes de una máquina, como el puñal en la herida digamos o como las esferas que componen el clatro[78], ¿no es así? Su pensamiento es lúcido. Yo me atrevería a llamarle después de esta descripción tan cristalinamente pormenorizada, «El Geómetra», ¿le parece a usted bien? Sin embargo ha hecho usted abstracción de un dato que no carece por entero de cierta importancia; imagino que lo habrá usted hecho *ex profeso,* para simplificar el curso de su admirable lógica y apresar con mayor claridad y prontitud sus espléndidas conclusiones. Se trata de un hecho que por ningún concepto debe ser dejado de lado al hacer cualquier apreciación acerca de la existencia,

---

[77] *sociedad I jo t'uan:* sociedad secreta que surge al norte de China a finales de la última década del siglo XIX; su creación constituye el punto de partida de la rebelión de los bóxers, nombre dado por los ingleses a los integrantes de esta sociedad debido al significado de su denominación china: *I jo:* justicia, rectitud, armonía; *t'uan:* puño y, por extensión, arte del boxeo. La rebelión de los bóxers parte originariamente de la situación de dominio extranjero que desde 1830 sufre China por parte de las potencias coloniales. La modernización del país que se produce en este contexto provocó el rechazo de los miembros de la dinastía manchú, caracterizada por su conservadurismo y por su orgullo xenófobo, de ahí que contaran con la protección de la emperatriz Tzu-Hsi. Fue la cuarta guerra de la dinastía Ch'ing contra las potencias extranjeras a lo largo del siglo XIX. Aunque llegaron a tomar Pekín, descargando su furia contra los ciudadanos extranjeros, la intervención de las potencias extranjeras en 1900, con la ocupación militar de Manchuria por las tropas rusas y la liberación de las legaciones extranjeras de Pekín por parte de una expedición internacional, sirvió para restablecer el orden y, posteriormente, imponer fuertes indemnizaciones al gobierno chino. Los misioneros cristianos y protestantes, así como los chinos convertidos al cristianismo, fueron uno de los principales objetivos de la furia de los bóxers.
[78] *clatro:* instrumento de esferas giratorias y concéntricas; su nombre procede del *clathrus,* hongo cuya forma se asemeja a esa disposición en esferas concéntricas.

propia o ajena, ya que de él deriva un sinnúmero de posibilidades capaces de trastrocar radicalmente el sentido de nuestro pensamiento; me refiero al hecho posible, aunque desgraciadamente improbable, de que nosotros no seamos propiamente nosotros o que seamos cualquier otro género de figuración o solipsismo[79] —¿es así como hay que llamar a estas conjeturas acerca de la propiedad de nuestro ser?— como que, por ejemplo, seamos la imagen en un espejo, o que seamos los personajes de una novela o de un relato, o, ¿por qué no?, que estemos muertos. Usted ha hecho abstracción de esta posibilidad, ¿no es cierto? Es preciso que me diga usted si es que me he equivocado o bien si es posible desentenderse de esta posibilidad enojosa y llegar a las mismas conclusiones demostrables a las que usted, sin duda, con la lucidez que le caracteriza, llegará aun a pesar de la posibilidad de que usted mismo, cuando ignora la posibilidad de ser un «solipsismo», un nombre mencionado en una carta encontrada entre las páginas de un libro viejo, no sea sino eso: un solipsismo más, la creación de un novelista fantasioso e inhábil, «...un nombre escrito sobre el agua». ¿Acaso me equivoco?

Es un hecho, por ejemplo, que alguien —la mujer— ha planteado una interrogación turbadora respecto al hecho de que durante un incidente que por muchas razones guarda similitud mecánica con el incidente de la playa, el hombre miraba fijamente algo que estaba reflejado en un espejo.

¿Por qué cuando tomaste mi mano en la tuya tus ojos estaban fijos en el reflejo de aquel cuadro? Hubieras querido conocer el significado de aquellas mujeres emblemáticas que reclinadas en los bordes marmóreos de un sepulcro clásico ofrecían, una, cubierta con espléndidos ropajes —del lado derecho del cuadro—, una mirada enigmática, llena de lujuria etérea; la otra, desnuda, cubierto el pubis con un lienzo blanco, que en un ademán sagrado, con el brazo levantado parece ofrecer a la altura una pequeña ánfora. Las letras que forman el nom-

---

[79] *solipsismo:* doctrina según la cual el sujeto pensante no puede afirmar ninguna existencia salvo la suya propia; cualquier otra existencia sólo podrá ser representación de su propia conciencia.

bre del autor y el título ambiguo de aquella pintura bellísima e incomprensible se reflejaban invertidos en el espejo... ¿por qué tus ojos, en los que ardía la fiebre provocada por esa sensación que mi mano había producido en la tuya, se posaban inmóviles sobre esa escena representada allí y cuyo significado ignoramos?

¿Ve usted? La existencia de un espejo enorme, con marco dorado, suscita un equívoco esencial en nuestra relación de los hechos.

Atengámonos pues al análisis mecánico de las direcciones en que todos los movimientos, todos los gestos que fueron efectuados o figurados durante aquel instante, fueron realizados. Volvamos nuevamente sobre nuestros pasos, confrontemos la declaración de los protagonistas con nuestra propia experiencia visual de sus actos si es que podemos visualizarlos en nuestra imaginación. Según la declaración de la Enfermera, la mujer, al dirigirse hacia la ventana, siguió una trayectoria que iba de izquierda a derecha. Dicha trayectoria la Enfermera no la percibió sino reflejada en el espejo desde el pasillo en el que se encontraba sentada ante una mesa, consultando la ouija o tratando de formar un hexagrama mediante el estudio de la disposición de las monedas al caer. En tal caso, ¿a qué se debe que en su descripción de la copia del cuadro —se trata en realidad de una famosa tela del Renacimiento veneciano[80]— la otra mujer (o tal vez la Enfermera misma) la haya descrito de tal manera que el emplazamiento de los dos personajes principales de la pintura —que representan simbólicamente «el amor sagrado» y «el amor profano»— se encuentra trastrocado? El personaje que en realidad está a la derecha ha sido visto por ella colocado del lado izquierdo de la tela y *vice versa* en lo que toca al personaje que en realidad aparece del lado izquierdo de la pintura. Esto quiere decir que de acuerdo con las leyes de la óptica clásica, la Enfermera no pudo haber presenciado ese hecho substancial en el que los otros, el hombre

---

[80] *famosa tela del Renacimiento veneciano:* véase nota 8.

y la mujer que figuran en su mente la llamada «imagen de los amantes», o sea la imagen que en su recuerdo representa el instante en el que la mano derecha de ella entra en contacto con una de las manos del hombre que junto a la pared, a un lado del cuadro cuya imagen reflejada en el espejo contemplaba, ese instante en que las manos entraban en contacto no pudo ser reflejado por el espejo ya que éste sólo podía reflejar el otro lado de la mujer, o sea su lado izquierdo que era el que daba hacia la superficie del espejo. En el caso de esta «imagen de los amantes» o bien se trata de una mentira o bien de una hipótesis de la Enfermera, o bien se trata de un hecho fundado en la experiencia de los sentidos, lo que equivaldría a proponer una identidad definitivamente inquietante: o sea que la Enfermera, sentada en el fondo del pasillo, ante una mesa, consultando la ouija o el *I Ching*, y la mujer que cruza velozmente la estancia frente al hombre que contempla el reflejo de una pintura de Tiziano[81] en el espejo, y que al pasar junto a la mesilla en la que algunos minutos después, o quizá muchos años antes, eran depositados algunos instrumentos quirúrgicos, golpearía la base de hierro de esta mesilla con la punta del pie produciendo un ruido metálico, son la misma persona que realiza dos acciones totalmente distintas: una de orden pasivo: contemplar el reflejo de sí misma en un espejo, y otra de orden activo: cruzar velozmente la estancia en dirección de la ventana simultáneamente...

—Nos aburre usted con sus descripciones pormenorizadas de la situación en la que nos encontramos. La situación es un hecho, no una idea que puede ser llevada y traída. Olvida usted sus orígenes, maestro. Hubo un tiempo en que usted y sus compañeros compusieron una canción obscena. Era usted un estudiante de medicina pobre, venido de la provincia. No debe usted olvidar eso. No pretenda ahora desvirtuar la imagen que nos hemos hecho de su juventud mediante todos esos discursos tediosos acerca de la óptica clásica. Aténgase

---

[81] *Tiziano:* Tiziano Vecellio (1487-1576), pintor italiano máximo representante de la escuela veneciana del Renacimiento; es autor del cuadro *Amor sagrado y amor profano.*

usted a su maravillosa habilidad práctica, reconocida en todo el mundo. Debe usted atenerse al don de exposición preciso y sintético en la descripción de sus carnicerías que ha hecho de su *Précis de Manuel Opératoire*[82] el texto clásico en su género, estudiado acuciosamente en todas las facultades del mundo. ¿Qué importa, después de todo, la identidad de esa mujer que cruzó el salón para dirigirse hacia la ventana? Sabemos, ante todo, que se trata de una mujer amada por un hombre, ¿no basta este dato intangible para definir con mayor precisión su identidad que si conociéramos su nombre?

(Pero —pensó la mujer en el momento de detenerse bruscamente y en el momento de discernir una silueta borrosa que apenas lograba definirse claramente en los vidrios empañados—, ¿quién es ese hombre que se ha detenido frente a la casa bajo la lluvia y que clava la vista en estas ventanas? Su mirada es tan presente en la penumbra...)

En aquel momento empezó a caer la noche. Esta impresión había cobrado evidencia con la mirada de aquel hombre («...de aquel desconocido») inmóvil, con la vista fija en la ventana y que, tal vez, evocaba un recuerdo lejano al cual ahora nosotros estábamos íntimamente ligados. Su presencia es como la inminencia de la llegada de la noche. Algo en su mirada que parecía sondear el recuerdo nos iba quitando la luz para darnos, en vez de ella, la sombra. ¿Quién es ese hombre que lleva la noche consigo dondequiera que va? Su presencia es como la premonición súbita de las sílabas de un nombre que hemos olvidado, unas sílabas rápidas pero informes.

No es todo infundado suponer que *ese* hombre haya sido usted, maestro Farabeuf, pues existe constancia de que al llegar al Carrefour se entretuvo usted en el café *La Pergola* donde pidió una copa de calvados[83] que apuró nerviosa-

---

[82] *Précis de Manuel Opératoire: Manual de técnica quirúrgica* —véase nota 2.

[83] *calvados:* aguardiente de sidra que toma su nombre de la región francesa de la que esta bebida es originaria.

mente. Luego salió usted y dio vuelta a la derecha para seguir por la rue de l'Odéon. ¿Se detuvo usted acaso frente al número 3 de esa calle?

Permítanos ayudarle, querido maestro. Es necesario que recobre usted la imagen de su juventud. Es así como podremos apresar los datos más certeros. No olvide usted que en «sus tiempos» la lluvia empañaba los cristales igual que en nuestros días. La vida, ese proceso que se suspende y que a la vez se sintetiza en la apariencia de esa carroña que usted, querido maestro, está acostumbrado a manipular y a tasajear yerta, verdosa, inmóvil y exangüe, sobre todo cuando se trata de los cadáveres de hombres y mujeres que han sido muertos violentamente, *caro data vermibus*[84] en fin, ¿es acaso diferente ahora de lo que era entonces? Usted está en contacto con esa esencia inmutable hasta cierto punto que es el cuerpo —maloliente o perfumado, terso o escrofuloso[85]— pero siempre el mismo en realidad; los órganos, para los efectos del interés que en usted provocan, son iguales ahora que entonces y la lluvia que empaña los cristales o que empapa los hombros de su abrigo es ¿o no? la misma lluvia que caía en Pekín aquel día en que usted, acompañado de su amante (sí, doctor Farabeuf, *de su amante),* con grandes trabajos, tratando de que su aparato fotográfico no se mojara, profiriendo las mismas imprecaciones e interjecciones que profieren en nuestros días, aun en los lugares públicos, los obreros y la gente de la clase inferior adicta a los partidos radicales, se abrió paso a codazos y empellones entre una muchedumbre estupefacta hasta conseguir profanar y perpetuar esa imagen única en la historia de la iconografía erótico-terrorística; usted que se deleita disminuyendo, mediante sus afiladas cuchillas, la extensión del cuerpo humano, usted querido maestro, que en una noche de delirio concertó un convenio singular con una puta vieja a quien los estudiantes de medicina llamaban *Mademoiselle Bistouri* o bien

---

[84] *caro data vermibus:* «la carne es entregada a los gusanos».
[85] *escrofuloso:* que padece escrófula, enfermedad que consiste en el abultamiento de los ganglios del cuello y que conlleva alteraciones del sistema tegumentario y óseo.

«La Enfermera» por su marcada proclividad, como el personaje de Baudelaire, a acostarse indiscriminadamente con preparadores de anfiteatro y manipuladores de cadáveres.

No puedes decir que se trataba de una «investigación» simplemente. Algo había en todo ello que te ha turbado desde aquel día —aquel 29 de enero—, ¿recuerdas?

¿Piensas acaso que aquellos hombres que se afanaban silenciosos en torno a él estaban realizando una «investigación» semejante a las que se realizan en la carroña de los asesinos guillotinados y de los asesinados en la noche, en el Gran Anfiteatro?

Durante todos estos años yo he tenido la paciencia de hacer un acopio exhaustivo de todos los detalles que contribuyeron a realizar ese acto que consiste en suspender el curso de una acción extrema, y sin embargo no acierto a comprender cómo pudiste tener la presencia de ánimo para organizarlo todo con tanta perfección. Es preciso que me ayudes a comprender cómo pasaron las cosas.

Muchas veces pienso que no he pasado nada por alto, absolutamente nada, pero hay resquicios en esta trama en los que se esconde esa esencia que todo lo vuelve así: indefinido e incomprensible.

—¿Ve usted? Esa mujer no puede estar del todo equivocada. Su inquietud, maestro, proviene del hecho de que aquellos hombres realizaban un acto semejante a los que usted realiza en los sótanos de la Escuela cuando sus alumnos se han marchado y usted se queda a solas con todos los cadáveres de hombres y mujeres. Sólo que ellos aplicaban el filo a la carne *sin método*. En ello descubrió usted una pasión más intensa que la de la simple investigación, y es por eso que valido de su uniforme azul y sus polainas[86] blancas, abriéndose paso a codazos y a empellones se colocó usted frente al «hecho» para crear en medio de él un espacio de horror después de haber colocado pacientemente su enorme aparato fotográfico, per-

---

[86] *polaina:* especie de media calza que cubre la pierna hasta la rodilla.

fectamente emplazado mediante niveles y plomadas[87]. Hubo algo, no obstante, que en el primer encuadre le desagradó cuando se asomó por primera vez al vidrio despulido con la cabeza cubierta por una franela negra: el letrero en inglés de una casa comercial que aparecía en el fondo de la composición. Pero al cabo de una breve reflexión llegó usted a la conclusión de que en realidad ese letrero no importaba, pues era posible recortar posteriormente el *cliché* a la medida de sus deseos, ¿no es así? No trate usted de confundirnos. Se puede decir que nosotros estamos en posesión de todos sus secretos y entre ellos uno es de suma importancia para usted. Suponemos que ya sabe de lo que se trata, ¿o no?

—Según el reporte meteorológico del *North China Daily News,* que por una circunstancia *aparentemente* fortuita hemos podido consultar, llovía; era un día nublado y lluvioso típico del norte de China en invierno. De acuerdo con la situación geográfica y la época del año, el *British Photographer's Yearbook* para el año 1900, segundo año de su publicación, recomienda, en el caso de emplearse la emulsión[88] más sensible que existía en aquel entonces —marca *Blitz,* fabricada en Alemania—, una exposición mínima, dadas las condiciones fotométricas[89] hipotéticas ideales, de un segundo. Esto, además de ser un lapso significativo quiere decir que usted, querido maestro, en ese lapso de tiempo diminuto, congeló el «suplicio» para traer consigo, como lo hacían los demás soldados de la Fuerza Expedicionaria con los paipai[90], los «clatros» —esas esferas talladas unas dentro de otras—, los chales de seda natural, las figuritas de jade, los abanicos de rajas de bambú, un *souvenir:* una fotografía que tiempo después descuidadamente dejó usted olvidada junto

---

[87] *nivel:* instrumento que mide la diferencia de altura entre dos puntos; *plomada:* barrita de plomo que sirve para señalizar un lugar.

[88] *emulsión:* en fotografía, revestimiento sensible sobre las placas y películas fotográficas compuesto por una suspensión de granos finamente divididos de bromuro de plata en gelatina.

[89] *fotométrico:* relativo a la fotometría, parte de la física que se ocupa de las medidas de las cantidades de luz y de las propiedades de los cuerpos en relación con la luz.

[90] *paipai:* abanico en forma de pala que se sujeta por un mango.

con algunas preparaciones anatómicas conservadas en formol, unos libros y algunos instrumentos enmohecidos, en los desvanes de una casa, con la intención —sí, con la *intención* cabal— de que algún día fueran encontrados. No pretenda engañarnos respecto a su verdadera identidad mediante esos trebejos[91] inútiles o haciéndose pasar por empresario de un curioso espectáculo ambulante. Haga memoria; trate de recordar. ¿Está usted seguro del contenido de ese baúl olvidado? ¿No concibe usted la posibilidad de haber dejado en aquella casa algo más cuya existencia bastaría para trastocar *todas* las conjeturas acerca de quién es usted? ¿Unos borradores, o las cartas mismas quizá, dirigidas a una persona a quien usted, señor abate, daba el tratamiento de Eminencia Reverendísima y que luego le fueron devueltas para no comprometerlo con los radicales, eh?

Aquella tarde, por ejemplo, Farabeuf llegó frente a la casa. Su mirada recorrió en un instante la fachada. Al levantar la vista para ver nuevamente la placa de fierro esmaltada con el número tres, una gota de lluvia cayó en uno de los cristales de sus anteojos y la visión de aquel cuerpo inmóvil detrás de los cristales de la ventana se turbó desvaneciéndose lentamente. Cruzó la calle en dirección de la verja. El maletín comenzaba a pesarle demasiado. Al trasponer la puerta cerró el paraguas y comenzó la lenta ascensión de aquella escalera empinada, haciendo resonar sus pasos sobre los escalones desvencijados en los que las suelas de sus botines ortopédicos iban dejando una huella de humedad hasta que llegó jadeante al primer descanso. Allí se detuvo, apoyado en el barandal, después de depositar el maletín en el suelo, a recobrar el aliento. Su respiración se oía como un gemido entrecortado, apenas perceptible, pero presente y real, a lo largo de los corredores, a lo alto de aquel cubo oscuro en el que apenas se distinguían los objetos, los accidentes de esa decoración derruida, precaria, jadeante en un esfuerzo por persistir como la respiración de Farabeuf. «¡Cómo cambian las cosas!», pensó antes de volver a empuñar el maletín. Al hacerlo, los instrumentos cuidado-

---

[91] *trebejo:* juguete; en general, cualquier objeto usado para divertirse; aquí, objeto sin valor.

samente envueltos en los lienzos de lino produjeron un tintineo apagado. Sólo Farabeuf se percató de ello y, sin embargo, no hubiera podido jurar que ese ruido remotamente metálico había sido producido por él mismo en el interior de aquel viejo maletín de cuero negro o —¿acaso no hubiera sido posible?— si había sido producido en el interior de alguno de los salones de aquella casa. Era indudable que se trataba de un ruido, sí, remotamente metálico, producido tal vez accidentalmente por el roce de algo impreciso y humano contra algo definido e inanimado, por la caída de unas monedas sobre una mesa, por el deslizamiento de una tablilla. Farabeuf conjeturaba acerca de estas posibilidades mientras ascendía ya, apoyándose pesadamente en el barandal de bronce, el segundo tramo de aquella escalera tortuosa, empinada, oscura...

Estoy seguro que tú lo recuerdas. Estoy seguro de que tú eres capaz de evocar con todos sus detalles esos minutos.

Sí, recuerdo. La lluvia había cesado, pero cuando oímos sus pasos desde la escalera, comenzó a llover nuevamente y todos nos quedamos quietos, fijos en mitad de un gesto incluso como si la voluntad de un taumaturgo[92] nos hubiera esculpido en esa quietud en la que sólo lo que nos era verdaderamente ajeno proseguía dentro del curso de la vida. Una mosca volaba zumbando cerca de la ventana. La tablilla de la ouija se hubiera movido, animada por una fuerza imponderable, señalando erráticamente las letras negras, o las monedas hubieran caído en una de las cuatro disposiciones posibles: tres *yang*, dos *yang* y un *yin*, tres *yin* o dos *yin* y un *yang* al tiempo que el fonógrafo adosado al muro, entre las dos ventanas, repetía para siempre un mismo grito cuyo significado ponía en evidencia, aunque de una manera indirecta, la esencia trinitaria de algo que iba a acontecer: el encuentro con Farabeuf, expresado en la raíz matemática, fundada en los trigramas combinados[93], del procedimiento adivinatorio.

---

[92] *taumaturgo:* mago, persona que obra prodigios.
[93] *trigramas combinados:* véase nota 3.

Farabeuf, mientras tanto, mientras ascendía fatigosamente aquellos peldaños y después de haber formulado una reflexión por demás vulgar acerca de los efectos que produce el transcurso del tiempo sobre los objetos inanimados, concluyó una meditación acerca de la persistencia del recuerdo, iniciada con anterioridad a la meditación acerca de los efectos del transcurso del tiempo. «En efecto, existe algo más tenaz que la memoria —pensó—: el olvido.» Una conclusión sorprendente y contradictoria si se tiene en cuenta que inmediatamente después de formulada, la misma mente que la había formulado se vio asaltada, de improviso, por un recuerdo: el recuerdo de lo que sucedió aquel día.

Explíquese y expláyese, maestro.

Pekín, día lluvioso; época del *ta han* del trigésimo séptimo año del ciclo sexagenario del *niou* o del Buey, bicentésimo sexagésimo primero de la instauración de la dinastía Ch'ing o Manchú, vigesimosexto año del reinado del Emperador Kuanghau, regencia de la Emperatriz Viuda Tzu-hsi[94]...

---

[94] *época del* ta han *del trigésimo séptimo año del ciclo sexagenario del* niou *o del Buey:* el antiguo calendario chino se basa en la combinación de caracteres y signos denominados los «Diez troncos celestiales» (conjunto de diez signos primarios de carácter masculino) y las «Doce ramas terrestres» (símbolos femeninos que designan las horas, días y meses, representados cada uno de ellos por un animal que ejerce su influencia sobre el periodo que les corresponde). Ambos completan los ciclos de sesenta años (mínimo común múltiplo de doce y de diez) que los chinos emplean para medir el tiempo, a partir de los cuales cuentan los días, meses y años; el ciclo en que se inscribe la ejecución del magnicida dio comienzo en el 1864 de nuestro calendario; por tanto, al señalar el trigésimo séptimo año del ciclo del Buey como fecha del suplicio, éste corresponde al 1901; por su parte, el *ta han* designa en el calendario chino el Gran Frío, una de las veinticuatro subdivisiones del año solar que empieza hacia el 21 de enero; *bicentésimo sexagésimo primero...:* aquí se ubica el suplicio en el año 1905, pues se señala que tuvo lugar el bicentésimo sexagésimo primer año de la instauración de la dinastía manchú, ocurrida en 1644. Como se aprecia, Elizondo hace explícito en este fragmento el juego temporal que lleva a cabo con la fecha del *leng-tch'é,* al manejar su fecha real (1905) con la ficticia (1901), imprescindible esta última para situar el suplicio durante la rebelión de los bóxers; *Emperador Kuanghau:* nacido en 1872 y muerto en 1908, este emperador fue elegido en 1875, a la muerte de su primo T'ungchi, para ocupar el

159

Ese tipo de detalles ofrece poco interés.

Está bien, trataré de ser sinóptico. Era un día lluvioso. Pekín. 1901. Enero de 1901. Empezaba a caer la tarde. Por aquel entonces sólo había dos cosas que me interesaban: la cirugía de campaña y la fotografía instantánea. Fueron éstos los intereses que me llevaron a China con la Fuerza Expedicionaria. Como es sabido, supongo ¿no?, sigo conservando el interés por la cirugía; la fotografía ya no me interesa si bien llegué a conseguir placas verdaderamente excelentes. Algunas de ellas, recuerdo, fueron elogiadas por mi maestro y colega el gran Marey, otras fueron publicadas en el suplemento a la edición de Germer Baillère de la obra monumental de Muybridge sobre la locomoción humana[95].

---

trono. Al contar sólo catorce años, el comienzo de su mandato se desarrolló bajo la regencia de las emperatrices Tzu-Hsi y Tzu An. En 1881 murió ésta y Tzu-Hsi quedó como única regente. En 1889 se le proclamó mayor de edad y pasó a gobernar en solitario; sin embargo, al emprender una serie de reformas modernizadoras del país, se encontró con el rechazo de amplios sectores del pueblo; lo que, unido al conflicto de los bóxers, fue aprovechado por la emperatriz Tzu-Hsi para hacerse de nuevo con el poder. Desde ese momento hasta su muerte, su papel en la política china sería secundario; *Viuda Tzu-Hsi:* emperatriz de China (1834-1908), se caracterizó, durante el periodo de regencia, por sus dotes de gobierno, su carencia de escrúpulos, su conservadurismo y su odio a las fuerzas extranjeras de ocupación. Alentó y apoyó la revolución de los bóxers, utilizándola para volver a ocupar el trono que había dejado al cumplir la mayoría de edad el emperador Kuanghau.

[95] *Marey:* Étienne Jules Marey (1830-1904), médico francés aficionado a la fotografía, es uno de los primeros fotógrafos interesados en la captación del movimiento mediante el arte fotográfico. Fue el inventor de la cronofotografía o «fusil fotográfico», método capaz de obtener imágenes de un mismo modelo en diversas posturas a intervalos regulares sin necesidad de utilizar clichés diferentes para cada instantánea. Con este método, inventado en 1882, Marey podía sacar doce instantáneas por segundo; *Muybridge:* Eadweard Muybridge (1830-1904), fotógrafo inglés, pionero en los estudios sobre la captación fotográfica del movimiento. Es famosa su serie de fotografías a la yegua *Sallie,* realizadas en 1878 con veinticuatro cámaras colocadas en hileras cuyos obturadores eran accionados mediante cordones que la propia yegua rompía en su carrera. Colaboró con Marey en 1881. La obra a la que se refiere el texto puede ser *Animal Locomotion* (1887), recopilación de fotografías sobre el movimiento. Las investigaciones de Marey y Muybridge prefiguraran el cinematógrafo que los hermanos Lumière presentarán pocos años después, en 1895.

—No nos interesan sus antecedentes bibliográficos. Queremos saber lo que sucedió en Pekín. ¿Cómo logró usted esas placas? Ya sabe a cuáles nos referimos...

—Aquella expedición era de poco interés desde el punto de vista médico. Es cierto que el acuartelamiento de las tropas presentaba problemas de orden sanitario, sobre todo después de que el sitio del Barrio de las Legaciones había sido levantado y que las tropas tuvieron que ser acantonadas en el Barrio Tártaro. Fueron unos marinos ingleses los que me dieron el dato. Lo habían leído en el periódico inglés. Decidí aprovechar la oportunidad. Lo primero que hice fue documentarme. El doctor Matignon[96], médico de la Legación, antiguo residente en China, me explicó los orígenes y el procedimiento con todos sus detalles. Debo decir que el procedimiento carece por completo de sutileza. Mucho se ha hablado del refinamiento de los chinos en estos aspectos, al grado que la expresión «tortura china» se ha convertido en sinónimo de refinamiento cruel, sin embargo yo creo que la cirugía occidental, aun en condiciones de la mayor adversidad —recordemos si no lo que han sido los campos de batalla del setenta o inclusive del catorce-dieciocho[97]— en que, lo digo con toda modestia, bastaba un parpadeo para hacer la amputación de una pierna en la cadera o la amputación del maxilar superior —una de las más grandes proezas de la cirugía de campaña. El *leng-tch'é*, por el contrario, es la exhibición tediosa de una inhabilidad manual extrema; sobre todo si se tiene en cuenta que las ligaduras aplicadas previamente al paciente —para llamarlo de alguna manera—, para retenerlo atado a la estaca, producen una distensión tal y muchas veces el rompimiento

---

[96] *doctor Matignon:* Camille Matignon (1867-1934), químico francés, profesor de la Universidad de la Sorbona en 1898; dejó constancia de su estancia en China en *Supertition, cime et misère en Chine* (1899) y *Dix ans au Pays du Dragon* (1910).

[97] *batalla del setenta:* seguramente se refiere a la batalla que, el 4 de septiembre de 1870, supuso el fin de la guerra entre Francia y Prusia, que acabó con la derrota francesa y la cesión, tras la firma del Tratado de Frankfurt, a Alemania de Alsacia-Lorena; *catorce-dieciocho:* años que marcan el comienzo y fin de la Primera Guerra Mundial.

traumático de las facies y tendones[98] que circundan las articulaciones, que cualquier cirujano de provincia de aquí no tendría más que apoyar el filo de la cuchilla —una cuchilla alargada, ligeramente curva y aguda, como la clásica de Larrey para la amputación de la mano, o la mía para la resección[99] de la rótula en un tiempo que fabrica Collin—; decía yo que no es necesario sino aplicar el filo de la cuchilla justo en la articulación para que a la más leve presión ¡paf!... de un lado salte el miembro amputado y del otro quede un muñón de bordes limpios y perfectos. No hay peligro de hemorragia pues las ligaduras hechas de cáñamo chino —*canabis sinensis*— actúan de la misma manera que el collar hemostático de Lhomme[100]. Con todas estas ventajas los chinos hacen verdaderas carnicerías. Sus suplicios no tienen ni siquiera la nitidez y la perfección de tajo de nuestra guillotina. Esto se debe sobre todo al empleo de sierras como se puede ver en la fotografía. Un buen cirujano, en realidad, no las necesita jamás cuando se trata de hacer amputaciones en la coyuntura de las articulaciones. Si el empleo de una sierra es indispensable no hay ninguna mejor que mi propia sierra de cadenilla o la sierra filiforme flexible de Gigli para las pequeñas amputaciones —sobre las falanges, por ejemplo— o mi gran sierra de hoja móvil —una innovación verdaderamente revolucionaria en la historia del instrumental quirúrgico— para las grandes. Uno de los principios fundamentales de la cirugía —como de la fotografía— es la nitidez. Las sierras, a no ser que sean manipuladas a una rapidez extrema y en una sola dirección y no en ambos sentidos, producen desgarraduras, bordes irregulares de los cabos óseos que dificultan la sutura de los labios del muñón y, sobre todo, como siempre lo he dicho, producen lo que es el peor enemigo de un buen

---

[98] *facies:* término que se aplica a la superficie de cualquier tipo de órgano o estructura corporal; *tendón:* cordón que permite la inserción de los músculos en la estructura anatómica.

[99] *resección:* extirpación total o parcial de un órgano.

[100] *collar hemostático de Lhomme:* collar metálico compuesto de una larga venda de acero flexible y de una pieza maciza; su función es la de regular la hemostasia (detención de la salida de sangre durante una operación).

cirujano: rebaba de cartílago[101] y serrín óseo. Es preciso tener presente una cosa: con una cuchilla suficientemente afilada se puede cortar cualquier cosa. Con una cuchilla suficientemente bien afilada se puede cortar en dos, inclusive, otra cuchilla. El filo de la cuchilla hace la grandeza del cirujano. Dad a Vesalio[102] o a mi maestro, el gran Larrey, una cuchilla sin filo y os percataréis de que toda su habilidad no sirve para nada...

—Sí, pero es preciso, maestro, que nos describa usted ahora el procedimiento *fotográfico*...

—El procedimiento fotográfico tampoco presenta mucho interés. Ahora, sobre todo, es posible fotografiar cualquier cosa. Hasta en la oscuridad. En aquel entonces también era posible, aunque con mayor dificultad. Conocéis sin duda el retrato de Baudelaire hecho por Carjat[103] treinta y ocho años antes de la expedición a China. En mi caso todo fue cuestión de paciencia y de disponer las cosas con precisión, de calcular la exposición, de tener en cuenta todos los factores que intervenían en la operación, en el procesamiento de las placas. Sabéis sin duda que la temperatura atmosférica afecta, acrecentándola o disminuyéndola según sea el caso, la sensibilidad de las emulsiones hechas a base de nitrato de plata. El periódico inglés era el único que en aquellos lugares publicaba previsiones meteorológicas. Conseguí hacerme del ejemplar de aquel día así como de ejemplares de los días anteriores para calcular el promedio y así poder determinar la sensibilidad, si no exacta, sí segura de las placas de acuerdo con la temperatura. Tomé todas las disposiciones. Llegué al lugar indicado, coloqué mi aparato

---

[101] *rebaba de cartílago:* partículas salientes distribuidas irregularmente en los bordes del cartílago tras ser serrado.
[102] *Vesalio:* Andrés Vesalio (1514-1564), anatomista flamenco apasionado por las disecciones anatómicas. Fue profesor de Anatomía en Lovaina, Bolonia y Padua; en 1544 fue nombrado médico de Carlos V.
[103] *Carjat:* Etienne Carjat (1828-1906), caricaturista, escritor y editor francés; en el campo de la fotografía destacó como retratista por la calidad de los retratos que hizo a importantes personalidades de su época; de entre todos ellos el más famoso es el realizado al poeta simbolista francés Charles Baudelaire.

—una magnífica Pascal[104] de modelo muy reciente entonces, con un objetivo excelente—, encuadré pacientemente alejando a los curiosos que se mostraban interesados en mi aparato o que inadvertidamente se interponían entre éste y mi sujeto. «*Chandzai ipién*», gritaba con la cabeza cubierta por el paño de franela negra, «*Chandzai ipién...*»[105]. Los curiosos se hacían a un lado sumisos; después de todo nosotros éramos la fuerza de ocupación en una ciudad franca...

En el segundo descanso de la escalera Farabeuf volvió a depositar su maletín en el suelo y apoyado en el barandal se enjugó la frente perlada de sudor con un enorme pañuelo de seda y luego siguió subiendo jadeante.

Y tú, al detenerte bruscamente antes de llegar al reborde de aquella ventana, te volviste hacia la puerta. Tus ojos estaban inmensamente abiertos y tu boca también entreabierta, suspensa en el acto de hacer una pregunta; una pregunta acerca de la posible identidad de alguien. ¿O se trataba acaso de una frase, acompañada de un gesto de tu mano que señalaba, para llamar la atención hacia él, con el índice, un signo trazado sobre la humedad de los cristales?

La perilla de bronce de la cerradura giró lentamente. «¿Quién?», parecías estar diciendo cuando volviste apenas la cabeza hacia la puerta sin atreverte cabalmente a mirarla de frente. Farabeuf entró, pero no dijo nada. Su presencia allí se convirtió de pronto en un hecho sobreentendido. Con paso fatigado cruzó la estancia hasta llegar a la mesilla con cubierta de mármol; uno de sus pies, calzado con un botín anticuado, chocó inadvertidamente contra la base de hierro de la mesilla produciendo un ruido que se perdió luego en el fondo de la casa. Del borde de la cubierta de mármol colgó el paraguas

---

[104] *Pascal:* modelo de cámara fotográfica fabricada por primera vez en 1898, en Lyon (Francia); fue el primer aparato dotado de película flexible, de sistema de avance de película y de obturador mecánico.

[105] *chandzai ipién:* apártense, échense a un lado *(chand:* pararse; *zai:* en; *ipién:* un lado).

que goteando lentamente iba dejando manchas de agua en las páginas de los periódicos viejos extendidos sobre el *parquet* desde la puerta de entrada hasta el pasillo. Colocó después cuidadosamente el maletín sobre la cubierta de mármol... Sus manos parecían haberse hecho agilísimas en ese momento. Lo mirábamos de soslayo, pero pudimos ver cómo las articulaciones hinchadas de sus dedos artríticos adelgazaban, dándole una apariencia afilada y certera a las puntas entre las cuales iban surgiendo, uno a uno, los instrumentos que sacaba del fondo del maletín, retenidos suavemente, con la delicadeza con la que se manipula una flor rara o un insecto curioso traspasado por un alfiler. Las hirientes cuchillas, las tenacillas, los canalizadores, los espejos vaginales[106] relucían en aquella penumbra dorada, surcada apenas por los últimos rayos del sol. Todas aquellas filosísimas navajas y aquellos artilugios, investidos de una crueldad necesaria a la función a la que estaban destinados, adquirían una belleza dorada, como orfebrerías barrocas brillando en un ámbito de terciopelo negro, fastuosos como los joyeles de un príncipe oriental que se sirviera de ellos para provocar sensaciones voluptuosas en los cuerpos de sus concubinas, o para provocar torturas inefables en la carne anónima y tensa de un supliciado cuya existencia estaría determinada por el olvido tenaz, a lo largo de un milenio, de quienes un día habrían de contemplar, súbitamente, en un momento único, su imagen desvaída, estática y extática, congelada para siempre en una apariencia borrosa, en una fotografía manchada por el tiempo. Entre todos estos instrumentos Farabeuf eligió una enorme cuchilla cuyo filo acercó a sus ojos miopes para admirarlo ensimismado durante algunos instantes, depositándola luego sobre el mismo lienzo del que la había desenvuelto y que estaba colocado junto a los demás instrumentos que cada vez brillaban menos, conforme iba cayendo la noche. Farabeuf extrajo entonces un par de guantes de hule que dejó descuidadamente sobre la mesilla. Sacó luego un pequeño frasco azul que retuvo en la mano después de haberlo destapado. Con una voluta de algodón empapada en

---

[106] *espejo vaginal:* véase nota 7.

el líquido que contenía el frasco se limpió cuidadosamente las manos hasta las muñecas, operación que repitió sobre los guantes de hule una vez que se los había puesto. Éstos se adaptaban a sus manos afiladas con una tensión que les daba una apariencia siniestra, como si fueran las manos un cadáver. Alzadas en un gesto hierático y ritual, sosteniendo en la derecha el afiladísimo bisturí que había seleccionado, Farabeuf se dirigió hacia el pasillo, con la cuchilla en alto: un gesto religioso, inexplicable y como premonitorio de un crimen, dejando por donde iba un rastro de emanaciones de quirófano. Iba al encuentro de la Enfermera que lo aguardaba inmóvil en el fondo de aquel pozo de sombra, dispuesta a un sacrificio inconfesable. Al llegar ante ella Farabeuf inclinó la cabeza. Ella, que estaba vestida con su viejo uniforme blanco y tocada con la cofia de vuelos grises que apenas dejaba ver su cabellera lacia y rubia, sin levantar los ojos, se puso de pie y se dirigió hacia él, que, indicándole la manija de la cerradura con un gesto brusco de la cabeza, hizo que ella abriera la puerta pintada de blanco de ese cuarto y siguiéndola entró tras de ella. La puerta se cerró. Pasaron algunos instantes; un minuto nueve segundos. De pronto se oyó ese grito, su grito, un grito que hizo caer la noche definitivamente y que despejó el cielo. Como un rostro visto a través de la ventanilla de un tren en marcha, al producirse el grito de aquella mujer, tú pudiste ver, fugazmente, la amplitud magnífica de un cielo estrellado, y escuchaste, viniendo de la ventana que da sobre el jardín abandonado, con toda claridad, ¿no es así?, el tumbo acompasado de las olas, ¿recuerdas?

Capítulo IV

El olvido es más tenaz que la memoria.

Mire usted, ponga atención, es preciso que no olvide usted este delicado procedimiento. Es preciso que lo recuerde usted con todo detalle.

Tienes que concentrarte. Ésa es la regla del juego. Tienes que concentrarte para que ahora jamás lo olvides. Escucha bien esa música. Es preciso que la recuerdes. Es preciso que ese momento se fije en tu memoria. Es preciso que ahí, congelados, inmóviles, nos retengas para siempre como has retenido el rostro que viste aquella tarde, ¿recuerdas?

...Ahora recuerdo, no sé por qué, un paseo que tal vez nunca dimos, por un parque, a la orilla de un estanque, en una ciudad lluviosa que no conocemos. Las palomas, al volar, producían un silbido agudo que nos inquietaba, algo como el aviso de una catástrofe, el llamamiento hacia un espectáculo desquiciante...

Ha cruzado esta estancia; su cuerpo se distingue apenas en la sombra. Hay una mirada que desde el fondo del pasillo sigue su movimiento, intuido vagamente en la imagen que devuelve el espejo. Al llegar a la mesilla su pie roza la base de hierro de ésta en la que están figuradas las garras de un tigre que retienen una esfera y este golpe produce un ruido metálico que se fuga poco a poco hasta el fondo de la casa; un ruido que se olvida fácilmente. Nosotros mismos nos quedamos encerrados dentro de ese olvido hermético, infranqueable, y ella —la otra— nos mira reflejados en ese enorme espejo enmarcado en oro; nos mira a los dos que nos miramos a través del espejo y así nos comunicamos y nos tocamos con la mirada recordando ese rostro que también nos mira fijamente desde aquel día en que bajo la lluvia llegamos hasta la plazoleta en la que los verdugos se afanaban en torno al condenado, ahuyentando con voces ríspidas y entrecortadas a los perros que merodeaban en torno a la estaca ensangrentada. ¿Recuerdas? Desde aquel día no sabemos cuál es el sueño, no sabemos cuál es la imagen del espejo y sólo hay una realidad: la de esa pregunta que constantemente nos hacemos y que nunca nadie ni nada ha de contestarnos.

Cuando volvíamos a la casa después de haber estado en el farallón echaste a correr por la playa de pronto, alejándote de mí. ¿Por qué te detuviste tan cerca de las ruinas de aquel castillo de arena abandonado? ¿Por qué te detuviste allí sin darte cuenta de ello? ¿Por qué corriste? ¿Por qué cuando te detuviste allí, a unos cuantos pasos de la ruina de aquel castillo de arena derruido por la marea que avanzaba como una sombra imprecisa hacia nosotros y te volviste súbitamente hacia mí, eras otra? Eras ella que había presentido la presencia de aquellas llagas, de aquel organismo apenas contenido dentro del armazón del cuerpo humano y que nos aguardaba junto al lecho en el que tú —o tal vez ella— fue o fuiste mía, tanto que el sueño en el que nos tendimos exhaustos estaba como lleno de aquel suplicio, y esperábamos la aurora para escapar de aquellos instrumentos que nos amenazaban y que disolvían nuestro abrazo ante la mirada ávida de esos perros hambrientos y asustadizos que no pudimos fotografiar, ante la mirada de todas aquellas gentes que hablaban una lengua hecha de trinos y de aspiraciones amargas y veloces, en aquella pequeña plazoleta, apenas algo más que la intersección de dos calles, en la que el viento jugaba con los pedacitos de papel plateado; esas gentes vestidas extrañamente que nos miraban sin comprender nuestros afanes...

—Acaso fuera un sueño todo esto. Un sueño del que no despertaremos hasta que alguien, o algo, nos responda a esta pregunta que noche a noche nos hacemos: ¿de quién es este cuerpo que tanto amamos?

—¿Y si sólo fuéramos la imagen reflejada en un espejo?

—Entonces nada ni nadie podría jamás contestar esta pregunta.

Desde el fondo de aquel pasillo, sumida en la penumbra —la luz no ha cambiado: está cayendo la noche—, un olor a formol invade hasta el último resquicio de esta casa abandonada y ella sigue haciendo la misma pregunta tediosa. Farabeuf, cuando viene, la encuentra siempre en la misma actitud, con la ouija o las tres monedas ante ella, tocada con la misma cofia blanca que tiene unos vuelos de lana gris que ocultan su pelo lacio y rubio y que le caen por la espalda hasta más abajo de la cintura. Farabeuf goza de ciertos privilegios. Cuando viene, tiene el derecho a entrar en ese cuarto que a nosotros nos está vedado y cruza por el pasillo con las manos enfundadas en sus guantes de hule, levantadas y asépticas en un gesto ritual, sosteniendo apenas con las puntas de sus dedos los instrumentos que brillan violentamente cuando los tocan los últimos rayos del sol que se filtran a través de los desvaídos cortinajes de terciopelo. Ella, desde el fondo del pasillo, se pregunta la misma pregunta mientras nos mira reflejados turbiamente en ese espejo. El espejo apenas nos refleja.

¿Es que somos la imagen de una fotografía que alguien, bajo la lluvia, tomó en aquella plazoleta? ¿Somos acaso nada más que una imagen borrosa sobre un trozo de vidrio? ¿Ese cuerpo infinitamente amado por alguien que nos retiene en su memoria contra nuestra voluntad de ser olvidados?

¿Somos el recuerdo de alguien que nos está olvidando?

¿O somos tal vez una mentira?

Es preciso desechar la presunción de que somos, tú y yo, una mentira que uno, en un país remoto, bajo la copa de un árbol, cuenta a otro (dos personas que no pueden más que aparecer lejanas a quien las imagina). Sí, es preciso desechar esa hipótesis porque al pasar ante mí han ocurrido dos hechos que demuestran nuestra existencia: en primer lugar, ese espejo que pende desde hace muchos años, desde aquella tarde lluviosa en que los hombres supliciaron el cuerpo, pero no los sentidos (porque le habían administrado previamente una fuerte dosis de *iapiann*[107], «rebanada de cuervo», como dice Farabeuf) del magnicida; ese espejo que pende ante nuestros ojos, cuando pasabas frente a mí reflejó tu imagen y la difundió y la dispersó hasta el fondo del pasillo y ella, que aguardaba siempre la respuesta a una pregunta en el fondo de ese pasillo, pudo ver tu cuerpo cruzar esa superficie estéril de luz, justo en el momento en que a fuerza de concentrarse balbució en voz muy baja esa pregunta. Ese espejo que nada hubiera reflejado jamás sino tu rostro para que yo lo hubiera visto furtivamente, para que Farabeuf lo vislumbrara al pasar y adivinara tu calavera detrás de tu mirada y se hiciera un esquema frenológico[108] de tu cráneo surcado de extrañas líneas punteadas, anotado de inquietantes topografías, estudiado minuciosamente, al fin, sobre una plancha de mármol embebida de sangre a medio coagular en uno de los sótanos de la Rue Visconti en donde lo hubiera dejado olvidado para salir caminando lentamente hasta llegar, siguiendo el Boulevard Saint Germain[109], deteniéndose ante los aparadores de las casas que venden instrumentos de cirugía, al Carrefour, en donde hubiera dado vuelta a la derecha para tomar la rue de l'Odéon y llegar hasta el número 3 de esa calle, ante la casa donde tu cuerpo se me abrió sin dejar rastro —sí, ese cuerpo que ahora va dejando como una larga huella sobre la superficie del espejo que pende en un muro surcado de escarabajos, sobre ese espejo que es como un universo angustioso e im-

---

[107] *iapiann (rebanada de cuervo):* véase nota 59.
[108] *esquema frenológico:* estudio de la forma craneana, la cual, según la frenología, podría determinar las facultades mentales del ser humano.
[109] *Rue Visconti, Boulevard Saint Germain:* calles de París, en el barrio de Saint Germain des Prés, uno de los más clásicos de la capital francesa, situado junto al Barrio Latino.

penetrable dentro del que tal vez vivimos, dentro del que quizá viviremos para siempre dentro de la muerte que hemos construido pacientemente a lo largo de todos los años que han transcurrido desde que él fue supliciado en Pekín. En segundo lugar, porque al pasar junto a mí al atravesar aquel salón enorme para dirigirte hacia la ventana ante la cual te has detenido, tu mano, pequeña y torpe —una mano incapaz de manipular con habilidad el complicado amigdalotomo de Chassaignac y sin fuerza tampoco para accionar las palancas del gigantesco osteoclasto[110]—, una mano que sólo serviría para hacer heridas diminutas, vampíricas, me ha tocado, ha rozado mi mano y, sin querer, como quien apresa una mariposa nocturna inadvertidamente, la retuve en mi mano durante un segundo y la sensación que me produjo era tan real como ese suplicio que todos esperamos contemplar, tan real como ese cuerpo presentido que hubiéramos amado infinitamente o que tal vez hemos amado infinitamente sin darnos cuenta, inadvertidamente, como quien apresa en la noche una falena. A no ser que tú seas ella, la otra.

Sí, la experiencia de entonces era una sucesión de instantes congelados. ¿Quién congeló esos instantes? ¿En qué mente hemos quedado fijos para siempre? Empiezo a recordar algo de todo aquello y es como si todo lo que hubiera estado contenido se vaciara hacia el mundo. Alguien, una mujer vestida con un anticuado uniforme de enfermera, está sentada ante mí, en el umbral de una puerta y mira atentamente algo que pasa frente a ella. ¿Quién es ella? ¿Qué es lo que está pasando? ¿A quién mira? Soy yo que estoy sentada en el umbral de una puerta. En medio de todo esto hay un espejo enorme con un marco dorado y una mirada inexplicable —tal vez mi propia mirada—, una mirada turbadora que acecha desde el quicio sin comprender el verdadero significado de esta escena. Sin saber ni siquiera si esa mirada es el reflejo de mi propia mirada en el espejo.

---

[110] *amigdalotomo:* aparato médico que sirve para seccionar y extirpar las amígdalas; *osteoclasto:* instrumento utilizado para la fractura quirúrgica de un hueso con la máxima precisión.

Es necesario consultar a Farabeuf acerca de todo esto. Él podrá, sin duda, esclarecer este misterio. Su larga práctica en el esclarecimiento de cuestiones confusas será indudablemente de inestimable valor para nosotros en estas circunstancias.

Doctor Farabeuf, tenemos entendido que el 29 de enero de 1901 se encontraba usted en Pekín. ¿Podría hacernos algunas precisiones acerca de este hecho?...

Habrías de correr hacia aquella ventana que nunca nadie hubiera abierto. Hubieras pasado a mi lado agitada, temblorosa, corriendo hacia el otro extremo del salón y al llegar hasta allí te hubieras detenido bruscamente antes de llegar al reborde carcomido por la lama[111] y por la lluvia, sin osar mirar a través de aquella vidriera turbia. Te hubieras quedado congelada porque de pronto, en tu mente, la primera sílaba de un nombre se hubiera concretado fugazmente y por retenerla hubieras cerrado los ojos y hubieras alzado tus manos para contener el latido de tus sienes agitadas ante la posibilidad de recordar un recuerdo perdido, un recuerdo que creías perdido para siempre, y hubieras balbucido esa sílaba informe, o una sucesión de sílabas apenas perceptibles sin que ninguna de ellas fuera la que había acudido a tu mente, y sin darte cuenta hubieras cruzado toda aquella angustiosa superficie y perdiéndote en el borde dorado hubieras escapado hacia ese futuro en el que ahora ya te veo a punto de abrir una ventana al tiempo que dices en voz baja unas sílabas presurosas que nada significan aquí, ahora, pero que tal vez, si te concentras, si sigues todas las instrucciones que rigen el desarrollo de este juego, comprenderás con toda claridad, en el momento preciso en que mueras.

—Será preciso entonces morir para poder recordarlo...

—Sería preciso morir para recordar, primero, la pregunta que has olvidado y luego proferirla nuevamente, por boca de otro o de otra, desde el fondo de ese pasillo desde el que ya fue

---

[111] *lama:* cieno blando y pegajoso producto de la humedad.

proferida la pregunta olvidada, y entonces esperar nuevamente a obtener la respuesta tratando de no olvidar la pregunta olvidada.

Señoras y señores, trataré de ser lo más conciso que me sea posible, aunque las circunstancias dentro de las que se plantean las posibilidades que permitirían explicar el verdadero significado de este hecho imaginario son bastante complicadas a más de imprecisas...

Te has quedado mirando fijamente ese cuadro. Tratas de comprender su significado más allá de la concreción escueta que le ha dado el pintor. Es un cuadro que encierra un misterio. Muchos, antes que tú, han especulado en torno a esta alegoría sin acertar a comprenderla. Entre todos los elementos que la componen dos son particularmente inquietantes: el niño que aparece en el centro de la composición, apoyado en el borde de la fuente en una actitud como si estuviera tratando de alcanzar algo que se encuentra en el fondo, y una escena mitológica, representada como un relieve esculpido del lado derecho de la fuente o sarcófago, justo debajo del borde en que se apoya la mujer desnuda. Esta escena escultórica que recuerda los pequeños trabajos de Pietro Lombardo[112] que se conservan en Venecia, representa de una manera ambigua una escena de flagelación ritual o erótica. Un fauno, con el brazo izquierdo en alto, está a punto de azotar con una rama a una ninfa que yace tendida a su lado, recostada en una postura que recuerda con bastante precisión al hermafrodita de la Villa Borghese[113]. La factura sumaria de este pequeño detalle dentro del cuadro daría pie, sin embargo, a suponer que se

---

[112] *Pietro Lombardo:* escultor y arquitecto (1435-1515) que desarrolló su obra en la Venecia de la segunda mitad del siglo XV. Los sepulcros del dux Pascual Malipiero, del dux Nicolás Marcello y, sobre todo, el del dux Mocenigo son algunas de sus obras más importantes que aún se conservan en Venecia.

[113] *Villa Borghese:* parque de Roma de gran extensión que, junto con la Galería Borghese, conforma uno de los más famosos museos de la actualidad. Fue creado a comienzos del siglo XVII por el cardenal Scipione Caffarelli Borghese. La escultura de este museo a la que se refiere el texto es probablemente *Sátiro danzante,* obra griega del siglo III.

trata de una escena de combate mitológico con carácter meramente ornamental y que el significado trascendental de la alegoría debe buscarse más bien en los cánones geométricos y matemáticos que rigen la composición *interiormente*. La aplicación de estos métodos, desgraciadamente, nos es imposible, sobre todo en esta penumbra...

—Señoras y señores... —dijo Farabeuf una vez que había logrado desposeerse de los guantes de hule. Su bata estaba manchada con excrecencias mortuorias. —Señoras y señores... —dijo bajo aquella bóveda enorme decorada con las figuras de bellísimas mujeres mitológicas pintadas por la mano admirable de Puvis de Chavannes. —Señoras y señores... —dijo mientras iba envolviendo cada uno de sus complicados y afiladísimos instrumentos en los pequeños lienzos de lino, preparados especialmente para este fin por la laboriosidad de su concubina, la llamada Mme. Farabeuf, con las sábanas viejas sobre las que Farabeuf, que entonces era un personaje oscuro, frecuentador de ciertos círculos reaccionarios, había practicado en el cuerpo de la dicha Mélanie la intervención quirúrgica llamada acto carnal o *coito*. —Señoras y señores... —dijo Farabeuf antes de disponerse a guardar cuidadosamente los atadillos de lienzo de lino que contenían, cada uno, uno de sus curiosos y complicados instrumentos, en el maletín de cuero negro que le había sido obsequiado el día en que obtuvo, con muchas menciones laudatorias, el diploma. —Señoras y señores... —dijo cerrando al fin el maletín.

—Hubieras querido regalárteme muerta, ¿no es así?
—Sí, hubiera querido regalárteme muerta. Con ello hubiera podido conocer la respuesta a aquella pregunta. Desde el fondo de aquel pasillo ella, sin embargo, parecía estar velando la quietud de un cadáver. Su interrogación era como un rito mortuorio. La lentitud con que se deslizaba la pequeña tabla sobre la ouija contribuía, sin duda, a crear esta impresión. Era un cadáver admirable en su quietud. Su inmovilidad era más que la inmovilidad de un cadáver. Era más bien como la fotografía de un cadáver, una fotografía como la que me mostraste...

174

—Recuerdo la hora exacta en que te mostré la fotografía porque a partir de aquel momento tu mirada ha cambiado y ella o tú se ha vuelto un rostro impreciso, inidentificable, esperando para siempre, fijo en esa tabla mágica ante la cual está o estás sentada, la respuesta a una pregunta que ha sido olvidada.

—Señoras y señores... —dijo—, hemos obtenido una respuesta...

—...hemos recordado la respuesta a una pregunta que hemos olvidado —dijo al llegar, apoyando su cuerpo en el marco de la puerta y dejando caer el maletín de cuero negro a sus pies.

Apoyaste la cabeza en el marco de aquella puerta pintada de blanco. Esto es un dato preciso, mas hubiera hecho falta escuchar ahora los mismos sonidos: el tumbo de las olas o la música que venía del gramófono, para poder precisar con exactitud la expresión de tu rostro, entregado ya a la muerte y en posesión de esa respuesta que nos hubiera salvado...

—Deberá usted hacer, entre otras muchas, las siguientes preguntas:

1) Si es que somos tan sólo la imagen en un espejo, ¿cuál es la naturaleza exacta de los seres cuyo reflejo somos?

2) Si es que somos la imagen en un espejo, ¿podemos cobrar vida matándonos?

3) ¿Es posible que podamos procrear nuevos seres autónomos, independientes de los seres cuyo reflejo somos, si es que somos la imagen en un espejo, mediante la operación quirúrgica llamada acto carnal o *coito?*

Alguien ha señalado la posibilidad de que seamos una realidad inquietante: la de que seamos nada más que las imágenes de una película cinematográfica. En tal caso, para recordarlo con precisión, haría falta la misma música, los mismos ruidos.

Estas imágenes casi siempre van acompañadas de música cuando los personajes no hablan, cuando sólo es dado contemplar sus rostros insistentemente en esa oscuridad aparentemente silenciosa, pero que, sin embargo, está llena de rumores y del sonido que hacen los cuerpos en la quietud. Hubiera sido preciso escuchar exactamente la misma música, exactamente la misma...

Has estado tratando de imaginar aquel otro instante que precedió a tu llegada. ¿Pretendes acaso hacer caber un instante dentro de otro? Has formulado algunas conjeturas tales como la que se refiere al hecho de que, en cuanto la mujer oyó pasos en la escalera, se detuvo de espaldas ante la puerta, de tal manera que llegado el momento en que Farabeuf o el hombre entrara en el salón, éste no pudiera ver su rostro y sufriera con ello una confusión momentánea respecto a la identidad de ella. Pero para reconstruir la música que se escuchaba en aquel momento viniendo del tocadiscos que se encuentra situado entre las dos ventanas es necesario ahora formular otra hipótesis. Puede pensarse entonces que, con anterioridad a la llegada del visitante, la mujer había colocado un disco en el aparato. Resta entonces saber cuál era este disco, pues para reconstruir con toda exactitud ese momento es necesario escuchar, aunque sea en la memoria, exactamente la misma música. ¿Tratábase acaso de esa composición musical, para violín y piano, en que el compositor ha intentado describir de una manera bastante gráfica, insistente y pormenorizada, los diferentes aspectos mecánicos, la respiración jadeante, el desmayo patético que siempre acompaña el desarrollo de esa intervención quirúrgica que el hombre realiza en el cuerpo de la mujer y que llaman el acto carnal o *coito?* ¿Con qué fin se escucha esta música entonces?

Habéis hecho una pregunta: «¿Es que somos acaso una mentira?», decís. Esta posibilidad os turba, pero es preciso que os avengáis a pertenecer a cualquiera de las partes de un esquema irrealizado. Podríais ser, por ejemplo, los personajes de un relato literario del género fantástico que de pronto han cobrado vida autónoma. Podríamos, por otra parte, ser la conjunción de sueños que están siendo soñados por seres diversos en diferentes lugares del mundo. Somos el sueño de otro. ¿Por qué no? O una mentira. O somos la concreción, en términos humanos, de una partida de ajedrez cerrada en tablas. Somos una película cinematográfica, una película cinematográfica que dura apenas un instante. O la imagen de otros, que no somos nosotros, en un espejo. Somos el pensamiento de un demente. Alguno de nosotros es real y los demás somos su alucinación. Esto también es posible. Somos una errata que ha pasado inadvertida y que hace confuso un texto por lo demás muy claro; el trastocamiento de las líneas de un texto que nos hace cobrar vida de esta manera prodigiosa; o un texto que por estar reflejado en un espejo cobra un sentido totalmente diferente del que en realidad tiene. Somos una premonición; la imagen que se forma en la mente de alguien mucho antes de que los acontecimientos mediante los cuales nosotros participamos en su vida tengan lugar; un hecho fortuito que aún no se realiza, que apenas se está gestando en los resquicios del tiempo; un hecho futuro que aún no acontece. Somos un signo incomprensible trazado sobre un vidrio empañado en una tarde de lluvia. Somos el recuerdo, casi perdido, de un hecho remoto. Somos seres y cosas invocados mediante una fórmula de nigromancia[114]. Somos algo que ha sido olvidado. Somos una acumulación de palabras; un hecho consignado mediante una escritura ilegible; un testimonio que nadie escucha. Somos parte de un espectáculo de magia recreativa. Una cuenta errada. Somos la imagen fugaz e involuntaria que cruza la mente de los amantes cuando se encuentran, en el instante en que se gozan, en el momento en que mueren. Somos un pensamiento secreto...

¿O es que somos acaso *esa* carta encontrada por casualidad entre las páginas de un viejo libro de medicina?

Sin embargo, al dirigirte hacia aquella ventana pasaste frente a la mesilla de mármol y la punta de tu pie topó contra la base de hierro de aquel mueble en el que él había deposita-

---

[114] *nigromancia:* arte de evocar a los muertos para, a través de ellos, adivinar el futuro o algún otro secreto.

do una bandeja con algodones ensangrentados, produciendo un ruido, metálico y pétreo a la vez, que se coló en la
casa como un fantasma presuroso, llegando hasta el confín
de aquel pasillo en el que ella, sentada frente a una mesa,
junto a la puerta pintada de blanco, velaba el sueño de aquel
que tal vez yacía exangüe sobre la cama, esperando esa
noche definitiva de la anestesia que Farabeuf le aplicaría con
aquella jeringuilla que nos había mostrado orgullosamente,
¿recuerdas?

Yo no recuerdo más que el rostro de un asesino... Y cuando
de pronto nos quedamos quietos somos como cadáveres reflejados en un espejo, porque los espejos duplican la quietud
de la quietud.

A pesar de lo que podáis pensar en contra, existe, con una realidad tangible y abrumadora, la siguiente versión de vuestro
emploi du temps aquel día:
    El día 29 de enero de 1901 habéis dado un paseo por los al-
rededores del Templo de los Antepasados situado cerca de la
puerta Wu Men de la Ciudad Prohibida, después os dirigisteis
hacia los Jardines Imperiales y os detuvisteis cerca del Nan Jai
desde donde estuvisteis observando las evoluciones de un re-
gimiento de fusileros galeses que escalaba el muro de la Ciudad Prohibida. Más tarde os dirigisteis hacia el Pabellón de
los Cinco Dragones[115], situado al norte de los Jardines Imperiales, allí encontrasteis tirado en el suelo un ejemplar del
North China Daily News en el que habéis podido leer, en la página de las notificaciones diversas, un decreto del Emperador
que ahora es parcialmente ilegible por estar manchada la página con la humedad y el moho de los años que han transcurrido desde entonces:

---

[115] *Templo de los Antepasados, puerta Wu Men, Jardines Imperiales, Nan Jai, Pabellón de los Cinco Dragones:* monumentos y recintos de la Ciudad Prohibida de
Pekín, parte de la Ciudad Imperial. Esta zona contenía los palacios imperiales
y era dominio reservado en exclusiva al emperador y a su corte. Fue comenza-
da en 1406 y reconstruida entre los siglos XVII y XIX; en la actualidad constituye un enorme museo.

Los Príncipes Mongoles exigen que el .... li, culpable de homici-
dio en la persona del Príncipe Ao Han Wan, sea ...... vivo, pero el
Emperador considerando ...., conde-
na, en su .... misericordia, a Fú .... muerte .... lenta ... por
el procedimiento del ....T'ché. ¡Cúmplase[116]*!*

El redactor de la nota agregaba que la ejecución de esta sen-
tencia tendría lugar esa misma tarde, en público, en la plazoleta situada frente al *ha'ang*[117] de la sucursal de Pekín de la firma *Jardine Matheson and Co.*, en el barrio chino de la ciudad.
En un tono festivo se invitaba a los residentes europeos a presenciar este suplicio que databa de la ascensión de la dinastía
manchú al trono del Celeste Imperio[118] en el siglo dieciocho
y que ya no se aplicaba con frecuencia.

Ella, sentada en ese umbral, mira fijamente a Farabeuf mientras éste explica verbalmente el primer tiempo de la operación
para efectuar la amputación del brazo en el hombro según el
método de Larrey. La otra, la Enfermera como la llaman ellos,
ha corrido hacia la ventana —¿quién lo hubiera dicho?— con
su cabellera rubia flotando, incendiada por los últimos rayos
del crepúsculo que se filtran a través de los desvaídos cortinajes de terciopelo, incendiada en sus oros ante el espejo enorme que no la refleja —¿por qué?—. Sí, ante ese cuadro que
representa una alegoría equívoca en la que ella, en cierto
modo, está representada. Ha corrido hacia la ventana por ver
si aún podía desentrañar el misterio de aquel signo escrito torpemente con la punta del dedo sobre el vaho de los cristales
de la ventana y al pasar frente a la mesilla en la que un antiguo inquilino dejó olvidado un pequeño libro, ilustrado con
grabados cruentos, su pie roza inadvertidamente la base de

---

[116] *Los Príncipes Mongoles...*: se refiere a la dinastía manchú, de origen mongol; el texto cortado es el edicto, publicado en el *Ch'eng pao*, donde se anuncia la condena a muerte del magnicida Fu Tchu Ki mediante el método del
leng-tch'é —véase nota 61.
[117] *ha'ang:* literalmente, línea o borde del mar; al mencionar el *ha'ang* de la
compañía inglesa Jardine Matheson & Co, posiblemente se esté refiriendo a
la parte de la orilla marítima ocupada por el muelle de esta compañía.
[118] *Celeste Imperio:* imperio chino, al emperador se le denominaba *Hijo del
Cielo.*

hierro de esta mesilla formada por herrajes que representan garras de grifos[119] o de tigres mitológicos que sostienen entre las afiladas zarpas unas esferas. El ruido metálico que produce este accidente mínimo se proyecta y se prolonga hasta el fondo del pasillo. La otra, vestida con un demodado uniforme de enfermera, se distrae de su juego. Abandona durante algunos instantes al olvido esa pregunta que ha estado haciendo ante los símbolos de la tabla mágica, ante las páginas de un libro difícil de entender. No llega, sin embargo, hasta el gastado alféizar de la ventana. Mira, sin discernir su forma con precisión, los líquenes que corroen la piedra. Invoca el recuerdo de unas palomas que otrora se posaron en ese reborde manchado de salitre. Cierra los ojos y siente un estremecimiento; contrae los dedos apuñando la mano. Siente que va a desvanecerse ante el terror de la imagen que cruza por sus ojos cerrados: un rostro de hombre joven cuyos ojos están siendo devorados por unas babosas que van dejando la huella de su baba sobre ese rostro tumefacto, extático. Reconoce en ese momento, en la reiteración del gramófono, el arrullo de unas palomas y quisiera gritar, pero se sobrepone. Abre los ojos y vislumbra la forma de un hombre vestido de negro detrás de los cristales, aspira en la memoria la fragancia del boj bajo la lluvia. Lo presiente en el recuerdo que sólo es confuso en ella. ¡Si tan sólo pudiera arrancar una ramita y frotarla entre las yemas de sus dedos para exacerbar el olor de esa yerba! Pero no; hay algo que la retiene. Busca en el último fondo de sí misma. Teme manchar el blanquísimo delantal con el contacto de aquellas piedras. Se olvida entonces de sí. «¿Quiénes somos?», pregunta sin decir las palabras mientras que otra voz, rota, estriada por la ausencia, repite al infinito siempre la misma frase; una frase sin sentido y sin sabiduría: *À l'hôtel du numéro trois... à l'hôtel du numéro trois...*[120]», sin que nadie acierte a detener esa profusión de palabras que ya nada dicen. Recuerda de pronto y se detiene bruscamente. Cree recordar algo de

---

[119] *grifo:* animal fantástico alado con cuerpo de león y cabeza de pájaro.

[120] *à l'hôtel du numéro trois:* «al edificio número tres»; no debe olvidarse que la escena tiene lugar en el número 3 de la calle Odéon, en París.

todo lo que había olvidado; una mínima parte de todo lo que había olvidado e instantes después de que se ha congelado esa carrera emprendida al azar, se vuelve hacia mí como si estuviera diciendo: —Mira, un carácter chino —y señala hacia la ventana en la que la mirada de Farabeuf se ha quedado grabada como un garabato siniestro. Al volverse ella es la otra. Sonríe y dice:

—He recordado el clatro...

Capítulo V

¿Acaso lo habremos soñado? Aquella escena equívoca en la que aparecía un hombre joven cuya mirada extática parecía posarse, casi sonriente, en un punto infinito mientras nosotros nos afanábamos, a pesar de la gran fatiga, en torno a aquel lecho blanquísimo, estriado a veces por las pequeñas líneas crueles que formaban unas gotas de sangre diminutas, caídas sobre esas sábanas como las primeras gotas de la lluvia. Y ese cuerpo inquietante, esa carne abierta hacia la vida como un fruto inmenso y misterioso que parecía haber traspuesto todos los umbrales del dolor y que nosotros contemplábamos como se contempla el curso de una estrella, o la manifestación de un portento o la realización de un milagro. Un sopor hipnótico nos iba invadiendo mientras veíamos aquella visión tenebrosa y bellísima sin saber qué decir, mientras afuera caía la lluvia y una mosca, exacerbada en su agonía por las emanaciones del formol, golpeaba desesperadamente contra los vidrios empañados de una ventana a través de la que veíamos la silueta imprecisa de Farabeuf alejarse vacilante bajo la lluvia, resguardado con su paraguas inútil, enfundado en su viejo abrigo oscuro, cargando un maletín de cuero negro. La mosca golpea insistentemente contra aquellos vidrios, luego revolotea por la alcoba, gira precipitadamente en torno a la lamparilla, se posa momentáneamente en esas llagas impregnadas de ácido crómico, se envenena más y más en la disolución de aquel cuerpo fascinante y luego huye zumbando hasta morir junto a los flecos del cortinaje desvaído de terciopelo. Nosotros, inmóviles, suspendidos en la contemplación

183

de esa carroña bellísima, de ese rostro maravillado y cruel, paralizados en ese paroxismo interminable de grito contenido, muertos tal vez en la visión de esa carne irresistible y maldita, olvidamos la apremiante necesidad de salir de allí, de crear una soledad en torno a esa muerte sorprendida y congelada para siempre por la acuciosidad de Farabeuf, mientras ella, la otra, nos mira fijamente desde el quicio de esa puerta situada en el fondo del pasillo, ávida de un testimonio más tangible de nuestra presencia que el que otorga borrosamente la superficie del espejo. Es preciso —piensa— que seamos reales, para disipar el temor que le provoca esta fantasía que Farabeuf ha creado con nuestros deseos más ocultos. Es preciso un sacrificio infinito para escapar de esta muerte que nos mira de frente desde ese rostro tumefacto y alerta, desde ese rostro en el que se retrata la muerte como en un espejo; desde ese rostro que es la materialización de nuestro deseo. Ausentes como estábamos de todo lo que nos rodeaba, en la contemplación de ese rostro apasionante, no nos dimos cuenta de que había pasado la noche, de que había llegado hasta nosotros, disfrazada con la tibieza del deseo consumado y con la luz del alba, la muerte.

«Y entonces él la tomó en sus brazos.»

(Él se incorporó. —Un día, quizá —dijo—, recordaremos este momento por el zumbido de una mosca. —Ella, mientras tanto, pensaba: «Y me abandonaré a su abrazo y le abriré mi cuerpo para que él penetre en mí como el puñal del asesino penetra en el corazón de un príncipe legendario y magnífico...»)

Es preciso hacer un esfuerzo. Debes tratar de recordarlo todo, desde el principio. El más mínimo incidente puede tener una importancia capital. El indicio más insignificante puede llevarnos al descubrimiento de un hecho fundamental. Es preciso que hagas un inventario pormenorizado, exhaustivo, de todos los objetos, de todas las sensaciones, de todas las emociones que han concurrido a esto que tal vez es un sueño. Debes recordar todas las circunstancias, aunque sea de una manera esquemática, dentro de las que se ha suscitado nuestro contacto. Es preciso, inclusive, recordar la hora del día, las condiciones atmosféricas. Una por una, haz el recuento de las visiones hasta que seas capaz de reconocer el verdadero significado de esa imagen absoluta que yo, aquella noche, te mostré y que te hizo desfallecer. Es preciso recordarlo todo, absolutamente todo, sin omitir absolutamente nada, pues todo puede tener una importancia capital, inclusive aquella mosca agónica que golpeaba insistentemente el cristal de una de las ventanas que daban hacia la calle sobre el jardincillo y a través de la cual podíamos ver a Farabeuf cuando llegaba o cuando se alejaba bajo la lluvia, caminando con dificultad, cargando su maletín de cuero negro. No lo olvides. Todo puede contribuir a darnos la clave de este misterio.

¡Cómo hubiera podido olvidarlo! Ella estaba sentada, tensamente incorporada al reluciente acero de aquella mesa de ginecólogo. Su cabeza fija en el cabezal pulido que le cruzaba la frente con las pequeñas llaves de presión en las sienes. Se había tomado la precaución de separar sus largas piernas, tostadas por el sol de aquel veraneo junto al mar, suavemente como quien separa las valvas[121] de una ostra para contemplar las convulsiones lentas, voluptuosas de la vida en el interior. En torno a sus tobillos había ajustado las bandas metálicas recubiertas de fieltro. Sus muñecas estaban atadas al armazón de la mesa de operaciones por unos lienzos de lino, preparados quizá con los restos de las sábanas en que Farabeuf había consumado el acto llamado carnal o *coito* con «Mme. Farabeuf». Fijo aquel rostro retenido dentro del cabezal de acero inoxidable sólo los ojos eran capaces de seguir aquella imagen sangrienta tenida en sus manos temblorosas y ávidas del cuerpo de ella que se aproximaban al rostro poniendo ante sus ojos, tenidos abiertos por dos relucientes blefarostatos[122] de Collin, aquella imagen cuya visión era ineluctable y que iba sombreando su semblante con aquella proximidad aterra-

---

[121] *valva:* concha de molusco.
[122] *blefarostato:* instrumento empleado en intervenciones quirúrgicas para sujetar los párpados.

dora mientras afuera el tumbo de las olas asemejaba el acompasado golpe de sangre que brota intermitente de las gigantescas incisiones que con tanta maestría sabe hacer Farabeuf al practicar sus originales vivisecciones[123].

¿Recuerdas?... ¿Recuerdas aquella emoción llena de sangre? ¿Recuerdas aquel rostro en el paroxismo de cuya visión tu cuerpo se hizo mío?

—Mira —le dijo, mostrándole aquel cuerpo desgarrado—. Lo sé todo porque lo pude ver a través de ese espejo que era como un testigo de todos nuestros actos. El mar era una mentira garrafal.

Estábamos en tierra adentro. Hubiera resultado demasiado absurdo.
    —Pero entonces, ¿los pelícanos? ¿y aquel niño que construía un castillo de arena en la playa? ¿y la mujer vestida de negro seguida de un *caniche*...?
    —Se trata, en ello, o bien de la materialización de nuestro deseo, o bien de un truco de Farabeuf...
    —¿Y el amor... ese hecho contundente, preciso, demostrable?...
    —Se pierde en el olvido como ese mar que sólo por estar hecho de olvido puede ser recordado...

Es preciso evocarlo todo. Es necesario que tu recuerdo se inicie a partir del momento en que esa mosca golpeó por primera vez el mismo cristal en que tu dedo, había trazado, inconscientemente, un ideograma[124] chino.

—¿Recuerdas aquellas páginas manchadas y amarillentas de un diario, esparcidas por el suelo, formando un camino desde la puerta de entrada hasta el pasillo?

---

[123] *vivisección:* disección anatómica realizada sobre un ser vivo.
[124] *ideograma:* signo de una escritura ideográfica, en la cual los signos representan ideas y no sonidos, como en el caso de la escritura fonética. La escritura china es la más extendida de las escrituras ideográficas.

186

—Sí, las recuerdo con toda precisión; eran de un ejemplar del *North China Daily News* del 29 de enero de 1901. Tal vez habían pertenecido a Farabeuf.

El hecho es que aquella tarde nos encontrábamos allí, en esa casa enorme, abandonada. Afuera llovía. Acabábamos de regresar de hacer algo terrible, de cometer un acto innombrable. Ésa era la sensación que animaba nuestra angustia en aquellos momentos. Estoy segura de que acabábamos de contemplar una visión que nos hacía mantenernos en silencio. Ella había tomado un periódico viejo y había extendido las planas manchadas e ilegibles por el piso desde la puerta de entrada hasta el pasillo y luego, sentada en la penumbra de aquel pasadizo bordeado de puertas que nunca habíamos abierto, esperaba la llegada de Farabeuf, vestida de blanco, con ese anticuado uniforme de enfermera que solía ponerse cada vez que aquel hombre afable y tenebroso la visitaba. Sentada en aquella penumbra que sólo rompía un haz de luz polvorienta que se filtraba a través de los desvaídos cortinajes de terciopelo, acechaba los lentos movimientos de sus manos afiladas que se deslizaban casi imperceptiblemente sobre la superficie mágica cubierta de letras y de números. Mentalmente había preguntado: «¿De quién es ese cuerpo que hubiéramos amado infinitamente?», y en silencio aguardaba la respuesta a aquella pregunta. En la quietud de la estancia nosotros escuchábamos el chirrido de aquellas tablas que se movían, que se deslizaban unas contra otras impulsadas por una inquietud que a toda costa quería conocer la identidad de algo o alguien a quien nosotros habíamos introducido en aquella casa, alguien o algo sangriento a cuyo paso ella había dispuesto aquellos periódicos en el piso, desde la puerta de entrada hasta el pasillo, y que después de nuestra llegada, en un momento que ignoramos, se habían manchado, haciendo los textos ilegibles. Esperábamos la llegada de Farabeuf y en el silencio de aquella estancia en la que apenas se discernían los objetos en la luz que en haces se filtraba por los gruesos y desvaídos cortinajes de terciopelo, veíamos flotar el polvo. De pronto comenzó a llover nuevamente. Escuchábamos claramente a través de la ventana el ruido de la lluvia que se abatía sobre aquella calle siempre desierta, sobre aquel jardín abandonado, sobre aquella casa cuya arquitectura corroída por los años era como un hospital o como una *morgue* y pensábamos que aquella lluvia intempestiva retardaría la llegada de Farabeuf. Hubo ciertos hechos significativos, sin embargo, que se realizaron en aquel lapso que medió entre nuestra llegada y la llegada de Farabeuf. Alguien —no recuerdo si fue ella o si fui yo— puso un disco en el gramófono. Alguien, no recuerdo quién, corrió hacia la ventana y se detuvo bruscamente antes de llegar al reborde creyendo haber recordado la primera sílaba de un nombre olvidado, sílaba que fue balbucida en repetidas ocasiones sin que en ninguna de ellas tuviera un significado preciso. Dos de nosotros, un hombre y una mujer, fueron reflejados simultáneamente en un enorme espejo de marco dorado que pendía del muro frente al pasillo y que permitía a otra persona ver, desde el fondo del pasillo en el que había proferido una pregunta, lo que pasaba en la estancia. En el momento en que esa imagen, reflejo de dos seres reales, un hombre y una mujer, enamorados tal vez, se produjo en la superficie manchada del espejo, alguien —el hombre quizá— preguntó de viva voz: «¿Qué significa todo esto?» Es preciso señalar el hecho de que la persona que atravesó aquella estancia para dirigirse a la ventana y que se detuvo antes de llegar al alféizar produjo en su trayecto dos fenómenos sensibles, uno de orden auditivo y otro de orden táctil. El primero fue un ruido producido por el efecto de que al correr hacia la ventana mi pie golpeó la base de hierro de la mesilla con cubierta de mármol, adosada al muro que hace ángulo con el muro en que se abren las ventanas que dan a la calle, es decir frente al enorme espejo. Este ruido metálico, producido con frecuencia por las personas que cruzan la estancia para dirigirse a la ventana, se perdió, con sus ecos, en la casa, distrayendo momentáneamente a la Enfermera en su interrogación de la ouija. Simultáneamente a este fenómeno de orden auditivo se produjo otro que corresponde, en el tiempo, al momento en que la Enfermera pudo ver reflejada la imagen de un hombre y de una mujer en aquel espejo. Esta imagen se grabó en la mente de la Enfermera pues había podido apreciarla con toda nitidez ya que había levantado la cabeza y vuelto su mirada hacia el espejo, distraída como estaba por el ruido metálico que ella había producido al pasar frente a la mesilla. El hecho que hacía esta imagen particularmente memorable para la Enfermera era que la mujer, que se dirigía hacia la ventana, había rozado con su mano derecha la mano del hombre que, apoyado contra el muro, cerca de la mesilla y frente al espejo, escuchaba atentamente una canción obscena que provenía del tocadiscos colocado entre las dos ventanas que dan a la calle. Al mismo tiempo el hombre miraba atentamente, o tal parecía, una inscripción hecha con la punta del dedo sobre uno de los cristales empañados de la ventana del lado derecho. La imagen que se había quedado grabada en la memoria de la Enfermera era justamente aquella que correspondía al momento en que la mano derecha de la mujer había rozado levemente una de las manos del hombre; éste la había retenido durante una fracción de segundo en la suya. Todo esto la Enfermera lo había podido ver con toda precisión reflejado en el enorme espejo, razón por la cual, al referirse mentalmente a esta imagen que había quedado grabada para siempre en su memoria y que ella identificaba siempre con un grabado de Proud'hon[125], denominaba «imagen de los amantes»...

Hay algo que tu memoria persiste en mantener en el olvido —toda una serie de hechos fundamentales...

—Sí, hay algo que su memoria persiste en mantener en el olvido— todas esas cosas que están hechas de olvido: esa mosca que golpeaba contra el cristal tratando de huir. Pero eso lo

---

[125] *Proud'hon:* Pierre-Paul Proud'hon (1758-1823), pintor francés y famoso ilustrador, creador de una obra pictórica que anuncia el romanticismo. Por la descripción de la escena que se hace en la novela, podría referirse a su obra *Daphnis y Cloe,* realizada para ilustrar la novela de idéntico título, del siglo III o IV y atribuida a Longo. No obstante, me inclino a pensar que se trata de *Frosina y Melidoro,* grabado incluido en las *Obras* (1797) del francés P. J. Bernard. La razón de esta preferencia es que Bataille, en *Las lágrimas de Eros,* incluye en sus páginas esta imagen, que, además de contener una fuerte carga erótica, muestra a la figura masculina con vestido de religioso, lo que la relaciona aún más con el texto de *Farabeuf.*

ha olvidado porque él le había dicho: «Un día, tal vez, recordaremos este momento por el zumbido de una mosca golpeando contra los cristales». Y ella hubiera querido olvidar ese momento porque era un momento colmado con la presencia terrible de un hombre supliciado, surcado de gruesas estrías de sangre, atado a una estaca ante la mirada de sus verdugos, de los espectadores indiferentes que trataban de retener esa imagen terrible dentro de un meollo de sensualidad; una imagen para ser evocada en el momento del orgasmo...

...recuerdo también la llegada de Farabeuf. Habíamos presentido su paso vacilante a lo largo de la rue de l'École de Médecine, sosteniendo con dificultad en una mano su paraguas inútil y en la otra el maletín de cuero negro. Antes de doblar la esquina de nuestra calle presentíamos su llegada; las moscas aturdidas parecían exacerbarse ante la premonición de aquella presencia impregnada de formol y luego, de pronto, a través de los cristales empañados, bajo la lluvia tenaz, adivinábamos su figura negra cruzar la calle en dirección a nuestra puerta y nos quedábamos quietos, sólo ella, la Enfermera, sentía en su corazón el sobresalto de ese goce que se concretaba en la visión inminente de aquellas manipulaciones que hacían brotar un tenue hilo de sangre de las incisiones, de aquellos procedimientos explicados pormenorizadamente, acentuados por las descripciones asistidas de un canalizador que se desliza lentamente a lo largo de aquellas comisuras, proferidas en una voz apacible que hablaba de cortes, de tajos cruentos, de muñones, de colgajos, de vísceras expuestas; ella, la Enfermera, olvidaba de pronto su pregunta y la dejaba abandonada como algo inservible sobre la superficie de la tabla mágica, y miraba hacia la puerta esperando que de pronto se abriera y que apareciera en aquel quicio la figura angustiosa del Maestro que sin dirigirnos la palabra siquiera se adentraba en el pasillo a su encuentro para explicarle, sobre la concreción de aquel ser equívoco que nuestro amor había creado, con todo detalle, la estructura y el funcionamiento de la carne humana... Hubiera corrido, hubiera tratado de escapar entonces hacia algo ilimitado, extenso, hacia un lugar en que nuestra presencia no fuera sino un punto infinitamente pequeño...

190

Al pasar frente a mí, en el momento en que tu mano tocó la mía, había algo sagrado, algo infinitamente intocable y prohibido en tu mirada; el misterio de un momento agónico contenido en la fijeza de tus ojos que se dirigían tenazmente hacia aquella ventana...

Al entrar Farabeuf en la estancia, los ojos de ella se posaron un instante en la copia del cuadro que pendía en el muro sobre la mesilla de mármol y que se reflejaba en el espejo invertido lateralmente... Farabeuf había entendido el significado de esta situación...

Himmlische und Irdische[126]...

...y una aterradora persistencia de esa imagen, como la fotografía de un hombre en el momento de la muerte o del orgasmo, se grabó en su retina ávida del color de la sangre.

Esto, desde luego, es una conjetura:
«¿Por qué?», dijo mirando fijamente a Farabeuf, pero éste, sin dirigirnos la palabra siquiera, se perdió en la oscuridad de aquel pasillo en el que la Enfermera lo esperaba, dispuesta ya a ayudarlo a quitarse le pesado abrigo de paño negro. Luego entraron en aquel cuarto cuya puerta nosotros jamás habíamos traspuesto y desde la estancia oíamos el tintineo de los instrumentos quirúrgicos que Farabeuf iba desliando de sus atadillos.
«¿Por qué?», dijiste sin pensar que esa pregunta revelaba el misterio de nuestra existencia, dominada ya para siempre por la imagen de un criminal supliciado, cuya carne sangrienta y desgarrada era para nosotros el símbolo de una profanación exquisita.

«Es que en ese momento recordé el mar; aquella mujer vestida de luto, seguida por un *caniche;* aquel niño que construía

---

[126] *Himmlische und Irdische:* «lo celestial y lo terrenal», palabras que recogen literalmente una expresión del prefacio a la edición alemana del *I ching* escrita por Richard Wilhelm —véase nota 3.

un castillo de arena que la marejada hubiera abatido pocos minutos después. Entonces recordé también la sensación del metal que me hubiera ceñido en tu abrazo y las caricias olorosas a formol que a todo lo largo de mi cuerpo tus manos quirúrgicas, de tocólogo[127], me hubieran prodigado en aquella casa llena del sonido del tumbo de las olas, llena del espanto y de la delicia del cuerpo humano abierto de par en par a la mirada como la puerta de una casa magnífica y sin dueño que para siempre hubiera esperado tu caricia, como una puerta entreabierta... un cuerpo que te esperaba con toda su sangre, con todas las vísceras dispuestas al sacrificio último. ¿Hubieras huido? Sí, hubieras huido aterrado ante la imagen imaginada de esa sangre que corría presurosa por las venas, hubieras huido para siempre hacia un olvido cuya única concreción hubiera sido un signo escrito sobre la humedad de un vidrio empañado, sobre una ventana contra la que se abate la lluvia, hubieras corrido hacia un olvido hecho con la música que sale de un fonógrafo. Hubieras huido para siempre, sólo por el miedo de alterar el significado de un gesto en el que estaba contenida la esencia de un cuerpo. Hubieras huido porque *tú* nunca te hubieras atrevido a hundir *tan lentamente* esa cuchilla afiladísima en el cuerpo obeso de un príncipe magnífico; porque cada vez que tu rostro se refleja en ese espejo que siempre nos ha presentado temes la muerte, tu muerte que se esconde en esa calavera espléndida; tu muerte que es el rostro de Farabeuf, tu muerte que es la contestación a la pregunta que ella hace siempre a una tabla cubierta de letras y de números, tu muerte que ni siquiera es tu muerte porque tú no eres tú ni tu cuerpo, ese patrimonio aparentemente inalienable, es tu cuerpo sino un cuerpo cualquiera, el cuerpo de un desesperado que durante una ceremonia absurda no se atreve a clavar un puñal consagrado en el costado de un hombre privilegiado, de un hombre cubierto de brocados[128], un cuerpo cualquiera como una calle...

---

[127] *tocólogo:* especialista en tocología, ciencia que estudia todos los aspectos relacionados con el parto.
[128] *brocado:* paño de Damasco compuesto de seda recamada de oro y plata y enriquecido con flores y figuras.

—¡Oh, esta manía de recapitular las experiencias! ¿Queda algo acaso de todas aquellas cosas? ¿Por qué la persistencia de esa imagen en la mente? Una estrella de mar. Una estrella de mar recogida indiferentemente en una playa al atardecer. Si todo ello hubiera sido la concreción de un recuerdo no habría ninguna duda acerca de nuestra existencia. Seríamos demostrables...

He aquí pues la descripción exacta de los hechos: media hora antes de que llegara Farabeuf se produjeron dos acontecimientos demostrables; el primero es la lluvia que empañó los vidrios de la ventana y el segundo es que la mujer —es imposible precisar *cuál*— se dirigió de pronto, con paso presuroso, casi puede decirse que corriendo, desde un extremo del salón hacia la ventana del lado derecho. En el trayecto su pie golpeó levemente la base de hierro de la mesa produciendo un ruido metálico, perfectamente discernible a pesar del ruido que producía la lluvia que caía torrencialmente...

—Hay un hecho en su descripción, doctor Farabeuf, que usted pretende ignorar o que tal vez ha olvidado ya: que al pasar frente al hombre la mano de la mujer rozó la mano del hombre y éste la retuvo en la suya durante una fracción de segundo. *Este hecho curioso no es demostrable,* es preciso admitir, si bien el enorme espejo pudo haberlo reflejado con toda claridad...

Y sin embargo los amantes paseaban por la playa deleitándose en esa soledad que provoca la inminencia de un hecho terrible. Si en el vuelo torpe de aquellas aves que caían pesadamente sobre las olas hubieran adivinado ese encuentro en el que la entrega se hubiera convertido en algo lleno de sangre... No; no lo hubieras presentido porque tú, en tu irrealidad que aquel espejo acentuaba, hubieras querido regalárteme muerta, muerta de tanto olvido como hubiera sido preciso para amar este cuerpo desgarrado que jamás habrá de ser tuyo pero cuya imagen no te abandonará nunca... Si al menos pudiéramos recobrar aquella estrella de mar que indiferentemente arrojaste a las olas...

Capítulo VI

¿Quién es, entonces, ese testigo que formuló en su imaginación la llamada «imagen de los amantes»?

—Eres, sin duda, tú misma. Eres tú misma la duda de tu propia existencia, porque hubieras corrido, hubieras corrido hasta alcanzar ese eco que se difundía por la casa como el olor a formol que Farabeuf había dejado por todos los lugares por los que había pasado. Hubieras corrido, dejando abandonada en medio del pasillo aquella tabla cuyos símbolos mágicos habías estado consultando para encontrar un nombre en cuyo significado se concretaba la clave de este misterio. Hubieras corrido, después de conocerlo, después de haber aprendido a pronunciarlo con facilidad, hacia aquella ventana, cuyos vidrios la lluvia había empañado y sobre uno de los cuales, en el vaho, un dedo misterioso había trazado un signo incomprensible; hubieras corrido cruzando la superficie del espejo; ante los rostros estáticos, inmutables de aquellas cuatro mujeres representadas en el cuadro, cruzando la superficie de aquel enorme espejo en el que mi rostro *también* se reflejaba contemplando tu carrera azarosa entre aquel mobiliario viejo y decrépito. Hubieras corrido y tu pie hubiera topado accidentalmente la base de metal de la mesilla de mármol junto a la cual yo aguardaba tu contacto, el roce de tu cuerpo, la posesión de tu mirada y tu pie, al chocar contra aquella pieza de metal que figuraba la garra de una quimera[129] o

---

[129] *quimera:* animal mitológico que vomitaba fuego; tenía cabeza de león, cuerpo de cabra y cola de dragón.

de un grifo que retiene entre las uñas afiladas una esfera, hubiera producido un ruido característico —un ruido que era casi siempre inevitable, frecuente, impostergable— que hubiera resonado por toda la casa. Farabeuf, que en esos momentos ascendía la empinada escalera, se hubiera turbado al escucharlo tan lejano y hubiera conjeturado la posibilidad de que ese ruido hubiera sido producido por alguno de sus instrumentos quirúrgicos, suelto dentro de su maletín de cuero negro. Y en ese momento, en ese momento en que pasaste a mi lado, rozando con tu mano mi mano (tal vez), te hubiera amado, hubiera amado infinitamente tu cuerpo aun a pesar de no saber quién eras... ¿quién eras, pues, en ese momento en que mi amor te confundió con la imagen de un espejo, con las figuras representadas en un cuadro, con el recuerdo de una mujer que sólo en mi memoria profiere para siempre, tenazmente y para siempre, una misma pregunta...?

Hubieras corrido a lo largo de aquella playa desierta. Hubieras corrido como tratando de escapar de ese sueño en el que yo te había aprisionado y sólo te hubieras detenido para volverte hacia mí convertida en la otra, transformada en tu propia antípoda y hubieras permanecido inmóvil durante algunos instantes, descalza, cerca de los vestigios de un castillo de arena, preguntándote a ti misma por qué yo te miraba tan fijamente sin reconocerte y hubieras recogido algo, un desecho marino, y me lo hubieras mostrado como para tratar de ahuyentar esa sorpresa con que mis ojos hubieran tratado en vano de reconocerte y luego hubieras arrojado ese objeto a las olas olvidando con ello el camino que habíamos recorrido unos minutos antes y hubieras corrido nuevamente, alejándote desesperadamente de mí, huyendo de esa imagen inusitada en la que habías quedado fija ante mis ojos en el recuerdo fugaz, indeleble tal vez, de tu transformación y hubieras corrido a lo largo de las olas que se rompían a tus pies hasta llegar jadeando a aquella casa —una casa situada en tierra adentro— y desfalleciente te hubieras apoyado en el marco de la puerta antes de entrar en tu recámara y mi rostro hubiera cruzado rápidamente por tu memoria y hubieras tenido un presentimiento inquietante, como si detrás de esa puerta que no te hubieras atrevido a abrir se ocultara una visión tenebrosa, la imagen recóndita de un hecho enigmático y hubieras vacilado, tu mano temblorosa no hubiera osado tocar aquella cerradura y tu cuerpo, sostenido apenas por el miedo, apoyado inerte contra el marco de aquella puerta blanca que durante un instante hubieras imaginado manchada de sangre del otro lado, se hubiera contraído sobre sí misma negándose a obedecer tu voluntad y entregarse a la profanación de aquel arcano en el que, tal vez, una delicia dolorosa e inesperada te aguardaba para tomarte en un abrazo hecho todo de metal reluciente, en que una experiencia construida de frases cuyo sentido sólo revelaba la interioridad de una carne infinitamente ultrajada y cuya proximidad, si la hubieras intuido, si sólo la hubieras podido imaginar, te hubiera hecho estremecer antes de abrir aquella puerta. Tres veces lo hubiera intentado. Apoyada en el lado opuesto de la cerradura, tres veces hubieras alargado el brazo para alcanzar la manija de la cerradura y tres veces hubieras esperado que una voz interior te alentara en ese esfuerzo descomunal. Tres veces hubiera caído tu mano sin atreverse a hacer girar aquella manija y cerrando los ojos hubieras tratado de imaginar, tres veces fugazmente, temerosa de acertar a descubrirla, la realidad que te aguardaba más allá de aquel quicio. Hubieras cerrado los ojos tres veces mientras tu mano caía suavemente y se posaba, rozándolos apenas, entre los pliegues de tu falda y te hubieras preguntado tres veces mil veces en un solo instante cuál era el sentido de ese temor que te había congelado allí, en ese umbral, ante ese espejo que sólo reflejaba la composición inexplicable de un cuadro cuyo significado nunca habías logrado esclarecer; allí, donde apenas llegaban los últimos rayos de un sol lentísimo que lentísimo moría en un agua de lluvia o de océano y hubieras querido que alguien te ayudara a descifrar un enigma cuya única representación en tu mente se concretaba en la forma de un objeto oceánico, arrojado indiferentemente a las olas y que ya nunca más volvería a tus manos, porque entonces eras otra y presentías ya la existencia de esa imagen que, conservada en el interior de un sobre de color amarillo, con forros negros, un sobre de grandes dimensiones forrado de negro como los sobres en que se envían las esquelas funerarias, aguardaba el testimonio de tu cuerpo que entonces hubiera estado apoyado contra la cubierta de la cómoda y reflejado en el espejo que la remataba, pero hubieras temido penetrar en aquel cuarto imaginándote confundida en la imagen del espejo con la imagen conservada dentro de aquel sobre. Hubieras temido ver tu cuerpo sangrante en el éxtasis de aquella ceremonia, el proferimiento de cuyo nombre tan sólo hubiera bastado para hacerte morir de un goce irresistible, de un goce que hubiera trascendido todas las posibilidades de tu cuerpo y que te hubiera aniquilado con un ruido de olas que se rompen sobre la porosa y precaria erección de un castillo hecho de arena. Hubieras querido recobrar la sensación de su textura rugosa, infinitamente marina sobre la palma de la mano, en la punta de los dedos de la que tú eras antes de haberte transformado en la otra mediante el deseo que te hizo correr por la playa en dirección de aquella casa en la que *tú* nunca habías vivido y que sin embargo conocías, y cuyo misterio primordial te aterraba y te tenía paralizada allí, ahora, contra el marco de aquella puerta blanca que semejaba la puerta de un quirófano, una puerta tal vez manchada de sangre en su reverso que ignoras, fija en esa quietud mortuoria, a la expectativa de un hecho prodigioso que inevitablemente hubiera de realizarse silenciosamente sobre la extensión inmutable de tu cuerpo fuertemente atado a una mesa quirúrgica o sobre una plancha de mármol de un anfiteatro de disección o de una *morgue*, porque entonces, al olvidar ese acto nimio —el acto de recoger una estrella de mar que yacía sobre la arena de la playa— todo contacto con lo que hubieras sido anteriormente se hubiera disuelto en un golpe de espuma y cuando yo llegara hasta aquel quicio no sería sino un ser desconocido, pródigo de terror, que avanzaría hacia ti con las manos enfundadas en unos guantes de cirujano, blandiendo en la penumbra una afiladísima cuchilla, dejando por donde pasara un olor a hospitales, mirándote fijamente, con esa fijeza con la que sólo es dable contemplar un cadáver y en tu terror harías acopio en tu mente de todas las posibilidades que te permitieran salvarte y escapar hacia la vida. Pensarías que era yo la imagen de un espejo que, por su colocación, parecería avanzar hacia ti, pero que en realidad se alejaba. Tratarías de reconocer en el brillo de aquella cuchilla afiladísima los reflejos que produce el sol sobre el lente de la cámara con la que hacía apenas unos minutos te había fotografiado sentada entre aquellas rocas junto al mar, pensarías tal vez que yo había recobrado la estrella de mar que tú habías arrojado indiferentemente a las olas y tratarías de descubrir en la punta amenazadora de aquel bisturí la identidad de esta conjetura improbable sin lograrlo y por escapar de ese abrazo sangriento que yo te ofrecía con los brazos levantados en un gesto ritual, abrirías aquella puerta y penetrarías silenciosa, abandonada al espanto y a la delicia de una seducción que apenas lograbas imaginar, sí, penetrarías en aquel cuarto sin decir una palabra, sin implorar clemencia, como quien se dispone a cumplir con los términos de un convenio y yo te seguiría, con las manos en alto, enfundados los dedos en el hule tenso de aquellos guantes color de ámbar, silencioso también, prefigurando lentamente en mi mente tu abandono y tu entrega, tu muerte.

—Hubieras tratado de huir al verte cara a cara con un desconocido cuya sola presencia llenaba aquella casa con el dolor intangible, incierto, pero intensísimo de una tortura que se recuerda como si se hubiera presenciado en una época remota y que de pronto asalta la memoria en el momento en que menos se espera.

—«Tenía que haberte visto. Tenía que haberme hundido en esa presencia que todo lo inundaba, tenía que haberme abandonado a esa amenaza que me aguardaba oculta en aquel umbral blanco desde el primer día que había concebido la posibilidad de la existencia de ese suplicio. En la contemplación de ese éxtasis estaba figurado mi propio destino. Era preciso, entonces, saber quién era él, ese ser prodigioso que se debatía sonriente en medio de su propio aniquilamiento como en un océano de goce, como en un orgasmo interminable. Era preciso saber quién era yo misma. Era preciso inquirir. Era preciso seguir con todo detenimiento los movimientos, torpes a veces, quizá violentos, de aquel indicador que se deslizaba sobre la tabla cubierta de letras y de números. ¿Quién hubiera respondido a aquella pregunta si no yo misma, desde un pasado remoto en el que mi vida, mi entrega estaba figurada en un cuadro, en una fotografía, en el recuerdo de alguien que me hubiera olvidado, alguien que tal vez eres tú, tú o Farabeuf, esperándome como el tigre, en un quicio que, traspuesto, es la frontera entre la vida y la muerte, entre el goce y el suplicio, entre el día y la noche...?»

En cuanto oyó que se abría la puerta, la Enfermera olvidó sus pasatiempos. Haciendo de lado la ouija se puso de pie y alisándose la falda y ajustando la cofia blanca y almidonada sobre su cabellera rubia, se dirigió al encuentro de Farabeuf. Al pasar frente a la puerta pintada de blanco se detuvo apoyándose en el marco decidida a esperar a que Farabeuf llegara hasta ella. Desde allí escuchaba el tintinear de los instrumentos que Farabeuf iba desenvolviendo cuidadosamente ante nosotros. Desde ese quicio podía observar, reflejados en el espejo, todos nuestros movimientos. A través de la atmósfera turbia del atardecer lluvioso, los colores vibrantes de un cuadro que representaba una alegoría incomprensible destacaban particularmente. Farabeuf, situado frente al cuadro, no reparaba, sin embargo, en él. Era, más bien, como si tratara de ignorarlo, temeroso de que aquellos colores vibrantes, de que aquella figuración magnífica de un acto sin sentido lo turbara y lo distrajera de ese rito particular que cuidadosamente, sin hacer ruido apenas, efectuaba en la penumbra que ahora parecía colarse, como tinta derramada, a través de los desvaídos cortinajes de terciopelo.

—Todo, absolutamente todo lo que habías imaginado en el terror que te produjo la imagen de ese hombre que avanzaba hacia ti con las manos enfundadas en unos tensos guantes de hule color ámbar, blandiendo una afiladísima cuchilla, todo, te digo, era una mentira, porque al abrir la puerta, tus ojos se posaron inmediatamente en la cubierta de la cómoda. Pudiste ver, en la fracción de un segundo, tu rostro reflejado en el espejo, y no te reconociste. Eras, para entonces, la otra; la que el deseo de aquel hombre había creado y todo lo que hubieras encontrado había desaparecido. Pensabas, ante todo, encontrar un sobre amarillo: un sobre cuyo contenido había sido imaginado por tu deseo. No había nada allí, sino tu rostro que lentamente se fundió en el de él que se aproximaba hasta confundirse las dos cabezas en una mancha inmóvil e informe. No había nada. El sobre había desaparecido igual que el tumbo de las olas se había apagado. No eras sino un cuerpo tierra adentro tratando de encontrar en aquel abrazo la sensación que te había producido en la palma de la mano la superficie rugosa de una estrella de mar putrefacta que habías imaginado recoger durante un paseo por la playa y cuya descomposición sentías realizarse al tocarla con la punta de tus dedos y que por eso, por esa sensación imprecisa y repugnante habías lanzado a las olas mientras yo te contemplaba como se contempla un suplicio, convertida en otra, en alguien a quien yo no conocía pero a quien hubiera amado infinitamente. Tú te reíste entonces y echaste a correr mientras las olas te tocaban los pies. ¿Cómo era posible todo esto si nunca habíamos salido de aquel cuarto y aquel cuarto pertenecía a una casa y esa casa estaba situada en una calle, conocida y precisable, de una ciudad de tierra adentro? ¿Quién eres, pues, que así te presentas hecha toda de sombras a pesar de tu traje blanco de enfermera?

Es preciso que nos hagamos de nueva cuenta la misma pregunta: ¿somos la materialización del deseo de alguien que nos ha convocado, de alguien que nos ha construido con sus recuerdos, con sombras que nada significan?

Tú, entonces, te volviste hacia el espejo para comprobar, en la imagen de tu rostro, reflejada en aquella superficie turbia, tu existencia. Mas no te reconociste. Eras la otra y llevabas un anticuado uniforme de enfermera.

Estaba claro que se trataba en todo esto de una ceremonia secreta. (Eso hubieras pensado para apaciguar el sobresalto de tu corazón aterrado.) ¿Mas cómo describirla? Sólo repitiéndola hubiéramos podido conocer su significado. Es preciso ahora recopilar las relaciones, las hipótesis, las crónicas que a este respecto se han hecho o formulado.

Es un hecho perfectamente concreto, por ejemplo, que:

«...Una vez al mes, en día fijo, un hombre concurría a casa de su amante y le cortaba los rizos que le caían sobre la frente. Esto le provocaba el más intenso goce. Posteriormente no le exigía ninguna otra cosa a la mujer».

Pero tú recuerdas otra imagen, una imagen más remota que todo lo que aquí nos contiene aislados, una imagen que viste, tal vez, en tu infancia. La imagen de un niño con las manos sangrantes. Alguien, un desconocido, Farabeuf tal vez, le ha cortado los pulgares de un tajo certero y el niño llora, de pie en medio de una estancia enorme, como ésta. A sus pies se van formando unos pequeños charcos de sangre. (Alguien debía haber extendido unos periódicos viejos para que no se manchara el *parquet*) y escuchas, mientras evocas esta imagen, una voz que dice «... por chuparse los dedos vino el Sastre y se los cortó con sus grandes tijeras...»[130] y esa voz se repite como un disco rayado. Afuera llueve porque la mujer que te cuenta esta historia lleva un paraguas. Llueve y se repite algo como ahora. Llueve y se repite, se repite y llueve y se repite y llueve afuera algo, como ahora que llueve y algo se repite, se repite, se repite hasta que desfallece tu cuerpo y haces girar la manija de la cerradura y me invitas con tu mirada fatigada, abandonada, hastiada de ver tantas veces la misma cosa, a entrar contigo en aquel cuarto.

Estabas distraído. Tu mirada trataba de descifrar el significado de aquel cuadro antiguo reflejado en el espejo, por eso no te

---

[130] «*...por chuparse los dedos vino el Sastre y se los cortó con sus grandes tijeras...*»: en «Invocación y evocación de la infancia», pequeño ensayo incluido en *Cuaderno de escritura* (1969), Elizondo utiliza los cuentos de un libro del doctor Heinrich Hoffmann, *Der Struwwelpeter,* para ejemplificar su idea de la crueldad en la infancia. Uno de esos relatos es «Conrado, el niño que se chupaba los dedos» y Elizondo lo evoca así: «Al salir de la casa, su madre advierte a Conrado que no debe chuparse el dedo, porque si lo hace vendrá el sastre con sus grandes tijeras y se lo cortará. Una vez que ha salido la madre, como es lógico suponer, lo primero que hace Conrado es chuparse los dedos y, como es totalmente ilógico suponer, entra el sastre y con sus grandes tijeras le corta los dos pulgares. La historieta termina con una tristísima imagen de Conrado llorando desconsoladamente con las manos chorreando sangre. Como es fácil suponer, la moraleja de esta historieta es que no hay que chuparse los dedos».

diste cuenta de lo que sucedió en realidad. Yo corrí hacia la ventana. Mi pie rozó la base de hierro de la consola junto a la que estabas, produciendo un ruido metálico que llegó hasta donde estaba la Enfermera, ella, en esos momentos, alzó la mirada de la ouija que estaba consultando y me vio, reflejada en el espejo, pasar frente a ti. Hubo algo que me hizo detenerme. Un recuerdo incompleto, provocado por un signo incomprensible trazado en el vaho del cristal de la ventana (o acaso se trataba de una mirada que, bajo la lluvia, se había fijado, como la imagen de una placa fotográfica, sobre aquella ventana); la mirada penetrante de un hombre que traza signos incomprensibles, que provoca recuerdos de experiencias que nunca hemos vivido y que, encontrada bajo la lluvia, a través de un vidrio empañado, nos inmoviliza, lo inmoviliza todo, los objetos y las máquinas. Tú estabas distraído; por eso no te diste cuenta de que la aguja del tocadiscos se había detenido en el mismo surco produciendo la repetición tediosa de una frase sin sentido.

Cuando te detuviste estabas colocada a mi derecha. La Enfermera estaba a mi izquierda. Esta colocación concordaba con la lógica del cuadro tal y como se le había reflejado en el espejo pero no como el pintor lo había concebido para ser visto por nosotros. Habías corrido hacia mi derecha, es decir hacia el extremo izquierdo del cuadro —en dirección, puede decirse, a la mujer vestida—, pero en dirección a la mujer desnuda tomando como referencia la imagen reflejada del cuadro en el espejo tal y como yo la veía. Esto, sin duda, tenía un significado, sobre todo si tenemos en cuenta que la Enfermera estaba colocada a mi izquierda, es decir del lado derecho del cuadro visto de frente, del lado izquierdo del cuadro visto en el espejo y por lo tanto de frente a la mujer desnuda, ya que ella sólo podía ver el reflejo del cuadro y, no como tú, pero sí como yo, el cuadro en sí.

Hubiera sido preciso que la vida siguiera su curso. Por eso, cuando te detuviste antes de llegar a la ventana, comenzó a llover con más fuerza. Antes de ese momento no hubiéramos escuchado el ruido de la lluvia contra los cristales de la ventana, pero en cuanto te detuviste el ruido de la lluvia se hizo claramente perceptible y en medio de ese ruido escuchábamos también los movimientos del indicador[131] sobre la superficie de la ouija, el ruido que hacían las monedas al caer sobre la mesa...

Ahora sé por qué te detuviste de pronto cuando corrías a la orilla del mar: una imagen que nunca hubieras podido concebir, pero que mi deseo proyectó en tu mente, te detuvo. Cerrando los ojos imaginaste una puerta. Una puerta pintada de blanco que daba acceso a un cuarto pintado también de blanco, en medio del cual se encontraba una cama cubierta con sábanas blancas. Una cama de hospital hecha de fierro pintado de blanco, aunque no hubieras podido asegurarlo pues en tu mente sólo se precisaba la puerta en cuyo quicio aguardaba un tigre. Todo esto lo sé porque a fuerza de pensar en ello pude transmitirte, sin desearlo en realidad, esa imagen que se grabó en tu mente y es por ello, también, que al dirigirte a la ventana te detuviste bruscamente asaeteada por el recuerdo de esa imagen incongruente y supusiste, por un momento, que ese signo trazado en el cristal de la ventana representaba, de una manera esquemática, ideográfica por así decirlo, un tigre que aguarda su presa junto al quicio de una puerta que conduce a un quirófano que es el sueño. Estabas equivocada...

Una duda te turba. Has caído en la trampa que te tendió el taumaturgo. Se ha formado en tu mente la imagen de ese suplicio. Ese rostro extático se ha dibujado en tu memoria. Como un relámpago se concretó ante tus ojos esa agonía milenaria que, sin haberla conocido, hubieras querido olvidar. Estaba ante ti, con toda su ineluctable presencia, mutilado y exangüe, fijo en aquel crepúsculo lluvioso como una avispa traspasada por un alfiler y cuando apareció se produjo en tu memoria, con el olvido, una confusión lamentable. Te olvidaste de ti misma. Tanto que sólo hubieras deseado recordarte para recobrar tu presencia. Pero ese olvido era más tenaz

---

[131] *indicador:* máster en la ouija —véase nota 4.

que la memoria que trataba de recuperarte y, una vez que habías caído en esa trampa que Farabeuf te había tendido, tu confusión era absoluta. ¿Quién eras tú ante aquella imagen agónica? ¿Cómo era posible que tu cuerpo pudiera confundirse con aquellos girones de carne sangrienta? Te has extraviado en su mirada como en un camino inseguro y no sabes quién eres, acaso un cuerpo supliciado, unos ojos que aprenden lentamente el significado absoluto de la agonía, o acaso eres la visión que contemplan esos ojos a punto de cerrarse para siempre.

Pues bien, al fondo se había improvisado un pequeño escenario. El estrado, que se elevaba apenas unos cuantos centímetros del nivel del piso del salón, estaba colocado frente a un enorme espejo que pendía en el muro del fondo y el decorado estaba también constituido por otro espejo que reflejaba al infinito su propia imagen reflejada en el espejo del fondo del salón. Nosotros estábamos, entonces, colocados entre las superficies de los dos espejos. Estoy seguro de que esto no se te ha olvidado, pues la extraña sensación que tal espectáculo interminable producía en los espectadores era, sin duda, algo memorable. De pronto se extinguieron las luces, pero no totalmente, como sucede en el teatro minutos antes de que dé comienzo la función. Una que otra lucecilla, apenas perceptible, pero reproducida al infinito por las dos superficies de los espejos que constituían uno el forillo[132] de aquel escenario y el otro el fondo del salón, creaban una penumbra chispeante dentro de la que era posible discernir las siluetas de todos los objetos aunque no hubiera sido posible precisar la identidad de los espectadores. ¿Quién eras tú aquella noche? Un hombre grueso, de edad, que iba ataviado con una bata china negra, raída, subió al escenario y después de dirigirnos una mirada procedió a dar comienzo al espectáculo. Antes que nada hizo sonar un gong[133]. Ese sonido vibrante y metálico llamó

---

[132] *forillo:* telón pequeño que se pone detrás del telón de foro, que es el que cierra la escena formando el frente de la decoración.

[133] *gong:* instrumento de percusión originario del Lejano Oriente; está formado por un disco de bronce que vibra al ser golpeado por una maza recubierta de fieltro.

nuestra atención hacia su ayudante, una mujer rubia vestida de enfermera que en el momento en que el hombre hizo sonar el gong encendió una linterna mágica[134] a nuestras espaldas. La apariencia de esta mujer era singular, especialmente por el hecho de que iba tocada con una cofia blanca de la que pendía un vuelo de lana gris. La linterna mágica al encenderse tan súbitamente produjo un destello cegador en la superficie infinita del espejo. Nuestros ojos tardaron unos instantes en asimilar la luz brillantísima. Después se fue formando lentamente en ellos la realidad de una imagen aterradora; de seguro que tú no lo habrás olvidado, pues hubo algo en la fracción de segundo que duró aquel destello que te alejó de mí. Y cuando entendí el verdadero significado de aquella imagen, te encontrabas sentada en el ángulo opuesto del salón. De ello no pude darme cuenta sino cuando la fascinación de aquella carne maldita e inmensamente bella se había desvanecido y que las luces se habían vuelto a encender. Aquel espectáculo había sido acompañado por un diálogo explicativo en que la Enfermera, que manipulaba el aparato de proyección, iba haciendo preguntas al *meneur*[135], que con un largo puntero hacía precisiones señalando los detalles de la imagen proyectada ante nosotros. Sólo recuerdo la primera pregunta: «*Doctor Farabeuf, tenemos entendido que es usted un gran aficionado a la fotografía instantánea...*» ¿Acaso recuerdas tú las otras preguntas? En el curso de aquel espectáculo que los programas —impresos en el gusto tipográfico de Épinal[136]— señalaban como *Teatro Instantáneo del Maestro Farabeuf*, surgía en la pantalla intempestivamente la figura de una mujer desnuda que parecía ofrendar hacia la altura una pequeña ánfora dorada. La Enfermera entonces llamaba la atención del hombre de la bata china diciéndole: «No debe usted distraerse con la imagen de esa

---

[134] *linterna mágica:* aparato óptico ideado, en el siglo XVII, por el padre Atanasio Kircher y que puede considerarse precursor de los proyectores actuales. Consta de una caja que contiene la fuente luminosa, una lente convexa que aumenta y reparte los rayos luminosos y una lente convergente que manda la imagen agrandada, aunque deformada, a una pantalla.

[135] *meneur:* palabra francesa que designa al director de escena de una obra dramática.

[136] *Épinal:* ciudad francesa famosa por su escuela de grabados.

mujer desnuda, doctor», y la imagen cambiaba rápidamente y volvíamos a ver, como si fuera desde otro punto de vista, la imagen de aquella escena escalofriante cuyos detalles se veían acentuados por una explicación técnica en la que se invocaban los procedimientos quirúrgicos aplicados al arte de la tortura. El *meneur* iba señalando con el puntero los detalles, en la imagen, a los que aludía su exposición. Terminada ésta, el hombre hacía una señal a la Enfermera. Las luces se encendían. El hombre se dirigía al público diciendo humildemente: «Muchas gracias, señoras y señores, se hace lo mejor que se puede», y los espectadores aplaudían. Antes de que tuvieran tiempo de levantarse de sus asientos, la Enfermera cruzaba el salón y ofrecía en venta unos folletos impresos modestamente. En la cubierta podía leerse el siguiente título: *Aspects Medicaux de la Torture, par le Dr. H. L. Farabeuf, Chevalier de la Légion d'Honneur, etc...*

Has sido, no cabe duda de ello, la víctima de una confusión engañosa. El Teatro Instantáneo de Farabeuf es una alucinación, un sueño cuya realidad no puede dejar de ser puesta en duda. Se trata de un delirio momentáneo causado por la distorsión del espacio producida en la superficie de ese espejo manchado al que la luz del crepúsculo llega con un reflejo que todo lo vuelve confuso, inclusive aquello que somos capaces de concebir metódicamente en nuestra imaginación. Hagamos, si no, un inventario pormenorizado de todos los objetos que hay en esta casa. ¿Piensas acaso que encontrarás entre ellos alguno que corresponda o que pertenezca al recuerdo de aquella velada en que Farabeuf hizo una demostración de su espectáculo?

Tengo otros recuerdos de aquella velada: la Enfermera, además de los pequeños folletos del Doctor Farabeuf, ofrecía también otro libro de mayor tamaño y precio diciendo, «...o este entretenido libro de imágenes para los niños». Era un libro con pastas de cartón. La Enfermera lo mostraba abierto en las páginas centrales. No he podido olvidar una de aquellas imágenes. Representaba a un niño a quien le habían sido cortados los pulgares. Las manos le sangraban y a sus pies se formaban dos pequeños charcos de sangre. Afuera de aquella casa en la que estaba el niño mutilado estaba lloviendo[137]. Esto es una intuición inexplicable porque no había ningún indicio dentro del grabado que hiciera suponerlo con certeza. Sólo, quizá, el hecho de que en un grabado contiguo aparecía una mujer con un paraguas.

Confundes todo. Debes concentrarte.

Ese gesto es un gesto inolvidable. Pasaste ante mí con las manos enguantadas. Habías distendido los dedos dentro de aquellos guantes color de ámbar y en medio del espanto que me producía tu cercanía noté, no sé por qué, tal vez por la apariencia siniestra que aquellos guantes le daban a tus manos, que a pesar de no estar mutilado parecía que te faltaban los pulgares.

Te equivocas garrafalmente. Hay algo en tus recuerdos que te impide traerlos a la mente con la nitidez que fuera necesaria. Todo en ello es turbio y confuso. Te sientes abrumada por la presencia demasiado tangible de ese ser que has creado y que hubieras querido ser. Algo en toda tu vida se te escapa. Un instante quizá. Un instante definitivo que puede darte la clave de lo que realmente eres o de lo que has dejado de ser para turbarte tanto. Un diálogo escuchado accidentalmente, una palabra tan sólo de ese diálogo podrá darte la clave de un misterio en el que vives envuelta desde entonces. Te aturde la confusión en que yacen tantas cosas que has mantenido en silencio o en secreto. Usted estuvo enamorada, ¿no es así? Usted amó a Farabeuf, o a esa abstracción que él representa. Tiene usted un carácter demasiado imaginativo. Su viaje al Lejano Oriente ha sido un viaje de recreo. Una excursión económica, un veraneo modesto como corresponde a sus posibilidades. Usted es proclive al ensueño. Busque usted entre todos los objetos que celosamente guarda en los desvanes de esta casa vieja, algo —esos libros, los instrumentos enmoheci-

---

[137] véase nota 130.

dos— que tanta inquietud le causan. O bien descanse usted. Trate de salir de sí misma. Adquiera nuevos intereses. Una temporada cerca del mar...

—El tumbo[138] de las olas resuena lentamente afuera. Ha caído la noche y nos hemos tendido en esa cama blanca de hospital en aquel cuarto todo pintado de blanco. Farabeuf hace sonar un gong. Un destello cegador se refleja en esos espejos y esa fotografía que tú dejaste abandonada sobre la almohada después de habérmela mostrado insistentemente, se interponía en aquel abrazo infinito, tenaz como el mar, como las olas que escuchábamos desde allí. Quizás todo esto sea un recuerdo. Tú me dices que nada ha pasado. Has entrado en esta estancia que ha sido el recinto en el que Farabeuf presentaba su espectáculo y yo estaba de espaldas porque no deseaba encontrarme de pronto con tu mirada. Has caminado hasta la mesilla donde has dejado tus guantes después de quitártelos muy lentamente, luego te has vuelto hacia mí, pero yo, por temor a encontrar tu mirada, he corrido hasta la ventana sobre uno de cuyos vidrios había yo trazado minutos antes, sobre el vaho, un signo. Al pasar frente a la mesilla mi pie ha rozado la base que figura una garra felina que retiene una bola. De pronto me he detenido porque desde el otro lado de la calle alguien me mira en los ojos con una mirada que provoca un recuerdo o una imagen insoportable, una sensación que transfigura el verdadero sentido de las cosas y en ese momento me detengo bruscamente y todo se suspende, menos ese sonido lento y torpe de dos tablitas que se rozan, de unas monedas que caen, en el fondo del pasillo y un disco rayado que repite siempre la misma frase. Eso es, en realidad, lo que pasa. No puedo concebir nada más. Era una mirada capaz de infundir un terror infundado.

---

[138] *tumbo:* sacudida o vaivén violento.

CAPÍTULO VII

Fíjate bien, son cosas que de tan ciertas sólo pueden ser olvidadas. Tienes que concentrarte hasta que tu propia voz sea capaz de proferir la respuesta que buscas. No te importe la lluvia. Parece rocío sobre tu pelo. Después, cuando volvamos a la casa te cambiarás de ropa o te envolverás en esa bata de seda blanca que en la penumbra, cuando te tiendes sobre la cama, te da la apariencia de un cadáver. Pero ahora estate atenta. No quieras cerrar los ojos cuando los verdugos gesticulen en torno a su cuerpo desnudo. Tienes que tomar estas cosas con toda naturalidad, después de todo se trata de una especie de rito exótico y todo es cuestión de costumbre. ¿Te sientes desfallecer? —No, el suplicio es una forma de escritura. Asistes a la dramatización de un ideograma; aquí se representa un signo y la muerte no es sino un conjunto de líneas que tú, en el olvido, trazaste sobre un vidrio empañado. Hubieras deseado descifrarlo, lo sé. Pero el significado de esa palabra es una emoción incomprensible e indescifrable. Nada más que una sensación a la que las palabras le son insuficientes. Tienes que embriagarte de vacío: estás ante un hecho extremo. Tu cuerpo se queda solo en medio de esta muchedumbre que viene a presenciar el fin de un hombre y sólo tú participarás del rito, de la purificación que el testimonio de su sangre realizará en tu mente. Recordarás entonces esa palabra única que has olvidado y de cuyo recuerdo súbito pende la realización de tu vida; conocerás el sentido de un instante dentro del que queda inscrito el significado de tu muerte que es el significado de tu goce. Aprende; la contemplación del suplicio es una disciplina y una enseñanza. Mira cómo todos acuden con humildad, cómo se van aglomerando poco a poco en torno a la estaca. Sólo los verdugos emiten sonidos agudísimos mientras se afanan disponiendo y aprestando sus instrumentos de trabajo, probando con la fuerza de sus brazos la resistencia de las ligaduras, cerciorándose con las yemas de sus dedos del filo de las cuchillas, flexionando las hojas de las pequeñas sierras para conocer el grado de su temple. Guardan junto a la estaca una jaula con palomas. Cada una de ellas lleva sobre el lomo un *chao-tsé*[139]. Cuando vuelan este instrumento produce un silbido extremadamente agudo. Llegado el momento las soltarán para ahuyentar a los buitres y salvaguardar la carroña del supliciado para que sirva de espectáculo a quienes han participado en el sacrificio presenciando la ceremonia. Esas palomas son carnívoras y se nutren de babosas. Mira a ese hombre que ahora las está alimentando. Las devoran con gran avidez. La civilización milenaria de este pueblo ha sabido aunar a la perfección las manifestaciones de su religión y de su justicia con la utilidad práctica. Las babosas infestan los arrozales devorando los brotes tiernos. Estas gentes han enseñado a las palomas a devorarlas. ¿Piensas acaso que eras la víctima de una alucinación? Tal vez. Pero ten en cuenta que se trata de una alucinación cuyo contenido, cuyas imágenes pueden matarte. Si no fuera por eso no estaríamos aquí. Cuántas veces lo repites: «¡una imagen fotográfica!» ¿Basta con repetirlo sin llegar jamás a creerlo? «Las mujeres no somos capaces de comprender la esencia del suplicio.» Estas palabras no sirven para escapar. La vida de las mujeres es una sucesión de instantes congelados. «¿Me amas?» ¿Es ésta la pregunta que en tu mente me dirigías cuando de pronto te detuviste después de alejarte de mí corriendo junto a las olas? ¡Cómo saberlo si cuando me lo preguntabas eras otra! Y tenías en la mano una estrella de mar que te dio asco. La arrojaste a las olas cuando tuviste ese presentimiento de la imagen que ahora se realiza. Helo allí. Poco a poco lo despojan de sus ropas y su cuerpo se yergue en una desnudez de carne infinitamente bella e infinitamente virgen. ¿Acaso hubieras sido capaz de imaginar esta escena tal y como

---

[139] *chao-tsé:* literalmente, que produce ruido.

está sucediendo ahora? ¿Cómo retenerla para siempre ante los ojos? Todo se vacía. No queda nada de nosotros mismos y esa ausencia de todo nos embriaga. No va quedando más que esa forma, concretándose lentamente contra la estaca, haciéndose cada vez más rígida en su actitud de desafío y de entrega a la vez, con los hombros doblados hacia atrás por la tensión de las ligaduras y el cuello alargado hacia adelante; con los ojos abiertos, abiertos más allá del dolor y de la muerte. Una mirada que nada puede apagar; como pudiera mirarse uno mismo en el momento del orgasmo. Pero esa luz todo lo oculta. Es como mira el tigre o la mirada del opiómano. Sí, acaso una fuerte dosis de opio antes de esta muerte, antes de esta fascinación definitiva de todos los sentidos, y la sangre se vuelve más cálida y fluye más lentamente, tan lentamente que el filo de la cuchilla es incapaz de hacer brotar un borbotón violento sino que el torso distendido contra el cielo nublado se va cebreando lentamente y las estrías negras sólo convergen, por el pálido cauce de las ingles, en las comisuras del sexo y de allí gotean como clepsidras, más lentas que su corazón cuyos latidos se pueden escuchar desde lejos, saliendo de la herida. Así sangran los cadáveres: por gravedad, con esa lentitud se va deletreando la palabra que la tortura escribió sobre el rostro que has imaginado ser el tuyo en el momento de tu muerte: con esa lentitud torpe de ouija. Y tú estás fija allí y yo te miro mirarme fijamente. Pretendes descubrir mi significado y te horroriza la sangre que mana de mi cuerpo y a la vez te fascina porque en su contemplación crees redimirte. No alcanza la distancia que hay entre tú y yo para contener este grito diminuto de la muerte...

Es posible que te haya confundido. Excluyes la posibilidad de que ese hombre que pende mutilado de una estaca manchada con su sangre seas tú misma. ¿Acaso no había un enorme espejo allí, en aquel salón en el que decidiste entregárteme muerta?

No has sabido leer en ese libro que encontraste sobre la mesilla[140]:

AVISO

Cuando se lea en este libro: Incídase de izquierda a derecha...; atáquese el borde izquierdo del pie...; prosígase hasta la cara derecha del miembro..., adviértase que los términos *izquierda* y *derecha* se refieren al operador y no al operado.

Por consiguiente, incídase de izquierda a derecha quiere decir: de la izquierda del operador a su derecha; —atáquese el borde izquierdo del pie significa: atáquese, sobre cualquiera de los pies, el borde situado a la izquierda del operador; —prosígase hasta la cara derecha del miembro quiere decir: prosígase hasta la cara del miembro que queda ante la mano derecha del operador.

Este aviso es una sabia precaución del Maestro, sobre todo si se tiene en cuenta la existencia de ese espejo, ¿no crees?

¿Espejo o puerta? —¿Pretendes acaso imaginar un artificio que borre de mi mente esa imagen? Pero yo lo recuerdo todo.

—Cuéntamelo pues; ¿cómo empieza la ceremonia? ¿El paciente ofrece resistencia a sus médicos?

—No; el paciente se abandona al suplicio. Él sabe cuál es su destino. En su entrega está su significado.

—Dime, dímelo ahora: ¿sonríe cuando le aplican por primera vez la cuchilla en la carne?

—Sí, en cierto modo sonríe... sonríe de dolor.

—Cuéntame todo. ¿Cómo se inicia el tratamiento?

—Con palabras.

—¿Qué palabras?

---

[140] El texto que aparece a continuación reproduce casi literalmente un fragmento del *Manual de Técnica Operatoria* de Louis Hubert Farabeuf.

214

—Palabras lentas, como las que profiere la ouija. Primero le hacen dos tajos horizontales sobre las tetillas...

—¿Y luego?

—Y luego, jalando hacia abajo los bordes de esas incisiones, el verdugo le arranca la piel hasta dejar descubiertas las costillas.

—¿Gritó entonces el supliciado?

—No; me miraba en silencio.

—¿La visión de ese cuerpo desgarrado te conmovió?, ¿sentiste compasión?, ¿sobresalto?, ¿náusea?

—Fascinación. Fascinación y deseo.

—¿Te hubieras entregado?

—¿Acaso no me estaba poseyendo con su mirada...?

—Amas confundir las cosas; desvarías.

—¿Qué hacen luego?

—Dejan que sangre y lo miran.

—¿Cómo lo miran?

—¿Cómo lo miran? Como se mira el cielo en la noche o simplemente como se mira un cuerpo desnudo; quizá con horror. Luego aprietan lentamente las ligaduras.

—¿Para qué?

—Para facilitar el desmembramiento.

—¿Así es el rito?

—No; así es el procedimiento. El rito es nada más mirarlo...

—Mirarlo fijamente, ¿verdad?

—Sí, muy fijamente, para poder recordarlo después.

—Luego que han apretado las ligaduras...

—Primero le cortan las manos.

—¿Sentiste miedo?

—Sentí placer. A cada nueva etapa de la intervención, su mirada se iba aguzando como la punta de una daga.

—Creíste entonces que él te pertenecía.

—Sí; y comprendí que el dolor, de tan intenso, se convierte de pronto en orgasmo.

—¿Ese hombre estaba totalmente desnudo?

—No lo sé. Alguien se interponía.

—¿Quién?

—Un hombre que se cubría el rostro con un trapo negro.

215

—¿Era un verdugo?

—No; era un testigo.

—¿Cómo lo sabes?

—Yo soy su testimonio.

—Pero, ¿qué pasa luego?

—Luego las piernas...

—¿Es entonces cuando emplean las sierras?

—Sí; hacen un ruido peculiar.

—¿Y la gente, qué dice?

—Todos callan.

—Cuéntame otra vez cómo se inicia la ceremonia.

—Lo llevan hasta la estaca con las manos atadas por la espalda.

—¿El condenado mira al frente o al suelo?

—A veces mira a sus verdugos.

—¿Opone resistencia?

—No; no opone ninguna resistencia...

—¿Y luego qué le hacen?

—Le arrancan la ropa. Queda completamente desnudo.

—La desnudez y la muerte son la misma cosa.

—Sí, el mismo rito.

—¿Cuándo alimentan a las palomas con las babosas?

—Más tarde, cuando acuden los buitres atraídos por el olor de la sangre.

Pon atención. Trataré de contártelo todo; sin omitir un solo detalle. Las gentes no aguardaban con anticipación. Iban llegando poco a poco cuando la ceremonia ya había empezado. Pero él estaba allí. No sé desde cuándo; el hecho es que él ya estaba allí; como si siempre hubiera estado allí. No se percata uno a ciencia cierta de lo que pasa. De pronto surge de entre los curiosos con las manos atadas a la espalda. Todo en él, todo lo que lo rodea, está tenso, como si fuera a romperse la realidad de un momento a otro, pero él no tropieza, camina con dificultad, pero no tropieza. La estaca ya está fija en el suelo desde antes. Quizá la han puesto allí desde el día anterior. Los mecanismos materiales de la justicia son, pudiéramos decir, imperceptibles. ¿Quién construye los cadalsos? ¿Quién templa la hoja de esas cuchillas? ¿Quién cuida de que el mecanismo de la guillotina funcione con toda perfección? ¿Quién aceita los goznes del garrote? La identidad de los verdugos es inasible como el mérito de sus funciones. Es difícil relatar estas cosas porque son cosas que pasan sin que nos demos cuenta cabal de *cómo* pasan. De pronto ese cuerpo se cubre de sangre sin que hayamos podido darnos cuenta del instante preciso en que los verdugos le hacen el primer tajo. La fascinación de esa experiencia es total; esto sí es innegable. Cuando terminó el suplicio estábamos empapados. No nos dábamos cuenta de que estaba lloviendo. De pronto, ya estaba él allí, pero nosotros no lo mirábamos a él, mirábamos las cuchillas que los verdugos blandían orgullosos, que los verdugos blandían con esa sabiduría y con esa destreza que da el hábito manual. Las cuchillas en manos de otros hombres serían manipuladas torpemente, con precaución, tratando de evitar el contacto de las hojas, huyendo de su filo hiriente al menor contacto. Es posible que el supliciado no se dé cuenta cabal de lo que está sucediendo. Así pasan las cosas. Uno mira de frente y sin embargo, cuando súbitamente brotan los goterones de sangre de la herida, no sabríamos decir en qué momento se produjo el tajo. Las cosas pasaban así. Desde el primer momento en que se ve la sangre escurriendo lentamente a lo largo de las comisuras de su cuerpo, cebreando lentamente la piel lampiña, distendida, arrollándose en tenues hilos de púrpura que gravitan formando estrías hacia el sexo del santo que en esas condiciones se vuelve la única parte invulnerable de su cuerpo, y luego, esa sangre se acumula en el pubis hasta que rezumando cae sobre el pavimento y queda tal como era unos instantes, luego se vuelve negra como carbón. Pero eso no es lo más inquietante. El Dignatario[141], el que aparece en la fotografía contemplando apa-

---

[141] *Dignatario:* persona que dirige el suplicio del *leng-tch'é,* la escena que se nos describe está captada también en uno de los clichés que recogen la ejecución de Fu Tchu Ki.

ciblemente la escena desde atrás, al lado derecho, se adelanta hacia el hombre e introduciendo las puntas de los dedos entre las comisuras de los primeros tajos que han hecho los verdugos, apresa el borde inferior de la herida y tira hacia abajo, primero del lado izquierdo y luego del lado derecho. Es curioso ver cuán resistente es la carne de nuestro cuerpo; es preciso ver la magnitud del esfuerzo que desarrolla el Dignatario antes de poner al descubierto las costillas del hombre, para comprender cuál es exactamente la capacidad y la resistencia de la carne. El supliciado nunca grita. Los sentidos quizá se vuelven sordos a tanto dolor. El Dignatario se aleja y se coloca en el lugar en el que aparece en la fotografía. Desde allí ordena a los demás verdugos, mientras se enjuga las manos manchadas de sangre, que procedan al descuartizamiento. Cuatro de ellos ejercen una función pasiva aplicando la tensión de las ligaduras, mediante palancas y tórculos[142] improvisados, en los puntos en los que la distensión de los tejidos, de los tegumentos, de las masas musculares, faciliten los tajos de la cuchilla. La tarea de estos hombres, que en la jerga de los verdugos se llama el *hsiao kuung* o pequeño trabajo, no carece, ni remotamente, de una gran importancia. La perfección del *leng-tch'é* depende casi siempre de la correcta aplicación de las tensiones. No es de extrañar por ello que existieran en China, en la época de la dinastía Ch'ing[143], funcionarios imperiales dedicados exclusivamente a recorrer todos los confines del Reino para reclutar a los mejores *hsiao kuung de ren*, hombres del pequeño trabajo, como se les llamaba. La práctica inmemorial de la acupunctura[144] que ha sabido diferenciar espacialmente cada una de las partes de nuestro cuerpo seguramente contribuía, mediante la perfecta localización de los «meridianos»[145], a

---

[142] *tórculo:* prensa.

[143] *dinastía Ch'ing:* dinastía que ocupa el trono chino durante el periodo de dominio manchú, que abarca desde 1644 hasta 1911, fecha en que se produce el hundimiento del milenario régimen imperial chino.

[144] *acupunctura:* acupuntura, método terapéutico y anestésico de origen chino que consiste en la inyección subcutánea de pequeñas agujas.

[145] *meridiano:* línea imaginaria trazada sobre la superficie de un cuerpo esférico que señala la intersección con la superficie de un plano que pasa por su eje. Aquí los meridianos son las señales que marcan los puntos de amputación más susceptibles de los miembros del cuerpo.

dar a estos hombres un conocimiento cabal de los puntos y los grados de resistencia de sus miembros. Mira la fotografía. Analiza sus actitudes. El del extremo izquierdo de la foto mantiene el brazo en alto ejerciendo, con un esfuerzo mínimo, una simple presión o torsión digital en alguna de las ligaduras o torniquetes situados a espaldas del paciente. Esta ligadura, aquí invisible, seguramente se sustenta en la estaca misma como punto de apoyo para producir una presión que aproxima y mantiene rígidos los brazos en torno a la estaca. Se ve de inmediato que ese hombre tiene la sabiduría de su oficio. La eficiencia absoluta de sus actos se retrata en la mirada serena dirigida hacia las manipulaciones del verdugo que aparece del lado izquierdo de la fotografía, en primer término de espaldas a nosotros. Una ligerísima torsión aplicada por sus dedos a una ligadura situada a la altura de la espalda del sujeto propicia o facilita en alto grado el desmembramiento de sus piernas a la altura de la rodilla. Hay otro verdugo situado a la izquierda del anterior —hacia la derecha en la fotografía— cuyo rostro no nos es posible ver. Es visible, sin embargo, un rasgo distintivo de su personalidad. Este hombre sostiene una estaca que por su posición, por su inclinación característica, es seguro que cumple la función de ejercer la fuerza mayor de todas cuantas se utilizan en esta operación. Se trata pues de un torniquete de grandes dimensiones. Esto no sería de mayor importancia si no fuera por el hecho de que la mano derecha del verdugo que maneja este torniquete no se crispa en torno a esta palanca como las proporciones y el peso probable de ella lo harían suponer, dada, sobre todo, la gran fuerza que ha de ejercer, sino que por el contrario se posa, tal parece, delicadamente sobre el madero, en una posición semejante a como se toma el arco de un violín, plegando delicadamente, además, el dedo meñique hacia adentro y manteniéndolo sin tocar la palanca. Ese gesto indica, qué duda cabe de ello, que si bien la mano izquierda de este verdugo sirve para mantener el torniquete a la altura requerida, pues así lo demuestra el gesto firme con que la mano retiene la estaca desde abajo, la mano derecha sirve para producir levísimas modificaciones, aumentos apenas perceptibles, disminuciones infinitesimales, relajamientos instantáneos y localizados de la presión general aplicada al cuerpo del enfermo, modulaciones que sirven para frenar hasta su posibilidad más exasperante ese desmembramiento implacable, modulaciones como las que el arco produce sobre las cuerdas en la *cadenza* que precede y hace retroceder la *coda*[146] de un trozo musical. Hay otro verdugo detrás del supliciado. Apenas son visibles su mano derecha y su frente. Seguramente cumple una función similar a la del verdugo del extremo izquierdo de la fotografía. Como el otro, no tiene sino que hacer aumentar y disminuir la presión de un torniquete hecho de cáñamo. Atrás, a espaldas del supliciado, es posible ver parte del rostro y el borde de la gorra de un verdugo que ocupa una posición absolutamente simétrica a la del verdugo que manipula el torniquete de cáñamo e inmediatamente en seguida vemos a otro verdugo, con el pelo cortado a la usanza de los manchús[147], que al igual que el del extremo izquierdo de la fotografía ejerce presión a la espalda del condenado al mismo tiempo que sigue con gran atención las manipulaciones de los otros dos que en primer término, en la fotografía, ejecutan lo que es el desmembramiento propiamente dicho. Éstos se encuentran ambos de espaldas a la cámara. Cada uno de ellos trabaja sobre una de las piernas del paciente, desmembrándolas en las coyunturas de la rodilla mediante sus sierras. Es indudable que proceden de la misma manera con los brazos si no es que lo han hecho ya. Esto es de suponerse porque habiendo empezado por amputar las manos y luego los antebrazos a la altura del codo, se requeriría una gran tensión de las ligaduras sobre los muñones del brazo para que en ellos se sustente todo el peso del cuerpo, lo que así justifica la función del verdugo que opera el gran torniquete. Es preciso tomar en cuenta la simetría de esta imagen. La colocación absolutamente ra-

---

[146] *cadenza:* ritmo de una pieza musical*; coda:* conclusión de una sonata o sinfonía.

[147] *manchú:* pueblo mongol originario de Manchuria, región del noreste de China. Desde el siglo XVII hasta comienzos del siglo XX, la dinastía manchú rigió los destinos de China. Precisamente como consecuencia de la rebelión de los bóxers, a comienzos del siglo XX, Manchuria pasaría a manos rusas; a partir de ese momento los manchús dejan de constituir una entidad nacional específica dentro de China.

cional, geométrica, de todos los verdugos. Aunque la identidad del verdugo situado a espaldas del supliciado no puede ser precisada, su existencia es indudable. Fíjate en las diferentes actitudes de los espectadores. Es un hecho curioso que en toda esta escena sólo el supliciado mira hacia arriba, todos los demás, los verdugos y los curiosos, miran hacia abajo. Hay un hombre, el penúltimo hacia el extremo derecho de la fotografía que mira al frente. Su mirada está llena de terror. Nota también la actitud de ese hombre situado en el centro de la fotografía entre el verdugo manchú y el Dignatario; trata de seguir todas las etapas del procedimiento y para ello tiene necesidad de inclinarse sobre el hombro del espectador que está a la derecha. El supliciado es un hombre bellísimo. En su rostro se refleja un delirio misterioso y exquisito. Su mirada justifica una hipótesis inquietante: la de que ese torturado sea una mujer. Si la fotografía no estuviera retocada a la altura del sexo, si las heridas que aparecen en el pecho de ese individuo fueran debidas a la ablación[148] cruenta de los senos no cabría duda de ello. Ese hombre parece estar absorto por un goce supremo, como el de la contemplación de un dios pánico[149]. Las sensaciones forman en torno a él un círculo que siempre, donde termina, empieza, por eso hay un punto en el que el dolor y el placer se confunden. No cabe duda de que la civilización china es una civilización exclusivamente técnica. De esta imagen se puede deducir toda la historia. Se trata de un símbolo, un símbolo más apasionante que cualquiera otro. Cada vez que lo miro siento el estremecimiento de todos los instintos mesiánicos. Sólo puede torturar quien ha resistido la tortura. Hipótesis inquietante: el supliciado eres tú. El rostro de este ser se vuelve luminoso, irradia una luz ajena a la fotografía. En esta imagen yace oculta la clave que nos libra de la condenación eterna. Es preciso estudiar ese diagrama, ese dodecaedro[150] cuyas cúspides son las manos y las axi-

---

[148] *ablación:* extirpación quirúrgica de una parte del cuerpo.
[149] *dios pánico:* Pan, sátiro, dios de figura semianimal, con patas, orejas y cuernos de macho cabrío, que representa comúnmente la naturaleza y el amor lascivo y la sexualidad; se acompaña siempre de una flauta o siringa con cuya música ordena la naturaleza y representa también la totalidad y el absoluto.
[150] *dodecaedro:* cuerpo de doce caras.

las de todos los hombres que se afanan en torno al condenado. Ese hombre, visto en la penumbra, el hombre que se apoya sobre el hombro de su vecino para poder seguir con la mirada cada una de las fases del trabajo de los verdugos, ese
hombre parece no creer lo que está viendo. Los chinos nos
son ajenos. Es imposible entenderse con ellos...

Conocemos su hipótesis, doctor Farabeuf; una hipótesis
que podríamos llamar, *stricto sensu*, escatológica[151]. Afirma
usted, maestro, que el rostro, que ese rostro que usted foto-
grafió, es el rostro de un hombre en el instante mismo de su
muerte. Afirma usted, por otra parte, en su interesantísimo
trabajo acerca de la fisiología del supliciado que por lo general en estos casos, debido a la concatenación del terror psí-
quico con el paroxismo de las sensaciones se produce una
súbita secreción de adrenalina, la que actúa sobre ciertas células nerviosas... determina por el cambio repentino de po-
laridades una levísima vibración de la capa superficial del tejido conjuntivo[152]... «una descarga...» —así la llama usted—
¿o no?... Por lo que se refiere al desangramiento su descripción no carece de lirismo... «ello se traduce en una manifestación característica de la fisiología de los órganos masculi-
nos... asimismo de la mujer... en el mismo caso», dice usted.
¿A dónde nos lleva todo esto?

Se trata de un hombre que ha sido emasculado previamente.

Es una mujer. Eres tú. Tú. Ese rostro contiene todos los rostros. Ese rostro es el mío. Nos hemos equivocado radicalmente, maestro. Nos engañan las sensaciones. Somos víctimas de

---

[151] *escatológica:* relativa a la escatología, saber que estudia el destino final del
hombre y del universo. Asimismo, relativo a lo excrementicio.
[152] *adrenalina:* hormona secretada por las células de la médula de las glán-
dulas suprarrenales, posee una acción reguladora del, entre otros, sistema ner-
vioso y del circulatorio; *polaridad:* estado en que se encuentra una membrana
cuando hay una diferencia de potencial entre ambos lados; *tejido conjuntivo:* tejido compuesto por células y fibras extracelulares de gran importancia para las
funciones tróficas (o nutritivas) y mecánicas del cuerpo humano.

un malentendido que rebasa los límites de nuestro conocimiento. Hemos confundido una tarjeta postal con un espejo. Es preciso saber quién tomó esa fotografía.

La fotografía no representa sino una parte mínima del horror.

Esa cara... ese rostro es soñado... no existe... ese rostro... es el amor... la muerte... es el rostro del Cristo... el Cristo chino... ¡Señor Abate!... ¡Su Santidad!... ¡Monseñor!... ¡Monseñor!... ¡Eminencia!... ¡Su Santidad!... ¡Su Santidad!... ¡es el Cristo!... ¡es el Cristo, maestro!... ¡es el Cristo!... olvidado entre las páginas de un libro.

Comienzo a creer esta historia... y la Enfermera, ¿qué hacía mientras tanto?

—Dejaba caer las monedas... dos *yang* y un *yin*... dos *yang* y un *yin*... dos *yin* y un *yang*[153]...

—No podrás recordarlo...

—Sí; sí lo recuerdo... tres *yang*... un *yang* y un *yin*... tres *yin*[154]...

—¿Podrás recordarlo? Es importante. Han salido dos líneas mutantes en esa disposición... Es preciso estudiar la configuración de los verdugos... es importantísimo... forman un dodecaedro con seis cúspides visibles... son seis los verdugos que actúan sobre el cuerpo del suplicado, seis... como las líneas del hexagrama... *yin-yang*... como el *t'ai ki* también: la conjun-

---

[153] *dos yang y un yin:* trigrama *tui* —véase nota 28—; *dos yin y un yang:* trigrama *ken* (lo quieto, la montaña); ambos trigramas componen el hexagrama *sun* (la merma, la disminución), en cuyo dictamen se lee en la última línea: «dos escudillas pequeñas pueden usarse para el sacrificio».

[154] *tres yang, tres yin:* véase nota 72.

ción de dos seises[155]... Ese hombre está drogado, pero entonces ¿por qué irradia tanta luz de su rostro?... Eres tú... fuiste tú... la simetría perfecta de la disposición de los verdugos... Ese hombre de la derecha, el Dignatario... ese hombre no es un verdugo, es un testigo, es evidente. Maestro, es preciso que nos conteste usted una pregunta: ¿retocó usted la fotografía?

—Un buen fotógrafo nunca retoca.

—¡Cómo puede alguien atreverse a contemplar tal escena!

Por primera vez... por primera vez... es posible sentir toda la belleza que encierra un rostro... sí, por supuesto... es una mujer... una mujer bellísima... la mujer-cristo...

¡Pasen, señores, pasen! ¡Vean las maravillas del mundo! ¡Los monstruos que asombran! ¡La beldad que enloquece! ¡El Mal que hiela! ¡Pasen, señores, pasen! ¡Pasen a ver a la mujer-cristo!

Mira ese rostro. En ese rostro está escrita tu verdad. Es el rostro de una mujer porque sólo las mujeres resisten el dolor a tal extremo.

¿Quiénes son?

Si entrecierras los ojos pensarás que son turistas, pero luego aparece su verdadero rostro, su rostro de chinos, chinos que quieren ver...

Sí, es el instante de su muerte: he ahí otra conjetura. Trata de imaginar lo que se siente...

---

[155] *t'ai ki, conjunción de dos seises:* según Richard Wilhelm en su introducción al *I ching,* este libro fue añadiendo, a su carácter oracular inicial, un contenido sapiencial cada vez mayor. Su fin último sería así la comprensión de la eterna ley inmutable que actúa en las mutaciones del cosmos. Esta ley es el *tao* (la Vía, el Sentido) y su postulación es el principio original de todo: el *t'ai ki* o *T'ai Ch'i.* El emblema del *tao* y del *t'ai ki* es un círculo subdividido en dos regiones, una de luz y otra de tiniebla, que representaría la unión en un solo cuerpo de los principios antitéticos del *yin* y el *yang.*

Una circunstancia que permitiría demostrar que el supliciado es una mujer es la localización por demás irracional de
las incisiones practicadas en el tórax. Se trata en esencia, en
el *leng-tch'é*, de un procedimiento de amputación por desco-
yuntamiento de los miembros en las articulaciones y vicever-
sa; ¿por qué, entonces, esos tajos por encima de las tetillas?
Esas incisiones sólo se explican por el hecho de que en el lugar en que se encuentran existieran volúmenes o masas musculares suficientemente prominentes como para ser conside-
rados como miembros, extremidades o protuberancias del
cuerpo, lo cual según la tradición y el pensamiento chino relativo a la descripción del cuerpo humano, o sea la anatomía,
sería bastante factible ya que la concepción china de la anatomía se funda en el concepto de espacio, mientras que la
nuestra se funda en el de tiempo, de allí la fisiología que no
es otra cosa que el estudio del comportamiento de las partes
del cuerpo en el tiempo...

Esa mujer no es ni rubia ni morena; es *esa* mujer. ¿La reconocería usted, doctor, si un día encontrara ese rostro detrás
del cristal de un frasco para preparaciones anatómicas,
como esas cabezas singulares que se conservan en el Museo
Dupuytren[156], eh? ¿Reconocería usted a Mélaine Dessaignes
en tales circunstancias? Sus ojos no son negros ni claros; esa
boca no es de nadie. Mire usted esa fotografía con gran cuidado: ¿no reconoce usted a Mélaine Dessaignes?

La disposición de los verdugos es la de un hexágono que se
desarrolla en el espacio en torno a un eje que es el supliciado. Es también la representación equívoca de un ideograma
chino, un carácter que alguien ha dibujado sobre el vaho de
los vidrios de la ventana, de eso no cabe duda. Puede ser
cualquiera de las dos cosas: un ideograma o bien un símbolo geométrico. La ambigüedad de la escritura china es mara-

---

[156] *Museo Dupuytren:* museo creado gracias a la donación de doscientos mil
francos a la facultad de Medicina de París hecha por Guillaume Dupuytren
(1777-1835), cirujano francés profesor de Medicina y de Clínica Quirúrgica y
cirujano de Luis XVIII y Carlos X.

villosa y de esa forma que se concreta allí, en la imagen del suplicio, podemos deducir todo el pensamiento que es capaz de convertir esta tortura en un acto inolvidable. Si aprendes a decir ese nombre comprenderás el significado final del suplicio. Mira este signo:

Es el número seis y se pronuncia *liú*[157]. La disposición de los trazos que lo forman recuerda la actitud del supliciado y también la forma de una estrella de mar, ¿verdad?

---

[157] El número seis (o *liú*) posee en la cultura china una gran carga simbólica que, en algunos casos, se relaciona con aspectos muy importantes de la novela. Así, es un número asociado al trigrama *ch'ien*, compuesto por tres *yang* y que simboliza el cielo y lo creativo; simboliza también las experiencias de unicidad (hermanamiento universal) y las personas que actúan bajo su influencia suelen estar dominadas por los impulsos sexuales (véase Bob Sachs, *Numerología china. El ki de las nueve estrellas*, Barcelona, Obelisco, 1995).

Capítulo VIII

Tratas de comprender la esencia de ese símbolo. ¡Quién hubiera pensado que Farabeuf se valdría de ese objeto cuya sola concepción, estudiada metódicamente, es capaz de romper la mente en mil pedazos! Pero por encima de esa realidad turbadora, la memoria del maestro ha sabido recoger los fragmentos de esa vida que se te escapa en el olvido; mediante la disciplina del clatro ha reconstruido, como se hace con un rompecabezas, la imagen de un momento único: el momento en que *tú* fuiste el supliciado.

«...la imagen de un hombre y una mujer que caminaban por la playa. De pronto la mujer echó a correr dejando atrás al hombre que no intentó darle alcance sino unos instantes después. Pero luego la mujer se detuvo bruscamente y se volvió hacia el hombre. Éste se turbó, como si no la hubiera reconocido. Yo sin embargo reconocí ese nuevo rostro. Sus ojos se habían posado en mí y tal vez la mujer me reconoció también. Esta hipótesis explica su intempestiva carrera para alejarse de aquel lugar ya que nuestra presencia allí hubiera bastado para poner en peligro el plan. Os comunico este incidente para explicar mi partida. Los intereses de nuestra causa lo exigen ahora...»

La primera parte del ejercicio está concebida para hacerte comprender todas las posibilidades de la multiplicidad del mundo: trata de concebir este clatro reflejado en el espejo.

...simplemente un objeto adquirido por capricho en un *china-town*[158] banal...

«...Imagen de tu vida», dijo Farabeuf haciendo girar el clatro lentamente entre sus dedos afilados, manteniéndolo muy cerca de sus ojos, regocijándose en el ruido diminuto que producían las esferas al tocarse sus superficies...

Te has detenido frente a la ventana bruscamente. Temes el roce de mi mano. Empieza la noche y la lluvia sigue cayendo tenuemente a pesar de que ya no se escucha el golpe de las gotas contra los cristales. Te has detenido y miras a través de esos vidrios empañados en los que alguien —tú quizá— trazó con la punta del dedo un signo ambiguo, tal vez el carácter que significa *seis* en chino. Tratas de discernir con claridad lo que está pasando allá fuera. Una silueta turbia se vislumbra a través del vaho y tratas de adivinar la identidad de esa sombra cuya mirada se clava en tus ojos fijamente sin que tú lo sepas. Pero has aprendido, mediante todas estas disciplinas, a reconocer esas sensaciones indefinibles. Has aprendido ya a definirlas como algo que escapa al conocimiento. Te volverás acaso hacia donde yo estoy y tratarás de descubrir quién soy porque ahora tú eres otra, la Enfermera, que surgida de las sombras del pasillo se dirigió rápidamente hacia la ventana cuando presintió la presencia de Farabeuf cruzando lentamente la calle, agobiado por el peso de su maletín de cuero negro, bajo el paraguas empapado. Corriste hacia la ventana profiriendo a la vez una sílaba fracta[159], el comienzo de un nombre que nunca has podido recordar por entero. Hubieras huido, marchándote bajo la lluvia, por escapar de aquella mirada, de aquella presencia que siempre te imaginaba muerta, tendida sobre la plancha del enorme anfiteatro, desnuda en tu

---

[158] *chinatown:* barrio chino de una ciudad.
[159] *sílaba fracta:* en gramática, el adjetivo fracto se emplea sobre todo en relación con un tipo de plural característico de las lenguas semíticas que se forma mediante la modificación vocálica de la raíz; según el contexto, la expresión sílaba fracta parece referirse aquí a una sílaba incompleta, según la etimología latina de *fractus:* roto, interrumpido.

aceptación del suplicio, abierta por entero hacia aquellas imágenes que ahora te serían borrosas y tu desnudez se confundiría en la mente del maestro con la desnudez de aquellas mujeres que la mano de un pintor inquietante había trazado sobre la bóveda de ese depósito de cadáveres mutilados. Tu desnudez misma sería como la confirmación de un acto definitivo. Acaso estás muerta, allí, ante mí. No faltarán sino unos minutos para que tu cuerpo se recubra de esas estrías lentas que la sangre traza, por gravedad, en las comisuras del cuerpo después de que el bisturí recorre la piel como una caricia apenas perceptible, pero inequívoca en el florecimiento de las vísceras que brotan a través de las incisiones como los retoños de una primavera tenebrosa. No; no hables. Guarda silencio, tienes que escuchar todo lo que yo digo antes de tu desfallecimiento. Has querido entregárteme muerta. Supón por un momento que la hora de tu entrega ha llegado. No temas. Después de todo este objeto es inofensivo. El cuerpo le es ajeno y sólo sirve para hacer la disección de la mente, un acto indoloro pero que lleva aparejado un riesgo mortal. Más tarde Farabeuf traerá las cuchillas, pero para entonces habrás sucumbido a la fascinación de estas pequeñas esferas. ¿Temes que te engañe? ¿Sufres? ¿Acaso no te he reconfortado en todas las ocasiones en que pensaste ser la Enfermera y te imaginaste sucumbir a la caricia de ese hombre, a esa caricia hecha de tintineos de acero sobre una plancha de mármol? No temas; es cuestión de un instante... después de todo yo estoy aquí porque tú me llamaste. ¿Crees acaso que ha llegado el momento en que conforme a tus deseos habrás de entregárteme muerta, un cuerpo yerto sobre la plancha de mármol? Tu desnudez será para entonces más fascinante y más aterradora que el clatro. Deseas, sin embargo, asistir por última vez a la representación. Quizá encontrarás en los juegos de luces del *Teatro Instantáneo del Maestro Farabeuf* la clave del misterio. ¿Quién eres tú que así te olvidas de ti misma? Un cuerpo atado a una estaca sanguinolenta. Un grito en la mitad de la noche que despeja los cielos, un cuerpo inmóvil que espera la llegada de la muerte junto al quicio de una puerta pintada de blanco. No te distraigas. Debes concentrar todo tu pensamiento en estas esferas de marfil. Sin una gran concentración mental es imposible obtener un resultado satisfactorio. Yo iré anotando los valores numéricos equivalentes de cada jugada. ¿Sientes ya que el indicador se desplaza sobre la tabla? Es fácil equivocarse. Estás pensando en otra cosa. Cierra los ojos. Olvida la imagen de esas cuchillas brillando sobre la mesilla de hierro con cubierta de mármol. Alguien que por ahora no tiene ninguna importancia para nosotros las ha dejado olvidadas con la intención de que esa imagen se repita en tu mente en el momento justo en que estés a punto de recordar ese nombre. Tal vez lo descubras mediante un método adivinatorio, pero para ello es preciso que te concentres, o que te abandones por completo a los designios de la casualidad. Sí; debes abandonarte por entero a esta experiencia. Llegado el momento te tomaré en mis brazos y mientras miras tu rostro reflejado en ese enorme espejo susurraré en tu oído la palabra que tanto deseas escuchar. No temas. Yo te amo. Por eso he venido. He comprendido a través de tus palabras toda la angustia de tu cuerpo que aspira ya, por el deseo, a una muerte tibia y apenas perceptible. No temas. ¿Es preciso que te repita esta indicación un millón de veces hasta que comprendas que lo que yo te tengo deparado es más lento y más exquisito que esa tortura en la que tu piel y todos tus sentidos se recrean cuando por las tardes te pones a contemplar insistentemente esa fotografía que alguien dejó olvidada en esa casa para que tú un día la encontraras? ¿Es preciso que te lo diga tantas veces?

«...doscientos millones de infieles. La posibilidad de atraer al seno de nuestra Santa Madre... la instauración de una Iglesia Católica China comprometida secretamente con Roma... disyuntiva a la que los núcleos revolucionarios que funcionan en Tokio no se muestran del todo reacios ya que son sus propios dirigentes los que han sugerido esta posibilidad a nuestro agente como un medio para romper el poderío de la dinastía reinante... consideraciones que habrán de ser comunicadas *sub sigillum*[160] al Rev. P. Friedman a la mayor brevedad posible

---

[160] *sub sigillum*: «bajo secreto».

con el fin de que me sea posible conocer la acogida que en la Cancillería Secreta tengan estas proposiciones antes de mi retorno a Europa y así poder establecer los contactos necesarios para proseguir las pláticas con los representantes de los clubs republicanos en Barcelona...»

Se trata, para qué negarlo, de una especulación carente de todo fundamento, ¿verdad, señor abate? Habéis incurrido en el pecado de simonía[161].

—Y luego, hermana, ¿qué pasó?

—Mi cuerpo flaqueó...

«Él, entonces, la tomó en sus brazos...» o bien: *induxit monacam ad copula*[162].

—¿Estabais al tanto de la índole de la misión que había llevado al llamado Paul Belcour a China?

—............

—¿Estaba el llamado Paul Belcour al tanto de la verdadera naturaleza de vuestro estado religioso?

—............

—¿Concebís la posibilidad de que el llamado Paul Belcour conociera vuestra identidad secreta por otros conductos?

—............

—Si aquella mujer os había reconocido, ¿por qué, entonces, se detuvo de pronto volviéndose hacia donde estabais, padre?

—Esa mujer había sufrido una confusión momentánea acerca de mi identidad, Monseñor.

—Ello quiere decir que os conocía.

—Sí, tal vez...

Te equivocas; toda tu confusión se debe a la ausencia de tu cuerpo aquí, ante el recuerdo de lo que hemos sido y que ahora podemos contemplar gracias a todas las posibilidades

---

[161] *simonía:* compra o venta ilícita de cosas espirituales, tales como la gracia, la consagración, la bendición, etcétera.

[162] *induxit monacam ad copula:* «indujo a la monja a la cópula».

que se han concretado en estas esferas, gracias a un azar que nunca habíamos concebido. En realidad todo no es tan complicado como parece. Basta que los orificios tallados en los seis niveles que componen el clatro coincidan. Es un juego muy sencillo. Los chinos lo llaman el juego de *hsiang ya ch'iu*[163]. Toma el clatro entre tus dedos por la base y hazlo girar. Después de cada movimiento mira a ver cuántos orificios han coincidido y cuáles de ellos. Cada una de las esferas tiene seis orificios y cada orificio tiene un valor numérico y un significado específico y cada esfera asimismo tiene un significado que engloba los seis orificios que la componen. Advierte que por una disposición que sólo una habilidad demoniaca pudo concebir los orificios de los diferentes niveles no se continúan siempre desde la periferia hacia el centro, es decir que si una serie de seis orificios coinciden desde el primer nivel hasta el centro del clatro, no necesariamente coinciden de la misma manera los otros seis orificios de cada uno de los niveles. Así pues, si los orificios 2, 3 y 5 de la esfera exterior constituyen una serie ininterrumpida con los orificios de los otros cinco niveles hacia el centro, los orificios 1, 4 y 6 del nivel periférico pueden coincidir con orificios semejantes del tercero y sexto niveles, pero no del segundo y quinto. Ello da por resultado que a cada movimiento del clatro se produzcan series continuas y discontinuas de orificios desde la periferia, o sea desde el nivel de la primera esfera hacia el centro, o sea la última esfera desde el centro. Si consideras cada una de las esferas como la conjunción de dos hemisferios divididos por un ecuador[164] habrás de tener en cuenta que el valor ordinal y numérico de cada serie de orificios está determinado por la localización de los orificios del primer nivel con respecto al ecuador de la esfera exterior, que por ser inmóvil sobre la base que lo sustenta es invariable de la misma manera que el meri-

---

[163] *hsiang ya ch'iu:* clatro —véase nota 78—; *hsiang ya* significa marfil y *ch'iu* designa cualquier objeto esférico.
[164] *hemisferio:* media esfera determinada por una sección hecha por un plano que pasa por el centro de la esfera; *ecuador:* círculo que pasa por el centro exacto de una esfera, que es perpendicular a su eje y la divide en dos hemisferios.

diano virtual, representado por una pequeña hendidura tallada sobre la base, que representa la referencia longitudinal a lo largo del ecuador de la misma manera que los meridianos cartográficos que sirven para localizar un punto sobre un mapa o su sistema de coordenadas esféricas y que se polarizan sobre lo que sería el eje vertical de rotación, no de todas —ya que los niveles interiores pueden girar sobre un eje colocado en cualquier posición—, sino sólo de la esfera exterior que está fija sobre el vástago que la retiene sobre la base y cuya proyección en el interior de la esfera exterior constituiría dicho eje. De esta manera la superficie de la esfera periférica queda dividida en seis husos de esfera cada uno de los cuales corresponde y está determinado por los orificios abiertos en ella, sólo que estos orificios están alternadamente colocados ya sea arriba o abajo del ecuador que divide los husos en dos partes. Así, de los seis medios husos boreales sólo el primero, el tercero y el quinto están horadados, de la misma manera que de los seis medios husos australes[165] están horadados el segundo, el cuarto y el sexto. Ahora bien, la disposición alterna superior e inferior de estos orificios circulares sobre la superficie de la esfera exterior es tal que entre ellos se establece una relación axial[166] de tal suerte que si nos fuera dado extraer las cinco esferas interiores restantes o si hiciéramos abstracción de ellas y mediante ejes estableciéramos una relación entre los orificios situados en los medios husos del hemisferio austral o inferior mediante ejes que pasaran por el centro de la esfera a partir del centro de los orificios circulares situados en los medios husos alternados superiores e inferiores hacia sus antípodas, o sea el centro exacto de los orificios circulares situados en los medios husos boreal o australmente correlativos, encontraríamos que los orificios primero, tercero y quinto del hemisferio superior corresponden con los orificios segundo, cuarto y sexto del hemisferio inferior. Si además de esto consideramos que el meridiano de referencia indicado por la pequeña hen-

---

[165] *huso:* parte de la superficie de una esfera comprendida entre dos semicírculos máximos; *boreal:* relativo al hemisferio norte; *austral:* referente al hemisferio sur.
[166] *axial:* perteneciente o relativo al eje.

didura tallada sobre la base del clatro es la línea que delimita
el primer huso en su extremo derecho para el observador, o
sea el huso situado a la izquierda de la marca de referencia
desde el punto de vista del observador, si asimismo concede-
mos al orificio situado en la parte superior de dicho huso el
valor ordinal 1, y si además damos la denominación de «norte» y «sur» a cada uno de los orificios según sea que estén colocados arriba o abajo del ecuador, resultará que los orificios
de la esfera exterior del clatro corresponden entre sí, mediante los ejes imaginarios, de la siguiente manera: 1 norte con 4
sur, 2 sur con 5 norte, 3 norte con 6 sur, 4 sur con 1 norte, 5
norte con 2 sur, y 6 sur con 3 norte. Si entonces concedes
nuevamente un valor ordinal a los orificios de la esfera exterior pero no en sentido positivo sino en sentido negativo, es
decir el valor 1 para el orificio 6 sur, el valor 2 para el orificio
5 norte, el valor 3 para el orificio 4 sur, y así sucesivamente
hasta llegar al valor 6 para el orificio 1 norte, conseguirás una
serie ordinal numérica correspondiente a la sucesión, en sentido negativo, como es la tradición concebirla al emplear el
método adivinatorio del *I Ching*, de las líneas que forman las
hexagramas. Si entonces haces girar el clatro e introduces una
varita a través de los seis diferentes orificios de la esfera exter-
na, todas las veces que esta varita atraviese el clatro para salir
por el orificio antípoda considerarás que se trata de una línea
continua mutante, todas las veces que la punta de la varita llegue al centro del clatro considerarás que se trata de una línea
rota mutante y en los demás casos las líneas serán inmutables,
continuas o rotas según el número de superficies de esfera
que la varita atraviese, rotas si par, continuas si impar, ¿has
comprendido los fundamentos de este procedimiento? Ahora toma el clatro en tus manos, recuerda aquella imagen, concentra tus pensamientos, y hazlo girar mientras repites para ti
misma, mil veces si es posible, esa misma pregunta: ¿De
quién es esa carne que hubiéramos amado infinitamente?

Buscas en vano. Tu cuerpo será tal vez una pregunta sin respuesta. Huyes de mí. De pronto te detienes y escuchas el tumbo de las olas. Desmayas. Es una sensación que trasciende los
límites estrechos de todas las miradas. Vas a caer, pero no, te

yergues ante ese horizonte que lentamente se va volviendo turbio. Es preciso recordar las palabras que has dicho: «...aquel farallón», y señalas un promontorio en torno al que los pelícanos revolotean tratando de cazar su presa. ¿Te refieres a eso? ¿Por qué trataste de huir? ¿Encontraron tus ojos un rostro imprevisto? ¿Pudieron discernir a través del vaho de ese ventanal un signo tenebroso, la línea de la vida en una mano cortada, un miembro amputado gratuitamente, conservado en formol a lo largo de los años, olvidado en el desván de una casa deshabitada, para que tú, tú que creíste olvidarlo todo ante la amenaza de aquella cuchilla que relucía como un astro filiforme[167] en la luz del crepúsculo, lo encontraras un día? «Una preparación de academia» —un memento[168] de los días de estudiante—, el accesorio sangrante de la iniciación en una sociedad estudiantil de amputadores: *Gaudeamus igitur: juvenis dum sumus*[169]. —Pero no; tu cuerpo no estaba destinado a los placeres del desmembramiento de cadáveres en los rincones de una casa vieja. ¿Qué es lo que te ha hecho volcar el destino de tu vida anodina —tu vida de mujer— hacia ese cauce en el que el conocimiento es una cifra, un signo trazado indiferentemente pero cuyo significado encierra la clave de tu entrega, la definición absoluta de tu muerte? Usted está gravemente enferma como consecuencia de los excesos cometidos durante su viaje al Oriente. Sométase al tratamiento. He aquí el último cuestionario. Los grandes clínicos han contribuido a confeccionarlo. Procure contestarlo con franqueza. No tema revelar sus secretos más íntimos. La palpación, los tactos digitales, las biopsias[170] cruentas, no serán necesarios si a todas las preguntas responde usted con la verdad que le dicta su cuerpo.

---

[167] *filiforme:* que tiene forma de hilo.

[168] *memento:* calavera; el nombre viene de la calavera sobre la que meditaban los antiguos ascetas para tener presente la caducidad de la vida.

[169] *gaudeamus:* canto latino que se hizo popular en las universidades alemanas durante la Edad Media y que ha pasado a convertirse en himno universitario; *gaudeamus igitur; juvenis dum sumus:* «alegrémonos, pues, mientras seamos jóvenes»; primer verso de este canto latino cuya verdadera transcripción es «gaudeamus igitur, iuvenes (no *juvenis)* dum sumus».

[170] *biopsia:* extracción de una muestra de tejidos vivos para su estudio con fines diagnósticos.

Ahora ya eres mía. Yaces sobre la plancha y todo mi placer se anega en tu mirada sorda. Ya no eres sino una palabra. ¿Osaría proferir tu nombre bajo esta bóveda?

La primera pregunta: ¿Deseó acaso sentir entre sus manos el peso muerto de un miembro amputado?

La segunda pregunta: ¿Hubiera deseado disfrazarse de enfermera con el fin de aumentar su atractivo sexual?

Tercera pregunta: ¿Ante la posibilidad de un embarazo, especuló usted acerca de la función a la que está destinado el instrumento conocido en los manuales clásicos de obstetricia como «basiotribo de Tarnier»?

Cuarta pregunta: Subraye usted, de las disposiciones enunciadas en seguida, la que preferiría obtener:
  a)—*Yin, yang* mutante, *yin.*
  b)—*Yin* mutante, *yang, yin.*
  c)—*Yang, yin, yin.*
  d)—*Yin, yang, yang.*
  e)—*Yang, yin, yin* mutante[171].

Quinta pregunta: ¿Concibe que su muerte sería más su muerte si al morir se viera reflejada en un espejo?

Existe una conjetura fatal, señor abate, que habéis pasado por alto: el *tractat*[172] redactado bajo vuestra dirección, en posesión de los miembros de las organizaciones facciosas, serviría, no sólo como fundamento para la instauración de una iglesia au-

---

[171] El trigrama *yin, yang, yin* simboliza *k'an,* lo abismal, el agua; cuando en el trigrama *k'an* el *yang* entra en mutación transformándose en *yin* se convierte en el trigrama *k'un* (compuesto ahora por tres *yin):* lo receptivo, la tierra; del mismo modo, cuando muta el primer *yin* el trigrama *k'an* se transforma en *tui (yang, yang, yin),* lo sereno, el lago; por su parte la combinación *yang, yin, yin* constituye el trigrama *chen,* lo suscitativo, la conmoción, el trueno; y al mutar su último *yin* se convierte en el trigrama *li (yang, yin, yang),* lo adherente, el fuego.

[172] *tractat:* tratado, apócope de la palabra latina *tractatus.*

tónoma, sino como cimiento canónico de una doctrina herética; habéis sido, sin daros cuenta, el sistematizador de un testimonio que atenta contra las bases de nuestra Santa Religión, el autor de un evangelio que niega al Cristo Redentor para afirmar un cristo chino, un mesías borroso, un asesino simplemente, fotografiado en el momento de su ejecución, en el momento de su muerte.

¡Bah!, tu cuerpo es más que eso; es la extensión del mundo vista desde una altura suprema. Nadie escapa a tu huida que todo lo congela y lo vuelve inolvidable. Tu carne, cuando yo la acaricio, sabe acoger en sí misma toda la crueldad del olvido. Por eso yo no sé cómo se llama ese hombre desnudo que atado a una estaca se somete a la vida para siempre. ¿Acaso no lo adivinas en su mirada? ¡Qué importa su nombre, si, ciega, sabré toda mi vida reconocer su carne, reconocer tu cuerpo que es el suyo!

Ahora ya tu cuerpo es un hecho absoluto. ¿Qué exige tu carne más allá de este abrazo definitivo? ¿Cómo poder alcanzar el absoluto de esta quietud que ahora sólo es tuya? El goce es infinito y sin embargo en tu inmovilidad lo has agotado. Quisieras reflejarte en el espejo. ¿Quisieras reflejarte en el espejo? No bastan todas las sombras que te ciñen para concretar un punto de luz en tu mirada. Ahora estás aquí. Me perteneces en la medida en que tu muerte es la desnudez de mi cuerpo tendido al lado de tu cuerpo. La desnudez no es sino un signo de tu disolución. El amor con que mis ojos habrán de mirarte tendida en esa plancha de mármol hará que tu significado —el significado de tu lentitud infinita— se vuelva comprensible, y las palabras que hubieras querido pronunciar sólo serán audibles para mí. He tratado de entregarte, para que tú lo retuvieras en tu puño, para que lo acogieras en tu pecho, junto a tu corazón desfalleciente, el significado de un instante: el instante en el que, por la amplitud de mi deseo, supe que eras mía. Tú no te percataste de ello. Corrías hacia una ventana a través de cuyos vidrios empañados creíste descubrir una silueta inquietante, la silueta del asesino. Pero yo tuve buena cuenta de ello. Corriste entre un espejo y mi mirada, y ese espejo reflejaba la imagen de un cuadro en el que estaban representadas dos figuras de mujer: *El Amor Sagrado y El Amor Profano;* una composición célebre de un gran maestro veneciano. Pero tú no quisiste conocer mi ansiedad. Temías la llegada del cirujano. Tu cuerpo, en un estremecimiento de horror ante la posibilidad de ciertas experiencias, huyó ante mí hasta convertirse en un garabato informe, un signo incomprensible trazado con la punta del dedo sobre el vaho de la vidriera. No hubieras osado volver la mirada y sin embargo ahora eres una estatua de sal. ¿Quién te impulsó a llamarme? ¿Quién dibujó en la noche esa figura en la que se concentra el último significado de una cifra inquietante: el número seis? ¿Fuiste tú quien lanzó esas monedas cuyo tintineo, viniendo desde el fondo del pasillo, te hizo estremecer mientras tratabas de descubrir la identidad de una sombra? ¿Creíste acaso ser tú la Enfermera que eternamente espera en la penumbra la llegada de aquel que habrá de realizar un acto quirúrgico capaz de trastocar la sucesión de los hechos? ¿Estuviste acaso tú en Pekín el veintinueve de enero de mil novecientos uno? ¿Presenciaste ese acto radiante —terrible de tan luminoso— cuyo testimonio pretendes ser? ¿Eres tú quien recogió esa estrella de mar? Eres una equivocación radical. Rechaza ahora ya el engaño de todos estos años, el engaño de este instante en que creíste convertirte en algo inolvidable. ¿Por qué quisiste regalárteme muerta? Cuando mil veces mil instantes como éste se repitan en la sombría dimensión de tu vida, tu cuerpo ante el espejo, de par en par abierto como una puerta por la que se cuela el airón de la muerte, se quebrará mil veces como un trozo de hielo bajo el sol, y la mosca que creíste ver morir junto a los flecos del desvaído cortinaje de terciopelo revivirá animada de su lujuria de carroña y se posará en tu rostro para devorar la carne congelada de tus pupilas. Un hilillo de sangre surcará la comisura del quicio y por debajo de la puerta pintada de blanco que no quisiste abrir, penetrará en el pasillo y correrá hasta el salón en el que yo contemplo la lenta podredumbre de tu carne inaccesible. Desnudez y silencio. ¿Qué más puedes exigir de este instante? ¿Temes acaso la llegada de ese hombre que bajo el hemisferio llagado de un paraguas absurdo ha clavado su mirada turbia en la adivinanza de tu cuerpo visto a través de un vidrio empañado? ¿Pretendes escapar hacia mi olvido, perderte en esa soledad hecha de sombras? ¿Quieres ahora ser la Enfermera, ser el testigo y no ya el testimonio? Lanzarás las tres monedas entonces preguntando mentalmente si tu muerte bastaba para calmar mi deseo y un hexagrama único e inesperado, la sexagesimoquinta combinación de seis líneas quebradas o continuas se concretará para decirte que yo, igual que tú, no soy sino un cadáver sin nombre, tendido hacia la amplitud de una bóveda surcada de imágenes —mujeres que a la orilla del mar esperan la llegada de una barca—, un cadáver que aguarda la llegada de esa enfermera inquietante que aprendió, en los sótanos de la rue Visconti, a blandir los escalpelos, conocer el verdadero significado del suplicio mediante un rito, mediante la repetición de un acto que, aunque nada significa, convulsiona el sentido aparentemente inmutable de la carne. ¿Quién soy?, preguntas. Mi identidad te inquieta porque en tu entrega confundí tu vida con tu muerte y pensé que ambas eran la misma cosa. ¿Crees acaso que yo soy ese cuerpo que se yergue hacia ti, hacia el recuerdo de tu carne mientras esa máquina hexagonal compuesta de verdugos se afana en torno a él para revelar el significado del amor, de la vida? ¡Cuántas veces, al pasar las páginas de ese libro que describe la mutilación del cuerpo en términos de una disciplina metafísica habrás pensado que yo soy Farabeuf! ¿Por qué, entonces, quisiste morir para entregárteme en el momento en que viste girar la perilla de bronce de la puerta creyendo que quien la hacía girar era el Maestro? Pero no, por el contrario, era un saltimbanqui bizarro que venía a ofrecernos un espectáculo aparentemente ingenioso pero en realidad deplorable. No sabes fijar las ideas. El instructivo era bastante claro en este sentido: «*Concentre su atención...*», decía, pero tu pensamiento oscilaba como un péndulo errático. Quisiste conocer todos los significados de la vida sin darte cuenta que el último significado, el significado en el que estaban contenidos todos los enigmas, la realidad que hubiera permitido conocer nuestra existencia en su grado absoluto, no era sino una gota de sangre, la gota que rezuma cada milenio y cae sobre tu pecho marcando con su caída el transcurso de un instante infinito. Tú la viste trasponer ese umbral, su bata de enfermera estaba manchada de excrecencias mortuorias, mas tú no lo quisiste creer. Quisieras ser ella, ¿verdad? No pensaste jamás que tú —cuántas veces habrá que repetirlo para creerlo—, que tú *y yo* no éramos más que el reflejo de esos seres turbios que amaban contemplar sus rostros en este espejo, que deseaban ser nosotros, *su reflejo*. No pensaste jamás que ese espejo eran mis ojos, que esa puerta que el viento abate era mi corazón, latiendo, puesto al desnudo por la habilidad de un cirujano que llega en la noche a ejercitar su destreza en la carroña ansiosa de nuestros cuerpos, un corazón que late ante un espejo, imagen de una puerta que golpea contra el quicio mientras afuera, más allá de sí misma, la lluvia incesante golpea en la noche contra la ventana como tratando de impedir que tu última mirada escape, para que nuestro sueño no huya de nosotros, y se quede, para siempre, fijo en la actitud de esos personajes representados en el cuadro: un cuadro que por la ebriedad de nuestro deseo creímos que era real y que sólo ahora sabemos que no era un cuadro, sino un espejo en cuya superficie nos estamos viendo morir.

CAPÍTULO IX

Como una prueba de amor he decidido regalarte hoy un rato de esparcimiento. Celebramos, tú y yo, un aniversario secreto. No lo habrás olvidado, ¿verdad? He cambiado la disposición de los muebles. He colocado un pequeño estrado en el fondo del salón. No es muy alto pero sirve para el fin al que está destinado. Al fondo de ese pequeño escenario improvisado he colocado el espejo y un cartón blanco de regulares proporciones sobre el que serán proyectadas las imágenes de la linterna mágica. A un lado del escenario he colocado, sobre un pequeño caballete, otro cartón, de color amarillo, sobre el que está inscrito un signo, reminiscente en todo de un ideograma chino. Hubiera sido preciso tener otro espejo, pero esta deficiencia la he suplido con un poco de ingenio. He dirigido todas las luces disponibles hacia la ventana que da a la calle del lado derecho del salón. Toda esa luz, reflejada sobre los vidrios, convierte la ventana, en cierto modo, en un espejo que, si bien es bastante opaco, sirve, como quiera que sea, para los fines a los que está destinado. Al encender las luces, la parte del escenario queda más o menos en la penumbra, tal y como lo requiere el espectáculo que deseo ofrecerte en este día. Al mismo tiempo, la imagen del salón se multiplica al infinito sobre la superficie del espejo. La ventana que hace las veces de espejo posterior, con la disposición que he ideado, cobra un carácter especial ya que en ella se ve reflejado el cartón amarillo con el ideograma chino. Esto, sin duda, tendrá un significado particular para ti, pues debe recordarte, aunque sólo sea de una manera sumaria, la ventana tal y como estaba *entonces,* o ¿no es así? Por otra parte, esa imagen, cuyo contenido es tan valioso para nosotros, presidirá el espectáculo que deseo ofrecerte en esa fecha significativa, pues siempre estará reflejada en el espejo del escenario. Hay algo que tú no debes dudar. Ese hombre que te mira bajo la lluvia, que sólo logra barruntar tu silueta a través de los vidrios empañados y que sostiene en su mano un pesado maletín de cuero negro, habrá de revelarte su verdadera identidad cuando yo lo desee. A una señal convenida que yo le haré, en un momento especial de la representación y mediante un juego de óptica que sólo él sabe conducir eficazmente, se producirá en tu mente un esclarecimiento radical. Es posible que esta súbita revelación te resulte insoportable. Irás tal vez corriendo hacia la ventana y con la palma de tu mano tratarás de borrar ese signo que para entonces será ya indeleble. Pero yo he puesto toda mi confianza en la habilidad del Maestro. Él sabrá, sin duda, minimizar las consecuencias de ese paroxismo súbito que mediante sus imágenes provocará en todos tus sentidos. He traído también, para darte gusto, este féretro de utilería alquilado en un teatro. No pretendo sino sugerir la magnificencia de un sarcófago clásico y creo que bastará para representar la alegoría. Tú debes comprender lo que esto significa para mí. Hoy es un día especial, una hora especial, un instante, aunque sólo eso, en que espero ver colmado mi deseo. Debes prepararte con toda conciencia, no sin cierta humildad, a pasar por esta prueba, por esta ceremonia capital. No turbes ya las cosas que nos rodean. Todo es sólo un instante. Mantén tu mirada fija en ese signo que has ideado. Yo hago lo posible por ayudarte. Es preciso que estés dispuesta, que aceptes este sacrificio con todas sus consecuencias; no debes dudar un solo momento de mis buenas intenciones. Quiero, en cierta forma, revelarte un misterio inaccesible; quiero dilucidar, para que tú lo sientas con toda su inexplicable verdad, el misterio que te mantiene inmóvil ante mí. Comprenderás, cuando llegue el momento de hacer la señal al *meneur,* cuál ha ido la verdadera significación de este instante. No temas. Considera este ejercicio como una disciplina interior, como una meditación que conduce al éxtasis. Te darás cuenta, estoy seguro de ello, de que tu cuerpo desfallecerá huyendo de ti misma y sólo su significado, su esencia última, se concretará en las palabras que tú digas. No tardará en llegar. Debe haberse detenido en el Carrefour a tomar una copa de *calvados* para vencer el frío. Esto te da el tiempo necesario para disponerte a recibir esta pequeña ofrenda que yo te hago con el fin de perpetuar una fecha. Es bueno siempre conocer la cifra de los días. Es más fácil recordar las cosas cuando sabemos, al menos, en qué día acontecieron. Recuerda pues, una a una, las cosas que no deseas olvidar. Dentro de poco tiempo dará comienzo la función y desfilarán ante tus ojos esas imágenes cuya secuencia ha sido minuciosamente estudiada por Farabeuf a lo largo de los años. Su método sigue siendo un secreto, pero no puede dudarse de su efectividad. Vas a iniciarte en un misterio del que sólo tú, entre todos los seres humanos, vas a ser partícipe y yo se lo ofrezco, humildemente, en este día, porque te amo. Comprendo que es un regalo modesto, unos cuantos minutos de un esparcimiento singular. ¿Hubieras preferido que hubiéramos dado un paseo?, ¿a la orilla del mar, quizá? Sí, si no se tienen en cuenta las consecuencias ulteriores, aparentemente resulta más divertido pasar unos días a la orilla del mar, en un hotel de lujo o en una pequeña casa con todas las comodidades... pasear descalzos junto a las olas al atardecer, escalar los farallones donde las olas se rompen con un tumbo violento, caminar tomados de la mano sin decir nada. Todo ello es mejor comparado con el torpe espectáculo del Maestro, que apenas dura un instante. Pero debes tener en cuenta que si todo se realiza conforme a las previsiones que hemos hecho, si te concentras y admites, un solo instante de tu vida, esa suspensión de la voluntad y de los sentidos que pueden llegar a provocar las imágenes del teatro óptico de Farabeuf, tu vida se verá colmada. Esa identidad que te ha paralizado con su mirada fija y el significado de ese amor que no comprendes se te revelarán de pronto. Creo que diciéndote estas cosas te estoy atemorizando. No; es preciso que confíes en mí. Yo te amo, tú lo sabes, ¿no es así? Debe usted considerar esta experiencia como un tratamiento. ¿Acaso no lo es? Usted se encuentra enferma de olvido, por decirlo con un lenguaje sencillo. Nosotros deseamos ayudarle. Déjese conducir. La aplicación del tratamiento no dura sino un instante después del cual la vida sigue el mismo curso de siempre. Se muestra usted desconfiada. ¿Teme usted acaso las imágenes que puede reflejar un espejo? Recuerde que la fe salva. No le pedimos sino que tenga fe. Admita usted que en el fondo de estas cosas que le mostraremos existe una sabiduría secular; que todas ellas contienen una esencia que redime del mal. Su caso nos apasiona. Por ello hemos tomado un interés especial en usted y tenemos la mejor intención de ayudarle a salir de esa confusión de la que es presa. Afortunadamente contamos con los medios para lograr una cura radical. Manténgase inmóvil. Abandónese a nosotros. No desconfíe usted. Estamos aquí para su bien y sólo se trata de un instante; en un abrir y cerrar de ojos la vida habrá cobrado un nuevo significado para usted. Porque te amo has de permitir que te haga este regalo. Se trata de un pequeño divertimiento debido a la ingeniosidad de Farabeuf. Prepárate con humildad; no debe tardar en llegar. Si se retrasa es porque a veces le falta el aliento y se detiene a descansar. Mira cómo se multiplican nuestros rostros confrontados con el precario sistema de espejos infinitos que he ideado. Conforme cae la noche las imágenes cobran mayor precisión. Es por ello necesario que se haga de noche, cada vez más de noche para poder entender esto. Estoy seguro de que te gustará la forma en que habrá de desarrollarse el espectáculo. He tratado de cuidar cada uno de los detalles. *J'ai fait de mon mieux*[173], como dice el Maestro siempre después de la función. Me he permitido, inclusive, un pequeño golpe de teatro. Algo, digamos, espectacular. He traído esta noche unos cuantos libritos viejos, todos iguales, comprados por peso en un depósito de papel viejo. He pegado en la cubierta de cada uno de ellos una etiqueta que dice *Aspects Médicaux de la Torture*. Al final de la función hemos dispuesto, Farabeuf y yo, que se siga el procedimiento tradicional de la primera época del Teatro Instantáneo. ¿Te gusta la idea? Lo hago tan sólo para ti, porque te amo. En este día en que habrás de redimirte para siempre de ese recuerdo que te aleja de mí, te amo más que nunca, ¿comprendes? Procura no gritar. Guarda

---

[173] *J'ai fait de mon mieux:* «lo he hecho lo mejor que he podido».

silencio. Piensa, si puedes, que se trata de una ceremonia secreta en realidad. Vas a iniciarte en un misterio cuyo arcano te ha obsesionado sin que nunca lo hayas entendido. Es necesario que vayas a la contemplación de ese secreto humildemente. Debes inspirar compasión porque en esa ternura que provoques estará la realización de tu amor. Debes abandonarte en sus manos para poder comprender el significado de tu vida, para que puedas entender todo lo que hasta hoy no has entendido. Debes pensar que te sacrificas, pero que ese sacrificio no es sino un paso hacia la identificación de un rostro cuya mirada te sigue a cada paso, cuyo éxtasis todo lo que tú haces lo tiñe de sangre. Sacrificas tu pudor y tu cuerpo al contacto de esas manos cubiertas de hule para lograr aprisionar lo que siempre se te ha fugado. ¿Crees tú que será doloroso? No; no debes ver las cosas bajo esa luz. Se trata de un sacrificio y todo, absolutamente todo lo que suceda en esta noche, será para bien.

Debo explicarte, antes de que empiece el espectáculo, cuáles son las etapas fundamentales de su desarrollo. Te parecerá, cuando lo haga, que se trata de algo así como una ceremonia secreta, un acto equívoco o delictuoso[174], pero no es tal. Es simplemente un espectáculo cuya contemplación tiene ciertas virtudes que, si bien se pueden explicar en términos de una iniciación religiosa, es mejor considerar como un tratamiento terapéutico. Es así como lo consideraremos nosotros. Esto también lo hago por tu bien. El darle un carácter religioso a esta pequeña ofrenda tal vez te haría pensar en la muerte. Yo no quiero atemorizarte. Deseo que seas feliz. Sobre todo hoy. Ya verás que en realidad no es nada complicado todo esto. Farabeuf ama la pompa de las palabras y los gestos. Se deja, con frecuencia, llevar por el entusiasmo que le produce la aplicación de su método curativo. Es un hombre que ama su oficio con desinterés. Cada vez que introduce una mejora en el procedimiento quiere acentuarla, quiere ponerla de manifiesto a los espectadores mediante un golpe espectacular, mediante una frase que parece tener un contenido ocul-

---

[174] *delictuoso:* delictivo.

to. Esto satisface su vanidad de taumaturgo pero en el fondo todo lo que puede suceder durante sus intervenciones es de una simplicidad extrema. Es por todo esto necesario no dejarse engañar por la fingida solemnidad que reviste esta reconstrucción esquemática de un hecho lejano. Esas imágenes que verás proyectadas ante ti tal vez te turbarán. Un escalofrío recorrerá tu cuerpo como la caricia de una mano gélida. Querrás cerrar los ojos. Sí, entre todas, es ésta la sensación más terrible. Querrás enceguecer. Pero no. Valor y humildad. Ésa es la consigna de esta noche espléndida. Debes hacer acopio de fuerzas para resistir la contemplación de esas imágenes. Ya verás que pasado el primer momento todo se vuelve plácido y amable, como si ese jardincito abandonado floreciera, de pronto, después de la lluvia. Ahora te daré las últimas instrucciones. Debes seguirlas concienzudamente. De tu preparación y de tu aquiescencia a someterte a las disposiciones de Farabeuf depende el éxito de esta velada. Fíjate bien en lo que voy a decirte. Ante todo es necesario un esfuerzo supremo de concentración mental. Es así como se puede obtener la respuesta que tanto deseas conocer. Queda poco tiempo antes de que llegue el Maestro. Habrá sin duda muchas cosas que impedirán que te concentres; la música, sobre todo. Pero esto está calculado. Debes sobreponerte a ella. Se trata en realidad de un pequeño capricho del Maestro. Cree que con ello le da un carácter más teatral a su espectáculo. No trates de determinar qué es lo que esa música te recuerda. El Maestro es afecto a un tipo de música en extremo banal y muchas veces hasta obscena. Ama las viejas canciones de cabaret de su época de estudiante cuando solía frecuentar el *Chat Noir*[175]. Es preciso desentenderse de este complemento del espectáculo. Concéntrate tan sólo en tu cuerpo. Es él, más que tu memoria, el que sufre esta prueba exquisita y cruenta. ¿Estás dispuesta? ¿Te arredra el posible dolor que te cause esta experiencia? Recuerda que sólo se trata de un instante y que la clave de tu vida se encuentra encerrada en esa fracción de segundo.

---

[175] *Chat Noir:* uno de los primeros cabarets literarios y artísticos de París, su fama hizo que se fundara un diario satírico de idéntico nombre. Estaba situado en el número 84 del boulevard Rochechouart, en el barrio de Montmartre.

Desvístete. La desnudez de tu cuerpo propiciará la curación definitiva de este mal. Cúbrete sólo con un lienzo blanco de lino. Pareces envuelta en un sudario. ¡Cómo resalta tu cabellera sobre los pliegues blanquísimos de esa túnica! Ahora ven; descansa un instante apoyada en este féretro. Posa tu mano derecha sobre el borde de modo que tu peso caiga sobre ella. Quiero hacer un apunte sumario de esta imagen. Levanta tu brazo izquierdo como si estuvieras haciendo una ofrenda al cielo. No te muevas. Quédate así un momento. Estás fatigada. Lo sé. ¡Ya está! He captado con unos cuantos trazos el sentido esencial de la actitud. En otra ocasión tomaremos una fotografía para compararla con el original. Reposa. No debes fatigarte. La prueba será ardua pero yo tengo confianza en ti. Ha sido una buena idea traer este féretro de utilería. Sirvió tal vez para la representación de una obra fantástica en que los muertos cobran vida en el escenario. Hoy cumplirá perfectamente la función a la que lo he destinado. No negarás que tengo cierto talento de empresario o de director de escena. Más tarde, cuando llegue Farabeuf, deberás colocarte en la misma actitud del apunte. La Enfermera se colocará en una pose determinada de antemano, en el otro extremo del féretro. Vestida con su anticuado uniforme gris representará a la otra figura de la alegoría incomprensible. A Farabeuf seguramente le gustará este cuadro plástico que evoca otros tiempos, ¿no crees? Tú también amas representar este papel. Descúbrete un poco. Muestra la carne suave y blanquísima de tus hombros. Deja que tu pelo negro caiga sobre tu espalda desnuda; deja que ondee en la ráfaga como las cabelleras de esas mujeres que están figuradas en la bóveda del anfiteatro en el que Farabeuf solía hacer sus prodigiosas disecciones. Así también, tal vez, tu presencia estará más de acuerdo con el verdadero carácter de la figura representada en este cuadro. Cobras con ello una significación que hace tu existencia más apropiada a la naturaleza de los acontecimientos que habrán de tener lugar esta noche. Llegado el momento, estas actitudes, estas representaciones de un hecho figurado, cobrarán un sentido diverso. Seremos quizá capaces de descubrir en su forma el significado que han tenido en nuestra imaginación. Pero la verdadera prueba será otra. Éstos no son sino los detalles de la ceremonia o del espectáculo. Cuando llegue Farabeuf no debes turbarte. Su presencia es, en realidad, un factor secundario. La importancia real está en lo que él significa. Todo está preparado. No es preciso ni siquiera hacer un último ensayo. He dispuesto las cosas de tal modo que todo resulte perfecto. Escucharás su voz en un diálogo tedioso con la Enfermera. Ella le hará preguntas mientras tú te abandonas lentamente, mediante un esfuerzo supremo de concentración mental, a ti misma, pensando siempre en una misma cosa, imaginando siempre, en la penumbra, una misma escena. Debes tener presente, por lo tanto, hasta el más mínimo detalle de ese documento inquietante que crees haber visto. Esos ojos que te siguen en la noche; que te siguen siempre a pesar del olvido; esos miembros tensos, mutilados, esas estrías de sangre que surcan un cuerpo anónimo, bello como el de una avispa traspasada por un alfiler. Farabeuf hará las cosas con su habilidad usual. Abandónate en sus manos. No mires los preparativos si crees que esto te inquietará. De pronto, casi sin que tú te des cuenta, te ceñirá con sus manos enguantadas. Colocará en tu cuerpo los diferentes aparatos que servirán para mantenerte inmóvil. Recuéstate. Apoya tu cabeza en este cabezal mullido pero firme. Déjalo que rodee tu frente con esas correas, que apriete lentamente las llavecillas de presión en tus sienes, que introduzca en tus párpados, con toda la rapidez que le permite su extremada destreza, los relucientes *clamps* que aíslan los ojos dentro de sus órbitas y los mantienen inmóviles y abiertos contra toda voluntad de cerrarlos. No temas. Piensa que yo estoy cerca de ti y que te amo. Al principio tomaré tu mano en la mía. Podré decirte alguna que otra palabra de consuelo, pero luego te abandonaré a los cuidados del Maestro que te irá preparando para mostrarte, en un momento único, en un instante supremo, esa imagen memorable. Farabeuf poblará tu memoria con el recuerdo de esa cosa que sólo en tus sueños has vislumbrado y que has olvidado o que crees que has olvidado. La imagen de esa cosa que deleita y aterroriza. Luego un breve interludio. Luces. La Enfermera tal vez cantará una canción obscena y festiva y tú sabrás entonces que has perdido la voluntad sobre tu cuerpo. Desnuda te descubrirás aprisionada entre los instrumentos

250

acerados. Con un gesto de su mano enguantada Farabeuf hará que todo vuelva a la penumbra. Proseguirá el espectáculo. Ahora serás *tú* el espectáculo. Ese juego de espejos hábilmente dispuestos reflejará tu rostro surcado de aparatos y mascarillas que sirven para mantenerte inmóvil y abierta hacia la contemplación de esa imagen que tanto ansías contemplar. No desfallecerás. Tu cuerpo está bien dispuesto al contacto frío de los instrumentos. Por eso no me importa prevenirte de antemano. Imagínate a ti misma como serás entonces. Los párpados inmóviles, dilatados al máximo hacia la frente y hacia las mejillas de tal manera que tus ojos parezcan desprenderse de tu cara. Tu boca abierta en un grito hecho de tensos alambres y de potentísimos resortes descubrirá hacia el techo de este cuarto las encías lívidas y la dentadura ávida de morder la noche en una convulsión de bestia fuertemente bridada. ¿Acaso no era ésta la menos inquietante de tus premoniciones? Es una forma de entregarte como tú hubieras querido. ¿O acaso no hubieras querido regalárteme muerta? Farabeuf no vacila. Cada uno de los tiempos de esta curiosa intervención está de acuerdo con un plan perfectamente establecido. ¿Con qué fin? Con el fin de encontrar una respuesta; con el fin de encontrar en tu imagen, en la imagen de tu cuerpo abierto mil veces reflejado en el espejo, la clave de este signo que nos turba. Y él la encontrará. Esto te lo aseguro. Bastará que en medio de esa pesadilla de tu cuerpo te mires reflejada en el espejo. «¿Quién soy?», dirás, pero en ti misma descubrirás al fin el significado de esas sílabas que siempre habías creído sin sentido.

Escucha. No digas nada. Sus pasos en la escalera habrán de confundirse con los latidos de tu corazón aterrado. Ahora tiéndete aquí. Contempla unos instantes esta fotografía borrosa. Mírala bien. No desfallezcas. Te tomaré en mis brazos. Así. Él llegará dentro de algunos instantes. Hará girar la perilla de bronce de la puerta produciendo un rechinido característico. Me perteneces ahora como la muerte pertenece a la vida, ¿no? Afuera no cesa la lluvia. Déjame descubrir la blancura de tu cuerpo. Déjame adivinar la sangre bajo la piel. Entrégame esa carne cuyo único destino es la mutilación. Cierra los ojos. Ha llegado. Está aquí. Ahora, empieza a contar. Yo me quedaré viendo cómo la lluvia golpea contra ese ventanal bordeado de un desvaído cortinaje de terciopelo. Sigue contando. No te detengas. En tu mente van surgiendo poco a poco las imágenes ansiadas. Un paseo a la orilla del mar. El rostro de un hombre que mira hacia la altura. Un niño que construye un castillo de arena. Tres monedas que caen. El roce de otra mano. Una estrella de mar... una estrella de mar... una estrella de mar... ¿recuerdas?...

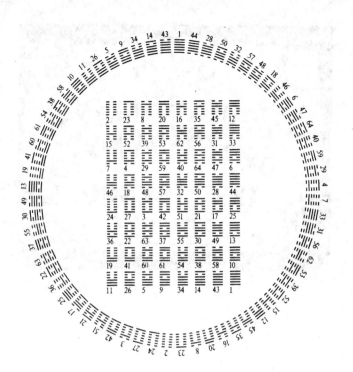

Lámina 1. Disposición tradicional de los hexagramas en círculo y, en su interior, en cuadrado

Lámina 2. Antigua ouija inglesa

Lámina 3. *Amor sagrado y amor profano*. Tiziano